ЧИНГИЗ АБДУЛЛАЕВ

ЧИНГИЗ АБДУЛЛАЕВ

«ГРАН-ПРИ» ДЛЯ УБИЙЦЫ

ЭКСМО-ПРЕСС

2000

УДК 882
ББК 84(2Рос-Рус)6-4
  А 13

Разработка серийного оформления
художника *А. Семенова*

Серия основана в 1996 году

Абдуллаев Ч. А.
А 13   «Гран-При» для убийцы: Роман. — М.: Изд-во
ЭКСМО-Пресс, Изд-во ЭКСМО-МАРКЕТ, 2000.— 432 с.
(Серия «Вне закона»).

ISBN 5-04-000371-4

Всемирно известный террорист, не знающий жалости, теряет поддержку своих постоянных «партнеров» и в отместку за это «предатель-
ство» решает организовать крупномасштабный теракт. Никто не знает,
где произойдет кровавая акция возмездия, но спецслужбы мира уже
начинают принимать меры — в игру вступает Дронго, независимый
эксперт и суперъаналитик, распутавший немало загадок.

УДК 882
ББК 84(2Рос-Рус)6-4

Начало

Эр-Русейфа. Иордания.
11 февраля 1997 года

К двухэтажному дому джип подъехал почти вплотную. Сидевший за рулем водитель вышел из машины, оглядываясь по сторонам. Оставшийся в джипе пассажир опустил правую руку, в которой держал израильский короткоствольный автомат «узи». Под ногами лежали готовые к бою гранаты. Они перекатывались внизу, как экзотические плоды, купленные на восточном базаре.

Водитель подошел к стоявшему рядом с домом второму джипу. Эта машина была гораздо меньше их собственной. Мужчина кивнул, увидев двух вооруженных охранников. Одного из них он знал в лицо.

— Все в порядке? — спросил по-арабски водитель.

— Да, — кивнул охранник, тоже узнавший подошедшего, — его ждут в доме.

Водитель повернулся и медленно направился к своей машине. Подойдя, он тихо сказал:

— Вас ждут.

Пассажир улыбнулся, положил автомат на сиденье водителя, наклонился, взял сразу три гранаты, сунул их в карманы, поправил пистолет, висевший в кобуре на ремне, и выпрыгнул из машины.

Это был высокий, сравнительно молодой человек. Главным его отличием было отсутствие растительности на лице. Если у охранников и водителя усы и бороды соответствовали канонам строгих мусульманских правил, то этот был чисто выбрит, словно только что сошел с самолета, прилетевшего из Европы либо из Америки.

Гость оглянулся и поспешил к дому. Охранники, стоявшие у двери, кивнули ему, ни о чем не спрашивая. Войдя в дом, гость прищурился. Здесь было темновато, хотя лампы и освещали большую комнату в центре дома. Пришелец был одет в полувоенную форму, на ногах армейские ботинки. Навстречу ему поднялись двое мужчин. Один был в летах, явно под семьдесят. Другой помоложе, но и ему было не меньше пятидесяти.

— Приветствуем тебя, Ахмед Мурсал, — сказал старший.

— Привет и вам, — наклонил голову в уважительном поклоне приехавший.

— Ты можешь сесть, — показал на ковер старший, усаживаясь первым. Он был в традиционной арабской одежде. Другой уселся с ним рядом.

Гость сел, нетерпеливо дернулся.

— Как ты доехал? — вежливо осведомился старший.

— Плохо, — сказал, нарушая все нормы приличия, гость, — я приехал сюда, хаджи Карим, не для того, чтобы вести с вами учтивые беседы. Вчера в Иерусалиме должен был состояться новый взрыв. Я послал туда двоих моих людей. Они готовы были умереть за наше святое дело. Но мне сказали, что вы не дали своего разрешения и даже вернули их обратно. Признаюсь, я не поверил такому сообщению. Но когда мне передали, что это ваш личный приказ, я решил приехать сюда сам, чтобы разобраться в том, что происходит.

— Тебе передали все правильно, — спокойно сказал хаджи Карим, — я действительно приказал не выдавать взрывчатку твоим людям и не пускать их в еврейские кварталы Иерусалима.

— Я могу узнать — почему? — сдерживая гнев, спросил гость.

— Мне позвонили от очень уважаемых лиц, — неторопливо сказал хаджи Карим, — и если бы мне позвонил только один человек, то, клянусь Аллахом, я отказал бы любому, кроме Пророка, да будет благословенным имя его. Но сначала мне позвонили из Эр-Рияда, потом из Дамаска. И наконец, из Аммана. И все просили меня воздержаться от этих безумных акций. Пойми, Ахмед, что такие взрывы ничего не дают, кроме озлобления людей. Они еще больше отдаляют нашу мечту о мире, о собственном государстве.

— И это говорите вы? — вскочил на ноги гость. — Я не верю своим ушам.

— Мы должны учиться жить в мире, — твердо сказал старик, — иначе вечная война будет проклятьем нашего народа. Ты этого хочешь, Ахмед Мурсал? Ты ведь не палестинец, тебе не понять, что мы чувствуем.

— Сначала мне запретили отомстить немцам, осудившим наших друзей в Берлине! — уже не сдерживаясь, закричал гость. — Теперь вы защищаете израильтян. Мир сошел с ума. Вы все безумцы.

— Как ты смеешь так говорить? — вскочил второй из сидевших на ковре людей. — Хаджи Карим — наш духовный лидер. Ты не смеешь называть его безумцем.

— Я все равно проведу свою акцию! — крикнул Ахмед Мурсал. — Все равно сделаю так, как решил.

— Нет, — твердо сказал хаджи Карим, — твои взрывы ничего не дают. Ты только напрасно губишь своих людей и людей другой веры.

— До свидания, — повернулся к ним спиной Ахмед Мурсал. — Я еще не ваш слуга, чтобы исполнять все ваши прихоти.

— Подожди, — остановил старик, — я знал, что ты будешь настаивать на своем, и поэтому решил убрать всю взрывчатку из известного тебе места. Не посылай туда больше людей, там ничего нет.

— Вы все предатели! — закричал в отчаянии Ахмед Мурсал, хватаясь за пистолет.

— Как ты смеешь нам угрожать? — возмутился стоявший рядом с хаджи Каримом его последователь и достал свое оружие. Ахмед Мурсал обладал более быстрой реакцией...

— Стойте! — крикнул хаджи, вставая между ними, и толкнул в сторону своего помощника.

Раздался выстрел. Хаджи Карим рассеянно оглянулся, словно не понимая, кто именно стрелял, и медленно стал опускаться на ковер.

— Ты убил хаджи Карима! — прошептал в ужасе помощник, глядя на умирающего.

В ответ раздался еще один выстрел. Помощник пошатнулся, вторым выстрелом был добит и он.

— Предатели, — прошипел убийца.

Он резко повернулся и направился из комнаты. Выходя из дома, он столкнулся с двумя охранниками, спешившими в дом.

— Что случилось? — спросил один из них.

Вместо ответа Ахмед Мурсал выстрелил ему

прямо в лицо. Второй поднял автомат, но сзади в спину ему выстрелил водитель, привезший Ахмеда. Охранник рухнул как подкошенный.

— Быстрее, — торопил Ахмед Мурсал, прыгая в машину, — уезжаем отсюда.

Увидев спешивших к ним людей от другого дома, стоявшего чуть в стороне, он помедлил немного и, вытащив гранату, бросил ее в их сторону. Раздался взрыв, послышались крики, проклятия.

Водитель рванул с места джип.

Один из охранников поднял голову и посмотрел вслед отъезжающей машине. Со всех сторон спешили к месту взрыва люди.

Бейрут. 13 февраля 1997 года

Только несколько лет относительно мирного существования позволили Бейруту снова начать отстраиваться, превращаясь в ту жемчужину Средиземноморья, которая славилась на весь мир. В городе постепенно восстанавливались старые здания, возводились новые, налаживалась мирная жизнь.

Он беспокойно оглянулся. Последний час ему все время казалось, что за ним наблюдают. На улице, как и в любом ливанском городе, было много людей, в основном мужчин. Найти в оживленной шумной толпе того, кто за ним следит, было достаточно трудно. Он еще раз оглянулся и резко свернул в переулок. Здесь было гораздо тише. Он быстро прошел дальше и снова свернул, на этот раз в небольшой тупик, заканчивающийся зелеными воротами. Торопливо постучав, он посмотрел на часы. Он прибыл вовремя. Дверца в воротах сразу открылась, и привратник, кивнув ему, показал в глубь дворика.

Гость в традиционной арабской одежде поправил свой головной убор с черно-белым платком в клетку, который во всем мире называли «дизайн Арафата», и прошел к дому. Там его уже ждал хозяин, одетый в более привычную европейскую одежду. Они были знакомы достаточно давно и не стали тратить время на разного рода формальности.

— Что случилось? — спросил хозяин.

— Я все узнал, — тяжело дыша, сказал гость. — Я все узнал, — повторил он, усаживаясь на стул. — Ахмед Мурсал готовит новую акцию.

— Где?

— Не знаю. Но на этот раз не в Израиле. Он отбирает людей, знающих европейские языки.

— Где он сейчас?

— Неизвестно. Возможно, в Каире или в Дамаске. Никто никогда не знает, где он может быть в данный момент.

— Нам нужны более точные сведения. Постарайся узнать, где именно они готовят свою акцию.

— Это трудно. Он никому не доверяет. И никому заранее ничего не говорит. Я только понял, что на этот раз он попытается подставить иранцев, свалив на них ответственность за свой террористический акт.

— Почему?

— Он считает, что они его предали. Они запретили ему проведение новых актов в Германии и вообще в Европе. Он был очень недоволен их позицией. Во всяком случае, я понял, что они довольно сильно разошлись во взглядах.

— Это может быть тактическая уловка.

— Не думаю. Если правда то, что я сумел узнать, то его скоро начнут искать по всему миру сами палестинцы.

— Что случилось?

— Он убил хаджи Карима. Лично застрелил его несколько дней назад. Тот пытался предотвратить новую акцию в Иерусалиме, и тогда взбешенный Ахмед Мурсал застрелил его.

— Не может быть. Ты понимаешь, о чем говоришь? Ведь он становится отверженным и не сможет больше рассчитывать на помощь не только палестинцев, но и Ирана.

— Тем не менее все об этом говорят. Передай, что сведения точные. Я сам слышал, как многие клянутся отомстить убийце хаджи Карима.

— Но это может быть хорошо спланированная игра.

— Какая игра? Убитого похоронили по мусульманскому обычаю в тот же день. В такие игры они не играют. Покойник был слишком уважаемым человеком, чтобы подставлять его в какую-то авантюру. Ты же знаешь, какое у них отношение к ушедшим. Нет, судя по всему, Ахмед Мурсал на этот раз сорвался и ему очень не повезло.

В этот момент в переулке появились трое, одетые в традиционные арабские одеяния. У мужчины в руках было небольшое покрывало, перекинутое через руку. Женщины были в парандже и семенили следом за мужчиной. Привратник, сидевший у дверей, увидел идущих по переулку незнакомцев с помощью телевизионной камеры, установленной на крыше здания. Он пригляделся. Мужчина шел впереди, а женщины, как и подобает, отставали от него на шаг. Привратник отвернулся от экрана, доставая бутерброд.

— Нам нужно знать все о его передвижениях и планах, — продолжал хозяин дома.

— Он мне до сих пор не доверяет. Он вообще никому не доверяет, — признался гость. — Но самое важное, что я узнал: он привез с собой какого-то специалиста, который хорошо владеет французским и английским языками. Это вам о чем-то говорит?

— Думаешь, он готовит что-то серьезное?

— Я уверен в этом.

Женщины остановились недалеко от дома. Внезапно одной из них стало плохо. Она медленно опустилась на камни. Другая бросилась ей на помощь. Мужчина растерянно оглянулся и шагнул к зеленым воротам, постучался и громко попросил воды. Привратник на экране видел то, что происходило на улице. Мужчина еще раз попросил воды. На Востоке не принято отказывать в воде. Он вздохнул, поправил висевший на поясе пистолет и, поднявшись, взял с собой стакан воды. Подойдя к воротам, он открыл тяжелую бронированную дверцу, способную выдержать выстрел из тяжелого пулемета, и протянул стакан мужчине.

— Мы никогда не могли к нему подобраться, — напомнил хозяин дома, — ты — наш единственный шанс. Пока тебя не раскрыли.

— Мне кажется, только пока, — возразил гость. Привратник все протягивал стакан с водой.

— Наверное, от солнца, — предположил он.

К воротам подошла и женщина, которая оказывала помощь подруге.

— Спасибо, — сказала она. Откинула паранджу с головы, и привратник с ужасом увидел на лице незнакомки усы. Поднялась с земли и вторая женщина, впрочем, под женским одеянием тоже скрывался мужчина. В руках у обоих были автоматы. Первый мужчина выхватил пистолет. А потом «она» подняла свой автомат, и несколько выстрелов отбросили привратника в глубь двора. Стакан с водой упал и разбился. Трое ворвались во двор.

Сидевшие в доме люди вскочили на ноги.

— Уходи! — закричал хозяин дома, доставая пистолет. — Уходи, я их задержу.

— Нет, — возразил гость, — уходи ты. Они сумели меня вычислить. Это я их сюда привел.

К лестнице, ведущей со второго этажа, бросился охранник. Он несколько раз выстрелил в нападавших. Но сразу две автоматные очереди отбросили его к стене, и через мгновение он скатился по ступенькам вниз, оставляя кровавые следы.

— Быстрее! — торопил хозяин дома. — Беги туда, — показал он на заднюю дверь.

— Передай то, что я тебе сказал, — напомнил гость.

Нападавшие уже поднимались наверх. Хозяин дома взглянул своему гостю в лицо, пожал руку и, кивнув, бросился к другой двери. Гость достал пистолет, прицелился и, когда на мушке появилась цель, сделал несколько выстрелов. Один из нападавших покатился вниз.

Сразу раздались ответные выстрелы и крики. Гость глянул в сторону. С той стороны, куда убежал хозяин дома, тоже раздавались выстрелы. Очевидно, нападавших было не трое, а гораздо больше. И они блокировали дом. Он еще раз выстрелил. Один из нападающих боевиков в нелепой широкой юбке, которая путалась у него в ногах, как-то смешно взмахнул руками и упал.

И в этот момент гость почувствовал, что сзади кто-то вошел в комнату. Он оглянулся, и в этот миг длинная автоматная очередь прошла его тело. Он упал на пол и был еще жив, когда к нему подошел человек. Тот наклонился и посмотрел в глаза гостю. У него было круглое лицо, редкие черные волосы и небольшие усы, словно взятые из гримерной и наклеенные на физиономию, так как не подходили по размеру этой ухмыляющейся мордастой роже.

— Ты все-таки нас предал, — сказал незнакомец.

Гость пытался что-то ответить, но не сумел ничего произнести. Незнакомец усмехнулся и, подняв пистолет, выстрелил прямо в лицо раненому. Потом выпрямился.

— Найдите сбежавшего, — коротко приказал он, — и обыщите здесь все. А потом сожгите. И его тоже сожгите, — показал он на убитого. — Все равно предатели попадают в ад.

Париж. 14 марта 1997 года

— Мы завершаем подготовку к проведению юбилейного пятидесятого кинофестиваля в Каннах, — закончил конференцию председатель оргкомитета.

— Что вы можете сказать о жюри? — спросил журналист «ТВ-5».

— Пока достоверно известно, что председателем жюри будет наша соотечественница Изабель Аджани. С остальными мы обговариваем возможности сотрудничества. В ближайшие несколько дней они должны передать нам подтверждение своего согласия на участие в Каннском фестивале.

— Ожидается ли приезд голливудских звезд? — поинтересовался развязный американский журналист. — Кого именно вы ждете в гости?

— Свое согласие уже дали Брюс Уиллис, Деми Мур, Клинт Иствуд. Ожидаем приезда Ингмара Бергмана, если он, конечно, сможет приехать. Мы планируем открыть кинофестиваль премьерой французского фильма Люка Бессона «Пятый элемент». А уже затем состоится конкурсный показ фильмов. Надеемся, что отобранные ленты доставят удовольствие нашим зрителям и гостям.

— Приедут ли на фестиваль русские? — спросил чешский корреспондент. — Будут ли представлены фильмы России?

— Во внеконкурсной программе будет представлен новый фильм российского режиссера Алексея Балабанова «Брат», — любезно сообщил председатель оргкомитета, поднимая одну из лежавших перед ним на столе бумаг.

— В иранской прессе промелькнуло сообщение, что фильм Аббаса Кияростами, заявленный вами в конкурсной программе фестиваля, может быть не выпущен из страны, — заметил немецкий журналист. — Как вы относитесь к подобным сообщениям?

— С большим огорчением. Кияростами очень известный мастер, и мы надеемся, что иранские власти проявят должное понимание ситуации и разрешат представить иранское кино на нашем фестивале. В конце концов, от этого выигрывают все, в том числе и иранский кинематограф.

— Вы будете бойкотировать Иран в будущем,

если они откажутся выпустить Кияростами в Канны? — не унимался немецкий тележурналист.

— В нашем лексиконе нет таких слов, как «бойкот», — улыбнулся председатель оргкомитета, — мы надеемся, что дело до этого не дойдет. До свидания, господа. Пресс-конференция окончена.

Журналисты поднялись, начали собирать микрофоны, блокноты, ручки. Помещение наполнилось гулом голосов. Немецкий журналист, задававший вопросы насчет Кияростами, подмигнул одному из американцев с карточкой «Ньюсуик», который находился среди журналистов, но вопросов не задавал.

— Обычный бардак, — самоуверенно сказал немец, — они все еще точно не знают, кто приедет в Канны.

— Да, — без тени улыбки ответил американец, — они все еще ничего не знают.

Журналисты начали выходить на улицу. Американец вышел одним из последних. Пройдя метров сто, он оглянулся по сторонам, достал мобильный телефон, набрал номер.

— Пока нет никаких подтверждений, — сказал американец.

— Может быть, мы ошибаемся? — спросил человек, которому он позвонил.

— Я не знаю. Пока у меня нет никаких фактов. Но, кажется, я догадываюсь, кто именно из наших ребят таскает «каштаны» для этих типов. Но пока ни в чем не уверен.

— Они что-то планируют, — уверенно сказал его собеседник, — ты когда собираешься полететь на Лазурный берег?

— Завтра.

— Правильно. Только будь осторожен. Не нужно

рисковать. Если они что-то планируют, то обязательно как-то себя проявят. Мы в этом не сомневаемся.

— Я тоже, — сказал журналист с карточкой «Ньюсуик». Он убрал телефон, еще раз осмотрелся и заторопился к своему автомобилю, не замечая, что за ним внимательно следят из машины, припаркованной на другой стороне улицы. Американец перешел дорогу, доставая на ходу ключи. Телефон он положил в карман, благо он там вполне помещался, аппарат был небольшой.

Стоявшая недалеко машина медленно тронулась с места. Американец открыл дверцу своего автомобиля, наклонился, усаживаясь в кабину. Вспомнив про мобильный телефон, он вынул его из кармана и положил рядом с собой на переднее сиденье.

Машина с наблюдавшими за ним людьми медленно подъезжала. Это был серебристый «Фиат».

Американец обернулся, прикидывая расстояние, отделявшее его от стоящей позади машины. Места было достаточно. Он подал автомобиль чуть назад, еще раз оглянулся, готовый выехать.

«Фиат» поравнялся с ним. Американец сделал нетерпеливый жест рукой, разрешая проехать вперед и освободить ему дорогу. Именно в этот момент из окна «Фиата» высунулось дуло автомата с глушителем.

В последний момент американец схватился за телефон, как будто это могло спасти его. Раздалась короткая автоматная очередь, и он уткнулся в руль собственного автомобиля. «Фиат» мягко отъехал, его пассажиры смотрели перед собой, словно ничего не произошло.

Март в Баку всегда бывает самым труднопредсказуемым. В этот месяц может произойти все что угодно, от обильного снегопада и проливных дождей до почти летней погоды, когда на улице можно появляться в легких рубашках. Правда, в последние годы небесная механика явно испортилась, и старожилы уверяли, что подобные мартовские частые холода — явление недоброе и тревожное.

В аэропорту Бина почти постоянно дуют сильные ветры, и в этот день, когда самолет голландской авиакомпании «КЛМ» пошел на посадку, один из сидевших у окна пассажиров невольно поежился, почувствовав, как трясет авиалайнер перед приземлением. Паспортные и таможенные процедуры не смущали. Пограничники и таможенники имели собственную гордость и предпочитали не трогать иностранцев, тем более прилетающих из экзотической Голландии. Пропустив иностранцев, они начинали особенно тщательно проверять соотечественников, коммерсантов из Турции и стран СНГ. Эти считались «своими» и, соответственно, обязаны были платить некоторую дань за провоз любых товаров и вообще ублажать всех встреченных на пути представителей власти.

Справедливости ради стоит отметить, что зарплата таможенников была не более десяти-двадцати долларов, а пограничники получали и того меньше. Правда, пограничники не имели и десятой доли тех доходов, которые получали таможенники. Почти каждый молодой человек мечтал устроиться в бакинскую таможню. Почти каждый счастливчик платил большие деньги за свое трудоустройство, и почти каждый сразу пытался начать «зарабатывать». Это удивительный феномен несоответствия заработной платы и прожиточного минимума, при котором люди, получавшие зарплату в десять долларов, могли прилично одеваться и кормить семью, а министры, получавшие тридцать-сорок долларов, не только отправляли своих отпрысков за рубеж, но и сами предпочитали отдыхать в самых экзотических странах и на самых престижных курортах. Более прилично выглядели депутаты, получавшие по двести-триста долларов. Но эту зарплату они устанавливали себе сами и, похоже, не смущались тем обстоятельством, что средняя зарплата по стране гораздо меньше, чем их собственные заработки. Хотя даже такая «высокая» зарплата в двести долларов не позволяла строить роскошные особняки, выезжать за рубеж и одеваться гораздо лучше западных коллег.

Впрочем, повальное фарисейство уже никого не удивляло. Так было не только в Азербайджане. Еще более смешная ситуация была в Грузии или Армении, где при гораздо меньших зарплатах число миллионеров-чиновников возрастало.

Гость прошел пограничный контроль. Виза, выданная в Бельгии местным посольством, была в полном порядке. Он не вызывал у пограничников никаких подозрений. Выйдя в зал ожидания и получив свой небольшой чемоданчик, он так же спокойно прошел мимо поста таможенного контроля, предъявив чемоданчик для досмотра. В нем не было ничего необычного. Рубашки, галстуки, книги, бумаги...

— Что это? — спросил один из таможенников, показывая на небольшой дорожный набор, в котором лежали ножницы и другие металлические предметы.

— Для маникюра, — пояснил гость, — там мои ножницы, ключи, брелоки от чемодана. Дорожный набор. — Он отвечал по-турецки, и таможенник его отлично понимал. Азербайджанский и турецкий языки почти идентичны.

Таможенник кивнул и разрешил все забрать. Гость улыбнулся, взял чемодан и вышел из зала. У входа его ждали двое, напряженно следившие, как он общается с таможенником.

— Все в порядке? — спросил один из встречавших.

Гость снял очки, поправил волосы, усмехнулся.

— Как обычно. Как дела у вас?

— Все готово. У нас нет проблем. Мы обо всем договорились. Но таможенники снова увеличили цену. Просят десять тысяч долларов.

— Это не деньги, — лениво сказал гость. — Это мы найдем. Когда ты прилетел в Баку?

— Вчера, — кивнул первый, мужчина лет сорока пяти, полный, лысеющий, с большим размятым носом, страдающий одышкой.

Все трое прошли к автомобилю. Молодой человек, усевшись за руль, положил чемоданчик гостя в багажник. В отличие от первого встречающего он был помоложе, ему было не больше тридцати лет. Острый кадык, зачесанные назад волосы, блестящие глаза, ровный прямой нос, упрямо-жесткие скулы. Из таких людей получались фанатики и герои. Молодой человек не чувствовал себя ни тем, ни другим. Он просто сел за руль автомобиля, и автомобиль выехал со стоянки.

Это была обычная белая «Хонда», каких в городе стало в последние годы довольно много. Город вообще неузнаваемо менялся. В отличие от Тбилиси и Еревана капитализация Баку шла полным ходом. Это был самый капиталистический город на Кавказе. Роскошные супермаркеты и рестораны, казино и отели возникали как грибы после дождя. Открывались все новые посольства, филиалы самых известных мировых компаний. На запах нефти и денег в город устремлялись тысячи авантюристов, мошенников, проходимцев. Вместе с ними сюда начали приезжать деловые люди, бизнесмены, банкиры, коммерсанты. От Маргарет Тэтчер до Збигнева Бжезинского, каждый стремился застолбить участок для деятельности своей компании. За бизнесменов своих стран не стеснялись просить президенты Америки и Франции, премьеры Великобритании и Германии. Это был настоящий Клондайк. Это было место на земле, где за одну ночь можно было стать миллионером, заработав миллион долларов. И потому этот город стал последней надеждой авантюристов всего мира.

Но этот гость не был авантюристом. А если и был, то был игроком мирового класса, не разменивающимся даже на такую сумму, как миллион долларов. Приехавшего звали Анвер Махмуд, по документам он был канадским гражданином турецкого происхождения. Но лишь по документам. Его настоящее имя было внесено во все информационные списки Интерпола как имя одного из самых известных и самых беспощадных преступников, орудующих в цивилизованном мире. Это был Ахмед Мурсал, террорист, входящий в число тех, кого разыскивали по всему миру.

Встречавшие его люди приехали в аэропорт, используя собственные документы. Первый из них, мужчина уже в летах, был приехавший из Турции бизнесмен Натиг Кур. Второй был азербайджанцем, местным жителем, и никогда раньше не видел гостя. Его звали Ильяс Мансимов. Раньше он работал в таможне, но был уволен оттуда после очередной смены руководства. И теперь вел самостоятельный бизнес как партнер своего турецкого компаньона.

Ильяс Мансимов знал гостя только под именем Анвера Махмуда. Он был осведомлен, а о многом и догадывался, приехавшему вряд ли потребовалось бы исповедоваться о своей жизни. В отличие от его молодого напарника Натигу Куру было известно настоящее имя гостя, с которым он познакомился несколько лет назад в Германии, но и он предпочитал делать вид, что никогда не слышал этого имени. Оно для него не существовало, он его просто забыл, чтобы спокойнее спать по ночам.

Мансимов, конечно, догадывался о том, что под маской приезжего скрывается другой человек, но тоже предпочитал не задавать лишних вопросов. В конце концов, так было спокойнее для всех. Кроме того, прибывший из Голландии канадский бизнесмен готов был оплатить получаемый товар весьма щедро. И переправить его в Европу для транспортировки в Канаду. Ильяс не знал, какой это товар и для чего он нужен. Его интересовала только сумма, которую гость готов был заплатить за него. А тот, судя по всему, скупиться не собирался.

Ильяс, используя свои старые связи в таможне, уже договорился с кем нужно, чтобы груз дважды пропустили. Сначала, когда он придет из России, а потом, когда его нужно будет отправлять в Европу. Груз был не такой большой, всего несколько ящиков, но Ильяс собирался заработать на этой операции большие деньги. В его представлении все приезжавшие в Баку бизнесмены были прежде всего бессовестными коммерсантами, готовыми выжать любую прибыль из создавшейся ситуации. А с такими церемониться не стоило. Именно поэтому он поднял сумму за собственные услуги в два раза. Таможенники хотели получить за все не больше пяти тысяч. Но еще столько же хотел получить и сам Ильяс. И это не считая дополнительных десяти тысяч долларов, обещанных ему в качестве премиальных за надежную доставку груза.

«Интересно, — думал Ильяс, — какого рода товар у этих проходимцев, если они готовы платить такие деньги?» Для себя он уже сделал некоторые выводы и собирался проверить их во время нахождения груза на бакинской таможне. Но пока они ехали в автомобиле, он предпочитал молчать, прислушиваясь к разговору этих турок. Чтобы обеспечить полную безопасность груза, они даже отказались от услуг водителя Натига Кура, и теперь сам Ильяс вынужден был сидеть за рулем. «Впрочем, это и к лучшему, — успокаивал себя Ильяс. — Иначе о пришедшем в Баку грузе знало бы слишком много людей».

— Куда мы едем? — спросил гость. — В отель?

— Нет, — быстро отозвался Натиг Кур, — я снял для вас квартиру. Думаю, вам будет удобнее на квартире. У нас здесь многие так делают. В отелях жить очень дорого. Простой номер в «Хаят Реджженси» или в «Европе» стоит больше двухсот долларов.

— Мне все равно, — равнодушно ответил гость, — а квартира в центре?

— Конечно, в центре, — оживился Натиг, — можете не беспокоиться.

— Когда должен прийти груз? — спросил гость, уже обращаясь к Ильясу.

Тот повернул голову и ленивым голосом ответил:

— Завтра ваш груз будет в Баку. Самолет вылетает из Челябинска в Москву только завтра. Если, конечно, его не задержат в России, на их таможне.

— Не задержат, — быстро сказал гость, — там все документы в порядке.

— Тогда не волнуйтесь, — усмехнулся Ильяс, — все пройдет как нужно. Все оформим как полагается. Послезавтра груз будет у нас. А уже через два дня вы сможете вылететь обратно в Голландию. Я подготовил все документы.

— Очень хорошо, — кивнул гость. Он полез в карман за сигаретами. Это были элитарные сигареты «Картье». Натиг Кур обратил внимание на это, но гость, закурив, не предложил их сидевшему рядом бизнесмену и тем более не стал спрашивать разрешения у водителя.

— Груз привезете лично? — еще раз уточнил гость.

— Да. Три ящика из Москвы, — кивнул Натиг Кур. В отличие от своего молодого коллеги он хорошо знал, что именно транспортируют в Баку из Москвы.

— Завтра утром я полечу в Москву, встречу груз из Челябинска и на следующий день утром провезу его через таможню, — уточнил Натиг Кур. — Мы оформим груз по категории «VIP», проведем при помощи нашего друга. У него дипломатический паспорт, и его груз не подлежит досмотру согласно существующим договоренностям в рамках стран СНГ.

— Хорошо, — одобрил гость, выбрасывая сигарету в окно, — подождем два дня.

Тель-Авив. 18 марта 1997 года

— Этот сукин сын убил нашего агента в Париже, — гневно заметил один из троих мужчин, сидевший за столом. — Месяц назад он организовал нападение на нашу резидентуру в Бейруте. Если пойдет так дальше, то скоро он появится и в Тель-Авиве.

Говорившему было за пятьдесят лет. Это был крупный коренастый мужчина. Он хмуро глядел на сидевших перед ним собеседников.

— Нет, — угрюмо возразил другой, чуть помоложе, — мы убеждены, что он сейчас в Европе. После Парижа наверняка покинул Францию, но пока не покинул Европу.

— В любом случае нам нужно знать, куда он поехал, как передвигается и что именно замышляет, — перебил его пожилой собеседник, который был хозяином кабинета.

— По сообщениям из Бейрута, он готовит новую акцию, — осторожно заметил самый молодой, — и на этот раз она может состояться в Европе. Он очень осторожно отбирает в свою группу людей, хорошо владеющих французским и английским языками, из чего наш агент сделал предположение, что готовящийся террористический акт состоится в Европе.

— Он может состояться где угодно, — возразил хозяин кабинета, — если мы не сумеем заранее вычислить, где он собирается нанести удар, мы не успеем его остановить. У него дьявольское чувство опасности. Он чует посторонних, как волк чует запах собак. Генерал, у вас есть конкретный план мероприятий?

— Мы предупредили все наши посольства и представительства, — ответил один из его подчиненных, — задействована вся наша агентура в Европе и на Ближнем Востоке. Считаем, что на этот раз он собирается придумать нечто такое, что могло бы одновременно нанести удар по нашей стране и сильно подставить иранцев, с которыми у него произошел разрыв.

— Данные о разрыве точные?

— Во всяком случае, «Хезболлах» заявил, что отныне не имеет с ним никаких дел. От него отреклись и все остальные группировки. Он возражал против решения палестинских группировок, которые решили подчиниться приказу Арафата и на время приостановить свои террористические акты. Узнав об этом, он лично застрелил хаджи Карима, и теперь его одинаково преследуют и наши агенты, и палестинцы, взбешенные убийством одного из своих лидеров.

— В таком положении он особенно опасен, — задумчиво сказал хозяин кабинета, — он очень опасен. И если мы не примем меры, то, вполне вероятно, столкнемся с самой большой проблемой, которая у нас когда-либо существовала.

— Он порвал со всеми прежними друзьями, резко оборвал все связи, — пояснил генерал, к которому обращался хозяин кабинета, — прежнюю сеть палестинского сопротивления мы держали под некоторым контролем, в том числе и в Европе. Но как искать человека, который не выходит на прежние явки и ни с кем не встречается? Где его найти? Откуда он будет получать оружие и взрывчатку для новых террористических актов, если он утратит все прежние связи? С ним остались несколько человек его ближайшего окружения. Мы делаем все, чтобы разыскать его. Надеюсь, он даст о себе знать.

— Сегодня утром мы получили данные от нашего посольства в Голландии. Они традиционно ведут наблюдение за рейсами компании «КЛМ», которые летают по маршруту Амстердам — Баку — Тегеран. Наш агент, работающий в аэропорту, передает нам списки всех прибывающих и отбывающих в Тегеран людей, их паспортные данные. До сегодняшнего дня мы не обращали внимания на пассажиров, которые летели в Баку, считая, что нас должны интересовать только те лица, конечным пунктом путешествия которых является Тегеран. Но утром наш аналитический отдел проверил весь полученный список по данным, заложенным в наш компьютер, — хозяин кабинета поднял лист бумаги, — вот сообщение. Один из номеров паспортов, указанных в списке вылетевших вчера пассажиров, совпал с одним из тех, которые мы потеряли два года назад в Иордании. Канадский паспорт. Серия и номер сходятся. Правда, фамилия изменена. Человек, путешествующий с паспортом под этим номером, вылетел вчера днем рейсом авиакомпании «КЛМ». Но не в Тегеран, а в Баку. У нас есть все основания предполагать, что после убийства нашего агента в Париже он выехал в Голландию и оттуда вылетел в Баку. Конечно, это может быть и другой человек, но паспорта тогда попали в руки именно Ахмеда Мурсала.

— В Баку? — изумленно спросил генерал, переглянувшись с другим собеседником.

— Да. У нас ведь есть посольство в этой стране, кстати, единственное на Среднем Востоке в мусульманских странах. Если, конечно, не считать наше посольство в Анкаре, но мы традиционно относим его к европейским странам.

— Вы думаете, Ахмед Мурсал собирается напасть на наше посольство в Баку?

— Я ничего не думаю. Я только излагаю факты. Два года назад у нас пропало несколько бланков канадских паспортов, которые почти наверняка оказались у боевиков Ахмеда Мурсала. Пять дней назад в Париже был застрелен наш агент. А через три дня кто-то, воспользовавшись похищенным паспортом, покинул территорию стран Шенгенской зоны и вылетел в Баку. Почему я не могу считать, что это был именно Ахмед Мурсал? Он ведь понимает, что мы будем его искать после совершения убийства именно в странах Шенгенской зоны.

— Я вылетаю в Баку немедленно, — решил генерал, — кажется, туда есть прямые рейсы из Тель-Авива.

— Возьмите с собой людей, выходцев из Азербайджана, — посоветовал его руководитель. — Послушайте, Райский, вы ведь у нас специалист по странам СНГ. Нужно задействовать и нашу агентуру в Баку. В любом случае нужно особо предупредить нашего посла в Азербайджане Аркадия Мил-Мана. Возможно, Ахмед Мурсал готовит нападение на наше посольство в Баку.

— А если он полетел туда в поисках альтернативных источников оружия? — вдруг спросил генерал. — Он ведь сейчас наверняка мечется, ищет, где можно взять оружие для новых акций. А на Кавказе это сделать проще всего. Там масса неучтенного оружия.

— И как он собирается провезти его в Европу? — насмешливо спросил хозяин кабинета. — В своем чемодане, пройдя через пограничный и таможенный контроль?

— Может, нам следует попросить помощи у азербайджанских властей? — предложил генерал Райский. — И, конечно, нужно проконсультироваться с Москвой.

— Разумеется. Наш посол должен немедленно связаться с Министерством иностранных дел Азербайджана. Можно будет арестовать Ахмеда Мурсала на выезде, когда он попытается вылететь из Баку. Но при чем тут Москва? — не понял хозяин кабинета. — Они, насколько я знаю, даже не контролируют границы Азербайджана. У них собственные пограничные войска.

— Я думаю, что Ахмед Мурсал в любом случае попытается получить оружие с севера. Нельзя недооценивать влияние Москвы на этот регион.

— Сейчас нам не до этого. Вопросы геополитики мы обсудим в следующий раз. Вылетайте в Баку.

— Простите, — неожиданно вмешался более молодой собеседник, — мне кажется, нам нужно использовать и другие, не совсем традиционные методы.

— Что вы имеете в виду, полковник? — нахмурился хозяин кабинета.

— Ахмед Мурсал оборвал все связи. Использование нашей агентуры и наработанных методов может не дать результата. Судя по всему, он готовит акцию именно в Европе, и боюсь, убийство нашего агента в Париже только подтверждает мою версию.

— Конкретно, что вы предлагаете?

— Использовать такой же метод. Бросить против террориста подобного масштаба охотника такого же ранга. Устроить охоту на самого Ахмеда Мурсала.

— У вас есть такой охотник?

— В прошлом году мы использовади опыт известного аналитика, бывшего эксперта ООН. Москва и Баку — это как раз его регионы. Я сейчас вспомнил о нем.

— Дронго, — сказал Райский, — я против, — сразу добавил он.

— Почему?

— Это наша проблема, и мы ее будем сами решать, — твердо произнес генерал. — Он неуправляемый тип, и совсем не обязательно снова привлекать его в качестве эксперта. Тогда мы были вынуждены его использовать. Он и так слишком много знает о нашей деятельности. Привлекать к сотрудничеству чужого человека было бы непростительной ошибкой.

— Но он лучший из экспертов, — настаивал полковник.

— Я имел с ним дело, — сухо сказал Райский, — и убежден, что это не тот человек, который нам нужен. Кроме того, мы обязаны решать свои проблемы самостоятельно, — снова подчеркнул он.

— Мне кажется, вы относитесь к этому эксперту не совсем объективно, — усмехнулся хозяин кабинета.

— Да. Совсем необъективно. Я с ним сталкивался и знаю, как он непредсказуем. Я против.

— Операция поручена вам, генерал. В таком

груз, — напомнил генерал Райский, — если он попытается что-либо сдать, следует немедленно изъять этот груз. И вообще тщательно проверить багаж всех пассажиров.

— Сделаем, — пообещал руководитель таможенного комитета, — я скажу, чтобы проверяли все, вплоть до личного досмотра, если понадобится.

— Нет-нет, — улыбнулся Райский, по-русски он говорил свободно, даже лучше некоторых своих собеседников, — главное — не перегнуть палку. Чтобы террорист ничего не заподозрил.

— Правильно, — поддержал его министр, — проверите весь груз еще раз после задержания террориста. Как только его арестуют, мы вывезем его в нашу тюрьму, а потом через несколько дней вы сможете забрать его с собой в Израиль. Наш изолятор находится в самом здании, внизу, под нами. Поэтому можете не волноваться.

— Я бы хотел, чтобы он оставался в отдельной камере, — попросил Райский.

— Вообще-то у нас с этим сложно, — честно признался министр, — свободных камер практически нет. Но мы обязательно что-нибудь придумаем.

— Он очень опасен, — еще раз предупредил Райский, — мало арестовать его. Нужно сделать так, чтобы он не сбежал.

— При мне из нашей тюрьмы еще никто не сбегал, — нахмурился министр.

Уже позже, когда Райский вышел из кабинета в сопровождении нескольких своих офицеров, он обернулся к одному из них:

случае немедленно вылетайте в Баку. И держите нас в курсе дела. Возьмите с собой всех, кто раньше проживал на Кавказе. Они могут пригодиться. И кто хорошо знает местные языки.

— С этим у нас проблем не будет, — засмеялся генерал, — в Баку все понимают русский язык, выходцы с Кавказа знают местные языки, я сам все еще хорошо говорю по-русски.

Баку. 20 марта 1997 года

В кабинете министра национальной безопасности Азербайджана был создан своеобразный штаб по руководству операцией. Прилетевший в Баку генерал Райский с целой группой своих сотрудников был принят сначала руководством Министерства иностранных дел, а затем и руководством Министерства национальной безопасности. Часть сотрудников, прибывших с Райским, обеспечивала усиленную охрану израильского посольства, куда дополнительно были подтянуты два автомобиля полиции и несколько машин Службы национальной безопасности.

У Баку были не просто хорошие отношения с Тель-Авивом. Израиль одним из первых государств признал независимость Азербайджана и установил дипломатические отношения. В Израиле всегда помнили, что, несмотря на все попытки спровоцировать еврейские погромы, только в двух крупных городах царской России — в Тифлисе и в Баку — их никогда не было. Более того, в этих городах даже не подозревали о существовании антисемитизма. Правда, репутацию Баку как самого интернационального города в мире испортили события девяностого года. И хотя тысячи азербайджанцев защищали своих соседей от насилия, тысячи людей спасали своих друзей и близких, тем не менее пятьдесят шесть убитых в Баку армян были шоком для миллионов бакинцев. И хотя справедливости ради стоит отметить, что погромы в Баку начались в ответ на массовые убийства и полное изгнание десятков тысяч азербайджанцев из пределов Армении, тем не менее убийство любого человека всегда было аморально и с нравственной, и с религиозной точки зрения, независимо от того, к какой именно религии принадлежал тот или иной человек.

Однако именно Азербайджан одним из первых среди республик бывшего Советского Союза установил прямой рейс в Тель-Авив, и именно в этом городе зародилось первое на Кавказе общество дружбы с Израилем. Именно поэтому на всех уровнях представителям спецслужб Израиля готовы были оказать любую помощь. Сказывалось и то немаловажное обстоятельство, что у официального Баку были не просто хорошие отношения с Израилем, но еще и не совсем нормальные отношения с Тегераном, ревниво относившимся к проникновению представителей США и Израиля в регион Каспийского бассейна.

Они собрались в кабинете министра, чтобы обсудить последние детали. Собственно, все было ясно с самого начала. Самолеты авиакомпании «КЛМ» вылетали из Баку в ночь на среду, пятницу и воскресенье, предварительно прилетев из Тегерана. Паспорт, с которым прибыл неизвестный, был отмечен при прохождении границы несколько дней назад. И теперь этот же неизвестный собирался вылететь в ночь на двадцать первое марта в Амстердам.

В кабинете находились заместитель командующего пограничными войсками республики, начальник республиканской таможни, сам министр национальной безопасности, трое его сотрудников и два офицера израильских спецслужб, прилетевшие вместе с Райским, который находился здесь же.

— Все ясно, — подвел итог министр национальной безопасности. — Сегодня ночью мы должны арестовать террориста и передать его нашим гостям. Все документы уже согласованы, остается только провести операцию задержания в аэропорту. Где это лучше сделать? — спросил министр у руководителя местного отделения безопасности в аэропорту.

— Когда он пройдет таможенников, — пояснил тот, — он должен будет проследовать через металлоискатель, и мы наверняка будем знать, что у него нет оружия. Он пройдет к стойке, где стоят служащие компании, регистрирующие билеты на рейс. И наш человек подаст нам сигнал. Тогда мы его и арестуем.

— Он очень опасен, — быстро вставил Райский, — среди пассажиров вполне может оказаться его вооруженный сторонник. Необходимо предусмотреть возможность постороннего вмешательства.

— Аэропорт будет оцеплен, — пообещал министр, — мы пошлем туда дополнительно еще дцать человек. Предупредим органы полиции, граничников. Ваш террорист будет арестован сегодня ночью, можете в этом не сомневаться, только он покажется в аэропорту, он обречен.

— Нужно обратить особое внимание

— Что он имел в виду, когда говорил о побегах из их внутренней тюрьмы?

— При прежнем министре отсюда сбежало сразу несколько человек, в том числе и бывший министр обороны, — пояснил офицер, который был выходцем из Баку, — после этого вокруг здания сделали решетку и усилили охрану.

— А где сейчас прежний министр безопасности?

— В этой тюрьме.

— А сбежавший министр обороны?

— Там же.

Райский пожал плечами.

— Мне иногда трудно бывает понять логику внутренних событий в бывших республиках Советского Союза. Павел, вы действительно знали Дронго до отъезда в Израиль?

— Я уехал десять лет назад, но уже тогда он был довольно интересным человеком. Он часто уезжал в непонятные командировки, и в городе говорили, что он работает в какой-то международной организации. Теперь я понимаю, что именно тогда происходило. Но я и не думал, что это именно Дронго. Я ведь уехал еще до всех этих событий, в восемьдесят седьмом.

— Я с ним встречался в прошлом году, — откровенно признался Райский. Они сели в автомобиль, выделенный для их делегации.

— Он вам не понравился? — спросил Павел.

— Мне он показался достаточно экстравагантным, — хмуро признался Райский, — давайте лучше поездим по городу. К стыду своему должен признаться, что я не был в этом городе ни разу в жизни.

— Договорились, — засмеялся Павел, — я покажу вам все лучшие места.

Уже около полуночи в аэропорту все было готово к аресту. Нескольких сотрудников службы безопасности переодели в таможенников и пограничников. За стойку компании, где оформляли пассажиров, также встал один из офицеров Министерства национальной безопасности. Все было готово к приему террориста.

В половине первого началась регистрация. Внешне она проходила спокойно. Многие пассажиры были утомлены ночным бдением и довольно вяло проходили таможенный и пограничный контроль. Райский сидел в комнате начальника службы безопасности, ожидая, когда наконец его позовут. Его офицеры, владевшие русским и азербайджанским языками, смешавшись с толпой провожающих, внимательно наблюдали за пассажирами.

Без десяти час к стойке подошел невысокий мужчина и подал свой паспорт и билет. Оформлявший документы сотрудник службы безопасности сразу увидел знакомый номер паспорта и уже известную фамилию. Он подал знак стоявшему невдалеке своему напарнику. Тот передал по цепочке. В кабинет руководителя службы безопасности вбежал один из сотрудников. Запыхавшись, он произнес:

— Он оформляется.

Райский тяжело вздохнул. До самого последнего момента он не верил, что Ахмед Мурсал появится в аэропорту. Он не верил в подобную удачу.

— У него большой багаж? — спросил генерал.

— Два чемодана. Их уже проверили, — доложил сотрудник.

— Идемте, — поднялся Райский и направился из кабинета. За ним поспешили остальные.

Если бы давали премию за идеальный арест, ее бы в этот вечер получили азербайджанские спецслужбы. Кто-то позвал незнакомца, а когда он обернулся, ему молниеносно на руки надели наручники, и окружили сразу несколько человек.

— Вы арестованы, — громко сказал старший офицер службы безопасности, руководивший группой захвата.

Генерал Райский сделал несколько шагов к арестованному, чувствуя непривычное волнение. Взглянул на того...

— Это не он, — быстро сказал генерал, — мы взяли не того.

— Что? — обернулся к нему руководитель группы захвата.

— Это не он, — сдерживая раздражение, повторил генерал. — Кто вы такой? — спросил он по-английски у арестованного.

— Я канадский гражданин Анвер Махмуд, — удивленно сказал незнакомец, — почему меня арестовали?

— Это вам расскажут они, — генерал махнул рукой, показывая на стоявших представителей местных спецслужб. И, повернувшись, пошел к выходу. Его догнал Павел.

— Что будем делать? — спросил тот.

— Он опять нас обманул, — зло сказал генерал. — Можешь не сомневаться, здесь был настоящий Анвер Махмуд. Просто он воспользовался другим паспортом, который выдал ему кто-то из сообщников Ахмеда Мурсала. Но теперь уже поздно. Наш клиент наверняка уже покинул Баку.

Райский вышел из здания. Поднял голову.

— Сегодня в Баку праздник, — негромко пояснил стоявший позади Павел. — Они отмечают Навруз-Байрам, новый год по местным обычаям начинается в день весеннего равноденствия.

— Павел, — обернулся к нему генерал, — я думаю, что нам нужно изменить вектор поиска. Как вы относитесь к тому, чтобы найти вашего бывшего сокурсника? Может, действительно я отношусь к нему слишком предвзято?

ЧАСТЬ ПЕРВАЯ

ГОРОД ШПИОНОВ

Москва. 24 марта 1997 года

Жизнь на два города делала его меланхоликом. Имея квартиры в Москве и Баку, он старался соблюдать некий баланс, при котором жил поочередно, по нескольку месяцев, то в одном, то в другом городе. Города были столицами разных государств, и он все более явственно замечал, как расколовшаяся на многочисленные куски бывшая Атлантида его Родины дрейфует по своим особым законам, а прежние составные части единого целого с одинаковой скоростью расходятся в разные стороны.

Он не любил политиков. Они казались ему фокусниками, менявшими свои убеждения и принципы в зависимости от сложившейся конъюнктуры. Они меняли свои маски так часто и беззастенчиво, так наглядно старались приспособиться к новым условиям, что он просто разучился удивляться. Конец девяностых годов, век подходил к концу. Это был самый страшный и самый сложный век в истории человечества, и общая усталость от накопившихся проблем — двух мировых войн, океана крови, пролитой в этом столетии, затмившем своей жестокостью все предыдущие, казалось, давит на людей. Конец века был крахом многих идей, многих воззрений. Многие миллионы людей пессимистически смотрели в будущее, не ожидая ничего хорошего от грядущего тысячелетия. Неизмеримо выросшее могущество человека за сто лет не сделало жизнь людей лучше, вместо ожидаемого совершенства человека, о котором так страстно мечтали мыслители в прошлом веке, лишь усовершенствовало орудия убийства, позволив именно в двадцатом столетии дважды применить атомное оружие и получить «цивилизованных варваров» конца двадцатого века, когда культура заменялась штампами привычных понятий и комиксов, общее образование — суррогатом специального обучения, готовившего человека к своей строго функциональной профессии, а гармоничное развитие оставалось лишь утопией немногих мечтателей.

Оставалось ждать конца этого века. Что он, собственно, и делал, продолжая свое существование в двух параллельных, но уже разных мирах, которые продолжали отдаляться друг от друга. Полученные гонорары от прежних расследований позволяли ему вести довольно сносное существование, и он, не испытывая материальных проблем, последние полтора месяца провел в Москве, почти не выходя из дома, отправляясь в магазины лишь за необходимыми покупками. Зато теперь у него было довольно много времени, чтобы наконец прочитать привезенные книги, в том числе и новые романы американских фантастов, изданные в последние несколько лет.

В последние недели он плохо спал. Сказывался и сердечный приступ, который свалил его во Франции. Врачи сообщили ему, что у него было лишь повреждение задней стенки сердца. Он не знал точно, что это такое, но понимал, отчего это произошло. За время своих многочисленных командировок и скитаний по всему миру он слишком много повидал, слишком много узнал, чтобы сердце могло оставаться безучастным к многочисленным трагедиям.

Он подсчитал, сколько раз ему приходилось становиться свидетелем изломанных судеб, неудавшихся жизней, рухнувших надежд. Он вспомнил, сколько раз сталкивался с человеческой подлостью и коварством, с цинизмом и насилием. Вспомнил, сколько убитых и раздавленных преступлениями людей он встречал в своей жизни, вспомнил погибших друзей, и ему стало страшно. Впервые в жизни. Он вдруг осознал, что давно превысил тот предел познания человеческого горя, который должен быть у нормального человека.

Теперь сердце болело все сильнее, а размышления о собственной судьбе занимали все свободное время. Он стал ловить себя на мысли, что постепенно привык к чужому горю и чужим страданиям, словно все это не могло коснуться и его самого. Может, поэтому он инстинктивно избегал любых разговоров по поводу создания собственной семьи. Может, поэтому встреченные им в жизни женщины не задерживались в его судьбе, ибо он сам не находил в себе мужества предложить им остаться. И может, поэтому он, оставшийся теперь один, к тридцати восьми годам вдруг начал бояться собственной смерти.

За многие годы своего одиночества он привык спать один. Но теперь по ночам он не мог заснуть. Внезапно заболевшее сердце словно разбудило в нем все те прежние страхи, которые он однажды испытал в подростковом возрасте, осознав, что рано или поздно умрет не только он, но и все, кто его окружают и кого он любит. Это волновало его тогда некоторое время. Но теперь, с годами, это начало волновать его совсем по-другому. Словно он боялся собственной смерти, как обрыва длинной и сложной цепи человеческих организмов, приведших в конце концов к его собственному рождению.

Он даже отправился к врачам, но, кроме немного повышенного давления, у него ничего не нашли. Кардиолог прописал таблетки, ему сняли кардиограмму. Но он сам знал, что дело не в его болезни. Он был здоров, относительно здоров, как может быть здоровым человек, которому почти сорок, который дважды был ранен, который слишком часто принимал на себя боль и разочарования других людей. Но он все равно был болен. Это была болезнь «среднего возраста», когда прежние идеалы казались утраченными, а ничего нового впереди не ждало.

Дронго был одним из тех, кто никогда не мог смириться с развалом собственной страны. Для него понятие «родина» вмещало ту огромную страну, в которой он родился, воспитывался, вырос. И которую защищал в силу своих возможностей. И которая развалилась, когда ему было тридцать два года.

Нет, он не ходил на демонстрации с красными знаменами и не призывал вернуть «вождя народов», с портретами которого стояли многочисленные старушки. Он и видел, и понимал изъяны и недостатки прежней системы. Но та страна, в которой он вырос и которую любил несмотря ни на что, уже не существовала. В некоторые города, любимые с детства, как Таллин или Рига, уже нельзя было попасть без визы. А его любимый Ленинград теперь назывался совсем другим именем, словно в насмешку над блокадниками, отстоявшими свой город и имеющими право на это название в тысячу раз больше, чем прежнее императорское Санкт-Петербург.

Но даже эта фантомная боль не могла заглушить реальной мысли, что восстановление прежней страны невозможно. В душе он все же надеялся на чудо, на обретение некоего единства пространства и территории. Но как аналитик и реалист видел расползающиеся в разные стороны суверенные территории, которые уже невозможно было собрать и склеить в прежнем виде.

Он отказывался от всех предложений, сделанных ему сразу несколькими государствами СНГ, предлагавшими перейти в их спецслужбы. Он не хотел работать на государственной службе. Жизнь частного лица, аналитика, который мог дать консультации или помочь в раскрытии загадочного преступления, могла приносить тот минимум для жизни, который обеспечивал его всем необходимым. Но позади осталась страна, в которой он жил, друзья, которых он потерял, работа, к которой он уже не смог бы вернуться. А впереди были неопределенность и смерть.

В последние недели он чаще всего думал именно о смерти. Ему казалось странным и несправедливым, что все люди от рождения, хорошие и плохие, совершающие нравственные поступки и аморальные мерзавцы, дети и старики, поклоняющиеся разным богам, все одинаково приговорены к смертной казни, отсрочка которой лишь усугубляла их страдания. Наделенный разумом человек рано или поздно понимал чудовищную несправедливость подобного закона природы, но обреченно мирился с нею, понимая, что ничего не сможет изменить. Подобная несправедливость абсолютно ко всем людям волновала самого Дронго как некий несправедливый уравниватель, делающий одинаково несчастными всех живущих. Поэтому в последние дни он чаще лежал на кровати с открытыми глазами или читал по ночам, чтобы заснуть с первыми лучами солнца, словно не желая каждый раз встречать его восход и рождение нового дня, так стремительно сокращающего его собственное существование.

Телефонный звонок разбудил его в половине девятого вечера. По вечерам он предпочитал иногда вздремнуть, чтобы затем бодрствовать до утра. Ночь была у него самым плодотворным временем для работы, чтения и размышления. Он был ярко выраженной «совой» и предпочитал ночное бдение и дневной сон. Чертыхнувшись, он поднялся с дивана и подошел к аппарату. Поднял трубку.

— Слушаю вас, — недовольным голосом сказал он.

— Это Дронго? — спросил его незнакомец.

Он поморщился. Когда разговор начинается таким образом, это не сулит ничего хорошего. Обычно так начинают разговор нетерпеливые дилетанты или суетящиеся чиновники, от которых ничего хорошего ждать не стоит.

— Нет, — ответил он глухим голосом, — вы ошиблись номером.

И положил трубку. Подумав немного, он решил вообще не отвечать на звонки незнакомца. В конце концов, если у позвонившего действительно важное дело, он может позвонить и завтра утром. Повернувшись, он пошел к дивану и снова лег, закрыв глаза. Интересно, кому он опять мог понадобиться?

Телефонный звонок все же выбил его из состояния привычной расслабленности, и он почувствовал, что не сможет заснуть. Немного поворочавшись на диване, он поднялся и включил телевизор. Веселая музыкальная передача заставила его переключиться на другой канал. Там показывали фильм, явно детективного жанра. Дронго отвернулся. Больше всего на свете он не любил детективы, особенно фильмы, выстроенные по голливудским стандартам, когда на одну минуту экранного времени приходилось одно убийство и половина полового акта, растянутого, как правило, сразу на несколько минут. Он переключил на другую программу и, увидев, что там показывают интервью с известным политиком, убрал звук и прошел на кухню.

«Интересно, — снова подумал он, — кто это мог позвонить? Кому я опять понадобился?»

Телефонный звонок раздался снова. Но он не стал больше подходить к аппарату, лишь механически считая звонки. После восьмого телефон умолк. Дронго вернулся в комнату и снова начал переключать каналы. Вполне возможно, найдет какую-нибудь более интересную передачу. Раздался один звонок. Потом еще три. Потом последовало сразу восемь. Он механически считал. После того как телефон умолк, Дронго приготовился взять трубку, когда он зазвонит в четвертый раз. Этот код под цифрой «сто тридцать восемь» был известен только одному человеку, его другу, много лет назад учившемуся вместе с ним на юридическом факультете.

Собственно, именно этот друг и разработал такую систему кодового звонка. Попав по распределению на службу следователем милиции, он довольно часто уходил из дома по ночам, перебираясь к своим друзьям и объясняя свое отсутствие частыми ночными вызовами. Именно тогда он раскрыл Дронго свой код, объяснив, что звонить следовало именно таким образом. Сначала один звонок, потом три, затем восемь. И только с четвертого раза вызываемый абонент поднимал трубку. Такая сложная система была придумана для жены и руководителей, но Дронго запомнил эту систему и теперь не сомневался, что звонит именно он. «Странно, что он позвонил спустя столько лет, — подумал Дронго. — Он ведь уехал из страны, кажется, лет десять назад».

Когда раздался звонок, он не колеблясь поднял трубку.

— Здравствуй, — услышал он знакомый голос.

Дронго улыбнулся. Он не мог ошибиться. Это был Павел Гурвич. Тот самый Павел, с которым он проучился пять лет на юридическом факультете и который уехал еще в прошлую жизнь, в другое время, из другой страны и в другую эпоху.

— Здравствуй, Павел, — улыбнулся Дронго.

— Узнал, — засмеялся Павел, — спустя столько лет узнал мой звонок. Я был уверен, что ты его помнишь.

— Еще бы! Это был такой экзотический код. Я запомнил его на всю жизнь. Как дела? Какими судьбами? Как ты узнал мой московский телефон?

— Это было нелегко, — пробормотал Павел, — но у меня остались кое-какие связи.

— Догадываюсь. Ты живешь в Москве или бываешь здесь наездами?

— Половина на половину. Но вообще-то я прилетел только сегодня вечером.

— И сразу нашел мой номер. У тебя хорошие связи, Павел.

— Надеюсь, что да. Нам нужно встретиться.

— Хорошо. Приезжай ко мне. Адрес ты наверняка уже знаешь?

— Я стою около твоего дома.

— Еще одна фраза, Павел, и я начну тебя бояться.

— Нет, — засмеялся старый друг, — ничего страшного. Просто я хочу навестить своего забытого товарища. Надеюсь, ты меня пустишь?

— А я надеюсь, ты придешь один, — вздохнул Дронго и, положив трубку, пошел к двери.

Через минуту в квартиру позвонили. Дронго осторожно посмотрел в глазок. На лестничной площадке стоял Павел Гурвич. За прошедшие годы он сильно изменился. Полысел, поправился, постарел. Дронго открыл дверь. Очевидно, и с ним за это время произошли разительные перемены. Он тоже изменился не в лучшую сторону. Они смотрели друг на друга несколько секунд, потом, крепко обнявшись, расцеловались.

— Заматерел, — сказал Павел, — тебя и не узнать.

— А ты вообще изменился, — признался Дронго, — я бы тебя на фотографиях не узнал.

Пройдя в гостиную, Павел осмотрелся.

— Ты сделал две квартиры похожими одна на другую, — удивился он, — тебе так удобнее?

— Да. Я даже покупаю одни и те же книги. И одинаковую посуду, чтобы чувствовать себя привычно удобно в обеих.

— Красиво, — усмехнулся Павел, проходя в комнату.

— А ты помнишь еще мою бакинскую квартиру?

— Немного помню, — Павел устроился на диване, кивнул на выключенный телевизор.

— Не включаешь?

— Не люблю, — признался Дронго, — смотрю только новости. Или Си-эн-эн. Который сейчас час?

Павел посмотрел на часы. Чуть смутился и, подняв глаза, пробормотал:

— Одиннадцатый час вечера.

— Жаль, не успел послушать последние новости по НТВ. Это новый канал на телевидении.

— Они повторят свои главные новости в полночь. Мы посмотрим их вместе, — невозмутимо сказал Павел.

— У нас такой долгий разговор? — Дронго заглянул в глаза своего бывшего товарища.

— Боюсь, что да. И надеюсь, что этим разговором все не кончится. Ты можешь включить и Си-эн-эн. Если у тебя есть, как это сейчас говорят, тарелка.

— Есть, — засмеялся Дронго, — тебе никто не говорил, что у тебя появился одесский акцент?

— Наверное, — кивнул Павел, — когда привыкаешь говорить на иврите, начинаешь чуть тянуть гласные.

— И на английском? — быстро сказал Дронго, усаживаясь напротив.

— Почему на английском? — вздрогнул Павел.

— Не знаю. Мне показалось, что ты выучил сразу два языка. Я прав?

— Почему? — несколько напряженным голосом спросил гость. — Почему тебе так кажется?

— Что ты будешь пить? — спросил вместо ответа Дронго. Поднявшись, он прошел к бару, доставая несколько бутылок.

— У тебя есть вино? — спросил Павел.

— Итальянское или грузинское?

— Мне говорили, что настоящего грузинского вина давно нет.

— У меня настоящее, — буркнул Дронго, доставая еще одну бутылку. Он открыл ее, налил темно-красную жидкость в высокие стаканы и сказал: — Вино труднее подделать, чем людей. Фальшивое вино легче распознать. За встречу.

— За встречу, — поднял бокал вина Павел, и они чокнулись.

И лишь когда Дронго поставил стакан на столик, он сказал:

— Теперь рассказывай, зачем ты приехал.

— А почему ты решил, что у меня к тебе какое-то дело? — спросил Павел.

— Я знаю, когда прилетают самолеты компании «Трансаэро» из Тель-Авива в Москву, — ответил Дронго. — Знаю точное время, знаю, что после твоего прилета в Москву прошло не больше трех часов. А за это время ты успел пройти границу, таможню, получить багаж, если он у тебя, конечно, был, найти мои адрес и телефон. Даже приехать сюда. Если учесть, что ты не успел перевести стрелки своих часов и они у тебя еще установлены на тель-авивское время, то оперативность довольно необычная. Из чего я сделал вывод, что ты приехал специально для того, чтобы меня навестить.

— Откуда ты узнал про часы? — удивился Павел. — Я ведь назвал тебе московское время.

— Ты запнулся на секунду, увидев часовую стрелку своих часов, и мысленно быстро перевел время на московский часовой пояс. Поэтому я догадался.

— А ты наверняка специально спросил меня

про время, — покачал головой Павел, — ты всегда умел замечать мелкие детали, на которые никто не обращал внимания.

Дронго удивленно покачал головой.

— Конечно, я спросил специально, — признался он, — но раньше, десять лет назад, ты бы наверняка не догадался. Что с тобой случилось? Рассказывали, что, уехав в Израиль, ты работал в каком-то русскоязычном журнале. Или ты уже сменил свое место работы?

— Да, — сдержанно ответил Павел, — я теперь работаю в агентстве «Сохнут».

— Хорошее место работы. Хочешь еще вина?

— Тебе не нравится мое место работы?

— Мне не совсем понятен твой неожиданный приезд. Может, ты мне все-таки расскажешь, зачем прилетел и даже вспомнил про свой забытый телефонный код?

Вместо ответа Павел потянулся к бутылке, сам разлил вино и, подняв свой стакан, провозгласил тост:

— За старую дружбу.

— С удовольствием, — засмеялся Дронго, чуть отпивая из своего стакана, — а теперь все-таки объясни.

Павел сделал один глоток, достал носовой платок, вытер губы и наконец сказал:

— Я прилетел не один.

— Надеюсь, не с женой? — пошутил Дронго.

— Мы прилетели с моим другом, — не улыбнувшись ответил Павел.

— И этот друг хочет со мной познакомиться?

— Нет, — чуть подумав, произнес Павел, — вы с ним знакомы. Скорее, он хочет, чтобы мы встретились с ним. Вместе. Втроем.

— И кто это такой?

— Вы с ним встречались два года назад.

— Из вашего государства?

— Да.

— Неужели ты прилетел с вашим премьер-министром?

— Кончай шутить. Это Соловьев.

— Понятно. Действительно, я с ним знаком. Два года назад мы с ним встречались. Тогда он произвел впечатление довольно осторожного человека. У него машина была напичкана аппаратурой. Кстати, мы встречались с ним несколько раз. И он назвал мне позже совсем другую фамилию. Кажется, генерал Райский. Или это тоже был псевдоним?

— А ты как думаешь?

— Я ничего не думаю. Если ему нравится в России быть Соловьевым, то пусть им будет. Какая разница: Райский, Соловьев или какой-нибудь Бернштейн. Просто у вас мания преследования. И вам нравится менять свои еврейские фамилии на другие, более приближенные к фамилиям граждан страны, в которой вы в данный момент находитесь.

— С чего ты взял? — нахмурился Павел.

— В Америке то же самое, — пояснил Дронго, — евреи меняют там свои еврейские фамилии на английские, считая, что это поможет их карьере.

— Ты стал антисемитом? — спросил Павел.

— Только без ярлыков, — усмехнулся Дронго, — мне просто не нравится, когда Райский вдруг приезжает в Москву и становится Соловьевым. И еще мне очень не нравится, что вы вышли именно на меня. Дважды я имел дело с вашей организацией. Сначала в Вене, в девяносто первом, а потом во

Франции, в девяносто шестом. И оба раза это кончалось не совсем хорошо для меня. В первый раз убили женщину, с которой меня многое связывало. Второй раз едва не убили меня самого.

— МОССАД тогда спас тебе жизнь, — напомнил Павел.

— Это тебе тоже сообщили, — вздохнул Дронго, — кажется, я должен буду согласиться хотя бы в знак благодарности. Или нет?

Павел хотел разразиться длинной речью, но передумал, сказал только:

— Да.

— Тогда все ясно. И зачем вы приехали? Опять какое-нибудь тайное общество? Или очередной заговор? Мне кажется, что тогда мы закончили наши отношения раз и навсегда.

— Тебя просят о небольшой услуге.

— Почему именно меня?

— Ты лучший эксперт в мире. Про твои аналитические способности ходят легенды. Рассказывают, что ты умудряешься «вытягивать» самые безнадежные дела.

— Зачем ты приехал, Павел? Неужели только для того, чтобы сказать мне это?

— Нет, конечно, нет. Дело в том, что на этот раз мы хотим попросить тебя о своего рода посредничестве.

— Кто это мы? Неужели ваше агентство?

— Я в данном случае говорю не от имени своего агентства. И не нужно так иронизировать. В мире, к сожалению, нас слишком часто переоценивают.

— По-моему, ваши спецслужбы трудно переоценить, — засмеялся Дронго, — но в любом случае я откажусь.

— Не получится, — вдруг сказал Павел, — ты не сможешь отказаться.

— Почему?

— Тебя попросит об этом еще одна сторона.

— Не понял.

— Мы попросили о помощи Службу внешней разведки России. Я думаю, завтра они выйдут на тебя.

— Может, хватит? — разозлился Дронго. — Я уже давно на пенсии. После распада СССР много раз заявлял, что считаю себя свободным от всех обязательств. Неужели вы не можете найти никого лучше? Или вы делаете это намеренно, ожидая, когда наконец меня уберут?

— Дело не в тебе, — признался Павел, — тут совсем другая история.

— И ты приехал специально меня уговаривать, — нахмурился Дронго, — они решили, что я не смогу отказать старому знакомому?

— Нет. Я участвую в разработке операции. Моя служба только прикрытие, как ты уже понял. Я работаю в разведке.

— Я догадался. Где еще может работать человек с твоим профилем. Ты ведь был неплохим следователем. Я думал, ты пойдешь в полицию.

— Соловьев прилетел со мной для координации наших служб. Завтра на тебя выйдут представители российской разведки. Ты практически единственный человек, который может сейчас нам помочь. Единственный.

— Так не бывает, — строго ответил Дронго, — незаменимых нет. Не нужно меня убеждать в том, что в вашей разведке вы не можете найти одного толкового специалиста.

— Сколько угодно, — улыбнулся Павел, — но нам нужен именно ты.

— Кончай говорить загадками и наконец объясни, что случилось.

Вместо ответа Павел достал из кармана фотографию.

— Ты знаешь этого человека?

— Нет. Первый раз вижу.

На фотографии был снят молодой человек в очках. Он пристально, с чуть заметной улыбкой, смотрел в объектив.

— Это Ахмед Мурсал, — объяснил Павел, — один из самых опасных террористов нашего времени.

Дронго взглянул на фотографию.

— Возможно, — согласился он, — я о нем что-то слышал. Но никогда не видел его фотографию.

— Это редкий снимок, — пояснил Павел. — Через секунду он застрелит того, кто его снимает.

Дронго снова взглянул на фотографию.

— Своеобразный способ благодарности, — сказал он.

— Этот человек не знает, что такое жалость или благодарность. Он обладает каким-то сверхъестественным чутьем на любых агентов, которых мы к нему пытаемся заслать. Иногда кажется, что это и есть так называемое шестое чувство. Просто у одних есть чувство ритма, у других — чувство музыки, тогда из первых получаются гениальные поэты, а из вторых гениальные музыканты. Так вот, у Ахмеда Мурсала есть чувство опасности. И поэтому из него получился гениальный террорист.

— Можно подумать, что ты прилетел специально его рекламировать, — нахмурился Дронго.

— Ахмед Мурсал создал свою организацию двенадцать лет назад. Тогда ему было двадцать пять, — продолжал Павел, — он учился в Англии и Франции. Великолепно владеет несколькими европейскими языками. Его семья из Ирака, но они давно эмигрировали оттуда, не признавая режим Саддама Хусейна. Его отец уехал из Багдада еще лет тридцать назад, когда Ахмед Мурсал был совсем ребенком. В английском колледже он попадает под влияние группы проирански настроенных молодых ребят из влиятельных семей Афганистана, Ирана и Ирака. В середине восьмидесятых он несколько раз побывал в Иране и затем создал в Европе свою организацию. Одно время его движение щедро финансировалось иранским правительством. Но затем, когда он начал самостоятельные несанкционированные террористические акции в Европе, это очень не понравилось иранскому руководству. Они в этот момент очень плодотворно торговали с целым рядом европейских стран, а он вносил в их отношения некий дисбаланс. Тогда они отказали ему в своей поддержке и он порвал с ними отношения.

Дронго смотрел на фотографию и молча слушал.

— Позднее он вышел на пакистанскую разведку, которая иногда финансировала его деятельность, — продолжал Павел, — именно члены его группы вместе с представителями движения «Талейбан» и офицером пакистанской разведки захватили в Афганистане бывшего лидера этой страны Наджибуллу. Чем это кончилось, думаю, ты помнишь. Одно время Ахмед Мурсал находился в Афганистане, но затем уехал оттуда. Сейчас, по нашим сведениям, он готовит акцию устрашения. По агентурным данным, он постарается сделать все, чтобы свалить вину за свой террористический акт на иранскую сторону, которая, как ему кажется, его предала, отказавшись финансировать. Мы не знаем, где, когда и какой удар нанесет этот террорист, но можно не сомневаться, что он выберет самое уязвимое место и постарается добиться максимального скандала.

— Понятно, — кивнул Дронго, — но я с ним никогда не встречался. При чем тут я?

— Ты единственный человек, который может выйти одновременно на российскую и иранскую разведки и скоординировать наши действия. Ты ведь — бывший эксперт ООН, тебя неплохо знают в мире. И ты единственный человек, которому поверят иранцы. Они не поверят вообще никому, кто придет от нас. А своих агентов, как ты понимаешь, мы в Иран послать не можем, учитывая наши нынешние отношения. Ты эксперт международного класса по проблемам преступности, и нет ничего странного, что именно тебя мы попросили о посредничестве. Я думаю, иранцам невыгодно, чтобы подобный акт действительно где-нибудь произошел. Конечно, только в том случае, если они сами в нем не заинтересованы.

— Я понял, — кивнул Дронго, — кажется, теперь я начинаю понимать, в чем дело. Сказки насчет единственного эксперта оставим для дурачков. Вам нужен не просто посредник, вам нужен свой человек в Иране, которому вы доверяете. Вы рассчитали, как всегда, все точно. С одной стороны, вам действительно нужен посредник на ваших переговорах с иранцами, а с другой, нужно, чтобы этот человек был одновременно и аналитиком, который сумеет просчитать, искренне ли Тегеран идет на этот контакт или действительно поддерживает террориста. Я прав?

— Ты сказал это лучше меня, — развел руками Павел.

— И именно поэтому я говорю нет, — резко сказал Дронго, — я не собираюсь втягиваться в ваши разборки. С меня достаточно собственных проблем.

— Ты понимаешь, что мы просто не успеем так быстро найти другую подходящую кандидатуру, — сказал Павел. — Ты ставишь нас в очень трудное положение. Формально мы почти в состоянии войны. Кто-то должен выйти на иранцев. Мы уверены, что он постарается подставить именно их. Я не думаю, чтобы им это было выгодно. После того как в Германии местное правосудие обвинило официальный Тегеран в поддержке террористов, любой другой теракт будет окончательным разрывом европейских держав с Ираном. Они это должны понимать.

— Это верно, — согласился Дронго, — но при чем тут вы?

— Он считает, что иранцы его предали, — пояснил Павел, — и постарается на этом отыграться. Но главные его враги — это мы. Ты понимаешь, что его удар может срикошетить и на нашу страну. А у Москвы сейчас союзнические отношения с Тегераном, и они обещали нам содействие.

— И все-таки я отказываюсь, — пожал плечами Дронго. — Думаю, вы можете действовать и через Москву. Можно найти агента, который поедет на переговоры представлять вашу сторону.

— Но у него не будет твоих аналитических способностей. Он может не понять, в какую игру его втягивают.

— Все равно — нет.

— Я так и думал, — кивнул Павел, — кажется, я тебя не убедил.

— Просто я в эти игры уже давно не играю.

— По нашим сведениям, — вдруг сказал Павел, — речь идет не просто о террористическом акте. Возможно, он планирует нечто более серьезное. Настолько серьезное, что впервые в своей истории мы готовы сотрудничать даже с иранцами. Поэтому мы и вышли на российские спецслужбы.

— Тем более, — зло ответил Дронго, — я думаю, подключив все резервы, которые есть у вас и у Москвы, вы можете вообще убрать всех террористов по всему земному шару. Вам незачем еще и такой помощник, как я.

— Твой авторитет эксперта... — начал Павел.

— Хватит, я уже отказался.

Вместо следующей реплики Павел достал из кармана еще несколько фотографий.

— Это Наджибулла, — показал он на повешенного, — а это его брат. Рассказать тебе, как их пытали? Ты ведь их знал лично.

— Не нужно, — мрачно сказал Дронго. — В конце концов, я не могу быть спасителем всего человечества.

Павел посмотрел на него и бросил на стол еще одну фотографию. На ней была улыбающаяся девушка.

— Это моя сестра Эльвира. Ты ее должен помнить. Когда мы уезжали в Израиль, она была совсем девочкой.

— Да, конечно, помню. Она еще разбила бутылку пива, за которой ты ее посылал, — улыбнулся Дронго, — тогда ей было лет пятнадцать.

Павел не улыбнулся.

— Она погибла, — сказал он, — во время взрыва на базарной площади в Иерусалиме. По нашим сведениям, одним из организаторов взрыва был Ахмед Мурсал. Он тогда еще не окончательно порвал со своими союзниками. Неужели ты хочешь, чтобы вот так погиб еще кто-нибудь? Неужели ты действительно этого хочешь?

Дронго смотрел на фотографию девушки. Потом отвернулся. Целую минуту молчал. И наконец сказал:

— У тебя неприятный аргумент, Павел. Но, кажется, я решил поменять свое мнение. Хотя мне все равно не нравятся ни твой приезд, ни ваше предложение.

Москва. 25 марта 1997 года

Он приехал на эту встречу в крайне подавленном настроении. Не хотелось ни думать о предстоящей командировке, ни даже встречаться с этими людьми. Он уже понимал: Павел недоговаривает, самого главного он все-таки ему не говорит, решив оставить какой-то наиболее важный аргумент в запасе, вплоть до того момента, когда они встретятся все вместе.

Но он понимал и другое. Отказаться, не выслушав, было просто невозможно. Это было и опасно. Необходимо было понять, почему именно к нему приехал Павел и почему МОССАД решил выйти на сотрудничество с Москвой, задействовав в операции бывшего аналитика ООН, которому формально они не должны были доверять.

Разумеется, сам визит его бывшего товарища и Соловьева в Москву был вызван крайне неординарными событиями, о которых Дронго и собирался узнать. Встреча состоялась далеко за городом, куда он приехал вместе с Павлом и молчаливым водителем, очевидно, представлявшим уже российскую сторону.

Дача, куда их привезли, была одним из многочисленных специально оборудованных мест для встреч подобного рода. В прежние времена у всесильного КГБ таких мест было достаточно много. Спустя шесть лет после развала некогда самой крупной спецслужбы в мире у российской разведки осталось не более двадцати — двадцати пяти таких объектов в Московской области. Приходилось экономить на всем, в том числе и на подобных местах, которые старались использовать по мере надобности, не привлекая внимания соседей.

Когда Дронго вышел из автомобиля, он увидел спешившего к ним «хозяина дачи» и удовлетворенно кивнул. Собственно, он и не сомневался, что на эту встречу обязательно пригласят генерала Светлицкого, одного из руководителей специального управления Службы внешней разведки. Генерал вышел к ним одетый в обычную дорожную куртку, мягкие вельветовые брюки. И если бы не внезапно вытянувшийся водитель, можно было принять генерала за обычного дачника, гостеприимно встречавшего своих гостей.

— Добрый день, Дронго, — улыбнулся генерал, — кажется, мы не виделись много лет.

— Лет пять, — пожал протянутую руку Дронго. — Меня больше использовали сотрудники другого ведомства, которым всегда нужно было проводить какие-то собственные расследования, и каждый раз достаточно конфиденциально.

— Знаю, — кивнул генерал. — Сейчас особенно ценятся независимые эксперты, которые не связаны с нашими спецслужбами.

— Надеюсь, у вас не похожие проблемы? — спросил Дронго.

— Посмотрим, — генерал не любил словоблудия.

Они поднялись по ступенькам, входя в небольшой домик, похожий скорее на обычную охотничью избушку, чем на место встречи профессионалов из нескольких стран. В большой просторной комнате сидели уже знакомый Дронго генерал Райский, прилетевший из Тель-Авива, и незнакомый мужчина средних лет с запоминающейся внешностью: большой выпуклой лысиной, упрямо сжатыми губами, резкими морщинами по всему лицу. Ему было лет сорок — сорок пять, но выглядел он как раз на свой возраст, настолько злым и одновременно замкнутым было его лицо.

Райский успел за несколько дней после неудачи в аэропорту вернуться в Тель-Авив и оказаться в Москве для личных переговоров. Допрос арестованного в бакинском аэропорту пассажира ничего не дал. Выяснилось, что тот действительно канадский гражданин турецкого происхождения. Он рассказал явно выдуманную историю о том, как потерял свой паспорт и кто-то из друзей оформил ему этот паспорт. Друзей называть он, разумеется, категорически отказывался. Запрос в Оттаву ничего не изменил. Из Канады подтвердили, что Анвер Махмуд — этнический турок, уже восемь лет имеющий гражданство этой страны. За утерю собственного паспорта и использование незаконных документов ему, в худшем случае, грозил штраф в Канаде размером в две тысячи долларов и тюремное заключение на срок до двух лет. Но если учесть, что подложными документами он пользовался вне территории Канады и не успел причинить существенного вреда своими действиями, то его вполне мог ожидать штраф, который он наверняка безотлагательно заплатит. И хотя он все еще оставался в Баку, у Райского не было сомнений, что канадский гражданин скоро отбудет на родину, а они потеряют и этот след. Именно поэтому он лично полетел в Москву на переговоры с Дронго, справедливо рассудив, что участие представителей российских спецслужб необходимо, так как фигура такого масштаба, как Райский, не могла остаться незамеченной во время его визита в Россию.

Он считал, что им немного не повезло. Именно в это время Дронго оставался на своей московской квартире, хотя вполне мог переехать в Баку. Но выбирать не приходилось, и они полетели в Москву.

— Добрый день, — чуть усмехнулся Райский, узнавший Дронго. — Вот мы еще раз и встретились, — добавил он, протягивая руку.

— Безо всякого желания с моей стороны, — откровенно пробурчал Дронго, здороваясь.

— Мовсаев, — представился поднявшийся из-за стола незнакомец. Он был ниже среднего роста, но крупная голова и широкие плечи несколько скрадывали этот недостаток, и когда он сидел, то казался человеком даже высокого роста.

— Надеюсь, вы знаете мое настоящее имя, — пробормотал вместо ответа Дронго.

— По-моему, это не совсем обязательно, — хмуро сказал Мовсаев, — весь мир знает вас под именем Дронго.

— Я буду считать это авансом за мою работу, — согласился Дронго и сел за стол.

— По-моему, все в сборе. — Светлицкий сел следом. Здесь он был явно в роли хозяина. Гости уселись рядом, несколько настороженно поглядывая на Мовсаева. Очевидно, он был незнаком и приехавшим. Дронго сел с краю, словно демонстративно подчеркивая свою независимость. Он подумал, что это слишком демонстративно. Но, видимо, так подумал и Светлицкий. Поэтому он улыбнулся.

— Вы давно уже знаете друг друга. Для тех, кто не знает, я представляю полковника Арвара Мовсаева. Это один из наших лучших специалистов по Ближнему Востоку. Он однажды даже встречался с интересующим нас... — генерал хотел сказать «человеком», но передумал и, чуть запнувшись, нашел другое слово: — ...субъектом.

Генерал Райский кивнул в знак согласия, явно успокаиваясь. Видимо, он слышал о таком офицере, хотя никогда и не видел его. Дронго также кивнул. В отличие от приехавших у него не было столь обширной агентурной сети по всему миру и он не мог знать новых офицеров российской разведки, отличившихся на этой службе за последние несколько лет.

— Очевидно, прежде всего мы должны определиться с нашим другим гостем, — предложил Светлицкий, обращаясь к Дронго, — я понимаю, как вас удивил и насторожил визит вашего друга, предложившего столь необычную форму сотрудничества. Мы понимали, что нам вряд ли удастся убедить вас принять участие в подобной операции, поэтому сразу ответили решительным отказом на подобную просьбу со стороны приехавших. Кроме того, мы крайне неодобрительно относимся вообще к любым попыткам привлечения кого бы то ни было со стороны. Говорю об этом, чтобы у вас не было иллюзий. Я лично был категорически против вашего участия в операции, но наши гости посчитали, что их аргументы сумеют вас убедить. К сожалению, их аргументы убедили и наше руководство. И было принято решение обратиться к вам за... — он снова подумал и снова подобрал наиболее верное слово: — ...за консультациями по некоторым проблемам.

— Из всего сказанного я понял только то, что вы лично не желали моего появления на этой даче, — усмехнулся Дронго. — Рад, что наши желания так совпадают. Так какие именно аргументы привели наши гости, если вы решились всетаки вытащить меня сюда?

От него не укрылось легкое презрение на тонких губах Мовсаева при этих словах. Очевидно, полковник тоже был в числе тех, кто считал приглашение эксперта со стороны не только нежелательным, но и вредным.

— В разведке не принято посвящать в свои проблемы посторонних людей, — сухо сказал генерал, — полагаю, что вы на меня не обижаетесь. Мы все знаем и ценим ваши прошлые заслуги. Но вот уже сколько лет вы гражданин другого государства и, прошу прощения, бывший эксперт-аналитик ООН. Согласитесь, что у нас есть все основания не прибегать к вашим услугам. Надеюсь, вы понимаете, что здесь нет ничего личного?

— Именно поэтому я все еще сижу на своем месте, — холодно ответил Дронго. — Могу я всетаки узнать, для чего пригласили меня? Или только для того, чтобы я выслушал эту очень содержательную лекцию?

Генерал взглянул на Мовсаева, потом на других, покачал головой, словно разрешая им говорить. Райский оценил это именно как разрешение.

— Дело в том, — осторожно начал представитель МОССАД, — что нам нужны именно вы. Получается, что вы практически единственный человек, кто может оказать реальную помощь в сложившейся ситуации.

— Про вашего террориста я уже слышал, — кивнул Дронго, — но первый раз только вчера вечером от своего бывшего товарища. Я никогда им не занимался, никогда не вел подобных дел. Искать террористов по всему миру — это не мой профиль. Очевидно, вы просто не учли мою специфику.

— Нет, — хмуро возразил Райский, — мы учли все. Вы напрасно думаете, что мы в восторге от перспективы сотрудничества с таким неуправляемым экспертом, как вы. Но действительно вы практически единственный человек, который может что-то сделать, — убежденно повторил он. — Дело в том, что Ахмед Мурсал планирует акцию устрашения. И самое неприятное, что недавно он побывал в Баку.

— Где? — изумился Дронго, поняв теперь, что именно недоговорил Павел.

— Вы не ослышались. Именно в Баку.

— Что ему там делать? И почему именно там?

— Этого мы пока не знаем. Но он приехал туда несколько дней назад.

— Вы уверены, что это был он?

— Практически да.

— Как вам удалось установить, что он полетел в Баку?

— Мы получили сообщение нашей агентуры, — чуть запнувшись, сказал Райский. — Но, к сожалению, мы опоздали. Он сумел уйти.

— Надеюсь, вы не собираетесь предложить мне искать его там, чтобы потом ваши агенты могли его ликвидировать? У вас же есть «особая группа возмездия».

— Нет, конечно. Мы бы обошлись в таком случае и собственными силами, — пожал плечами Соловьев. — И даже если мы бы вас попросили о подобном... Я, честно говоря, не понимаю, почему вы обижаетесь? В конце концов, это международный террорист, от которого отказались абсолютно все страны. В том числе Иран и Сирия, считая его неуправляемым анархистом. Но мы обратились к вам не за этим. Дело в том, что, по нашим сведениям, он планирует акцию, которая в конечном счете должна вызвать новую антииранскую истерию.

— Я могу умереть от неожиданного разрыва сердца, — разозлился Дронго, — если узнаю, что представители израильских спецслужб прилетели в Москву защищать бедных иранцев. Вам не кажется, что это уже чересчур?

— Нет, не кажется, — сразу парировал Соловьев, — у нас действительно не очень хорошие отношения с Ираном, мало того, даже враждебные. Но именно поэтому мы хотим знать, что именно планирует Ахмед Мурсал. Мы уже научены горьким опытом. И его антииранская акция обернется новыми взрывами или убийствами наших граждан. Ему нужно просто убедить весь мир, что это сделала одна из проиранских группировок. Такой акцией устрашения он, во-первых, сводит счеты с иранскими спецслужбами, отказавшимися финансировать его дикие акции в Европе, а во-вторых, наносит удар по хрупкому миру на Ближнем Востоке. Мы обвиним иранцев, потом, соответственно, палестинцев. Те сразу заявят, что это наша провокация. Вот вам и новый виток напряженности. Наше правительство совсем не желает подобного развития событий.

— Я все-таки не понимаю, что именно вы хотите? И почему считаете, что могу помочь именно я?

Райский посмотрел на Светлицкого, словно попросив у него помощи. Тот понял этот взгляд.

— По нашему договору с Азербайджаном наши представители не имеют права работать в Баку, — сердито сказал генерал, — мы взяли на себя взаимные обязательства не работать друг против друга в рамках стран Содружества. Мы не можем послать в Баку нашего специалиста. Конечно, российский посол в Баку Александр Блохин будет предупрежден, наши специалисты на месте постараются оказать вам любую посильную помощь. Но нам нужен там именно независимый эксперт, который формально не является сотрудником российских спецслужб.

— В таком случае это могли бы сделать наши гости, — предложил Дронго.

— Уже пытались, — мрачно ответил Райский, — он ушел от нас в Баку, а до этого разгромил нашу резидентуру в Ливане и убил нашего агента в Европе. Мы должны точно знать, что он планирует. Если начал активные действия, то времени у нас не так много. Кроме того, нам еще нужно найти человека, который бы ориентировался в местной обстановке.

— Вы не можете найти еврея — выходца из Баку? — засмеялся Дронго. — По-моему, подойдет даже сидящий здесь Павел.

— Я не сказал главного, — продолжал Райский, — этот человек должен будет отправиться в Иран и попытаться убедить их спецслужбы сотрудничать с нами. А для такой задачи наш агент не совсем подходит. Нам нужен независимый и нейтральный посредник. Но самое важное, что на его месте должен быть аналитик, который сумеет понять, действительно ли иранцы хотят остановить Ахмеда Мурсала, или их разногласия — всего лишь надуманная форма маскировки для оправдания будущих террористических акций. И почему он появился именно в Баку, рядом с Ираном.

— А вам не кажется, что вы возлагаете на будущего посредника слишком непосильную ношу? — спросил Дронго.

— Не кажется, — вмешался на этот раз Светлицкий, — все гораздо сложнее, чем вы думаете, Дронго. Гораздо сложнее. И мы не просто так собрались на этой даче, чтобы обсуждать проблему террориста-одиночки, пусть даже и такого гениального, как Ахмед Мурсал. Мы бы справились с этой проблемой и без вашей помощи. Дело совсем в другом.

Он почему-то посмотрел на Мовсаева, потом на Райского и наконец сказал:

— Он готовит крупную террористическую акцию, на что ему выделены большие деньги... — генерал явно медлил, не решаясь сказать то, что должен был сказать. Все с некоторым напряжением следили за ним. — Ему выделили очень большие деньги, — повторил генерал с некоторым усилием. Вздохнул и, словно решившись наконец «прыгнуть в воду», быстро добавил: — Мы не знаем, где и как собирается нанести свой удар Мурсал, но если он появился в пределах СНГ, то это уже само по себе достаточно серьезно. И мы обязаны принять меры к тому, чтобы остановить террориста.

— Вы думаете, он планирует террористический акт в Баку, — спросил Дронго, — чтобы свалить все на иранцев?

— Это было бы слишком просто, — вздохнул Райский, — и слишком примитивно. Вряд ли он собирается предпринять что-то серьезное в Баку, если это, конечно, не нападение на наше посольство в этой стране. Мы на всякий случай усилили меры безопасности, но для такого террориста, как Ахмед Мурсал, нападение на наше посольство слишком локальная задача. Он наверняка придумал нечто более неприятное. И в первую очередь — против нас.

Дронго не понравилось выражение лиц сидящих за столом. Как будто Светлицкий все-таки что-то недоговаривал, а сотрудники МОССАД знали об этом, но предпочитали молчать, соблюдая правила игры. В свою очередь представители МОССАД явно хотели уточнить многие детали без своих российских коллег. Это было видно по тому напряжению, которое возникло в конце беседы. Он хотел уточнить еще многие детали, но решил промолчать, поняв, что каждая из сторон хотела бы поговорить с ним наедине.

— Хорошо, — сказал Дронго, — я согласен.

Райский быстро поднялся. За ним встали остальные.

— Мы будем ждать вас в отеле «Савой», — сказал представитель МОССАД и, кивнув всем на прощание, вышел из комнаты. Павел поспешил за ним.

— Вы не могли бы задержаться? — с улыбкой спросил Светлицкий. — Я только провожу гостей.

— Конечно, — любезно ответил Дронго, — я так и полагал, вы захотите угостить меня чаем.

Мовсаев неожиданно улыбнулся. Первый раз за все время беседы.

Севилья. 25 марта 1997 года

Весь день дул противный ветер, и он не стал выходить из дома раньше условленного времени. К половине пятого он наконец поднялся с постели, начал медленно одеваться. Глядя в зеркало на свою мрачную физиономию, он с отвращением отвернулся. Ему не понравилось собственное выражение лица. «Как у покойника, — зло подумал он, — бледное и застывшее».

Давал о себе знать перенесенный гепатит. Он прилетел из Африки только три месяца назад и все это время болел, проведя половину срока в больнице. Гепатит, который он получил, протекал особенно неприятно на фоне его полуразложившейся печени, ослабленной дикими дозами алкоголя, которым он часто и много злоупотреблял. Получить такую болезнь, как гепатит, — это наверняка обречь себя на скорое развитие такой болезни, как цирроз печени. А к чему это могло привести, он хорошо знал. Его отец умер от этой болезни, да и дед, кажется, не был никогда особым трезвенником. Деньги к тому времени почти кончились — за больницу и лечение приходилось платить огромные суммы.

Он так не хотел ехать в эту проклятую Намибию. Но его уговорили, пообещав большой процент с предстоящей сделки. Сделка сорвалась, уговоривший его Луис остался навсегда в Намибии с пробитым черепом, а ему самому с трудом удалось выбраться из Видхука, где его уже искали. Перебравшись в Ботсвану, он умудрился подцепить эту проклятую болезнь и уже там каким-то чудом сесть на самолет, летящий в Марокко. Еще повезло, что его пустили в Испанию, не обратив внимание на желтые белки глаз. Иначе ему пришлось бы проходить карантин в гораздо худших условиях и он должен был бы лечиться где-нибудь в марокканском госпитале, где шансы на выживание и смерть были неравны. Примерно один к пяти. С подобной перспективой он мог очутиться в госпитале и навсегда остаться в Африке, которую он так ненавидел.

На кредитной карточке оставалось не больше пяти тысяч долларов, когда ему позвонил Арман. Это был единственный человек, который знал, куда звонить и как его искать. Он сам дал ему свой телефон, едва прибыв в Севилью, словно предчувствуя, что развитие болезни будет долгим и неприятным.

Он отложил свою кожаную куртку, собираясь надеть ее перед тем, как выйти. Затем он еще раз с отвращением взглянул на себя. Если Арман увидит его в таком виде, он, вполне возможно, захочет отказаться от сотрудничества с ним и тогда ему придется что-нибудь придумывать, прежде чем возвращаться домой в Цинциннати, имея жалкие несколько тысяч долларов и «приятную» перспективу остаться вообще без денег.

Майкл Уэйвелл в третий раз посмотрел на себя

в зеркало и вышел из квартиры, громко хлопнув дверью. Собственно, это и не было квартирой. Это была всего лишь небольшая комнатка на третьем этаже, которую он снимал в старой части города, на тихой улочке. Выйдя из дома, он поспешил на юг, в сторону нового города, торопясь быстрее покинуть эти запутанные кривые улочки старой Севильи.

Уэйвеллу было сорок восемь лет. Половину жизни он провел в разъездах, вербуясь в наемники, нужные по всему миру. Он успел дважды повоевать в Африке, побывать в охране одного президента маленького островного государства, помочь устроить переворот в другой, еще меньшей, но уже южноамериканской стране, и даже попытаться поймать удачу во французском «иностранном легионе». Он был типичным представителем того многочисленного племени ловцов счастья, которые рыскали по всему свету в поисках удачи и денег. Иногда можно было сорвать огромный приз, и тогда покупка домика на родине и безбедное существование были гарантированы. Еще чаще выигрыш оказывался столь незначительным, что на него можно было лишь провести время, прожигая жизнь несколько месяцев, чтобы потом опять с головой окунуться в какую-нибудь авантюру.

Уэйвелл не был наемным убийцей, выполняющим заказы клиентов. Конечно, во время странствий ему много раз приходилось убивать, спасая собственную жизнь, но он был скорее авантюристом, чем киллером, хотя Эррера знал, что Уэйвелл никогда не откажется от любого поручения. Лишь бы оплата соответствовала его представлению о риске.

Они договорились встретиться у собора Ла Хиральда, одного из самых известных храмов города. Собственно, сама колокольня собора была в двенадцатом веке минаретом главной мечети мусульманского города. Почти полтысячи лет продолжалось здесь господство арабов, наложившее неизгладимый отпечаток на саму архитектуру города. Но владычество арабов не прошло бесследно и для населения самого города, где можно было встретить перемешанные типы различных народов, когда лавочник или бакалейщик походил одновременно на испанского кабальеро с севера и арабского шейха с востока.

Севилья была отвоевана у арабов, а сама мечеть к концу шестнадцатого века перестроена в католический собор, при котором башня минарета была использована под колокольню.

Уэйвелла не интересовали подобные исторические изыски, и он с отвращением отвернулся, когда разговорчивый гид провел мимо него толпу любознательных туристов из Англии, рассказывая им об истории храма. Для Уэйвелла этот город был самым поганым местом на земле, он даже не замечал ослепительной красоты вечерней Севильи, отраженной в водах Гвадалквивира.

Ждать Армана пришлось не больше десяти минут. Тот появился внезапно, словно возник из-под земли. Он направлялся к Уэйвеллу своей привычной, немного танцующей походкой, отчего тот поморщился. Арман Эррера был его давним знакомым и постоянным заказчиком разного рода поручений. Но он был гомосексуалистом, а для Уэйвелла это было особенно неприятно. Может, оттого что в детстве он едва не стал жертвой насилия подобного типа. Может, оттого что его самого слишком интересовали женщины, но танцующая походка Эрреры вызывала у него плохо скрываемое отвращение. Однако встреча была для него очень важна. Она, очевидно, была важна и для Эрреры, если он согласился прилететь на встречу в Севилью, рискнув сесть на самолет, который он терпеть не мог.

Уэйвелл пошел навстречу своему знакомому. Подойдя, он просто кивнул ему. Церемонии были ни к чему.

— Ты выглядишь не очень хорошо, — сказал вместо приветствия бесцеремонный Эррера.

— А я не модель на подиуме, чтобы красить свою рожу, — огрызнулся Уэйвелл. — Зачем приехал? Если опять хочешь послать меня куда-нибудь к черномазым, то знай, что на этот раз я потребую половину денег вперед.

— Нет, — улыбнулся Эррера, поднимая руку с браслетом, — можешь не волноваться. Оттуда у меня больше нет заказов.

— Мы потеряли там все, — мрачно заметил Уэйвелл, — а Луис остался там с проломленной головой. Я столько времени провел в этом городе в больнице. Может, ты мне объяснишь, кто оплатит мои издержки?

— Я, — нагло ответил Эррера, — я готов оплатить все твои расходы и дать тебе шанс заработать.

— Опять? — нахмурился Уэйвелл. — В какую дыру ты засунешь меня на этот раз?

— В самое прекрасное место на земле, — расхохотался Эррера. — В такое место, куда мечтают попасть миллионы людей со всего мира.

— Надеюсь, что это не ад, — пробормотал Уэйвелл.

— Нет, дружище, это рай. Я хочу предложить

тебе отправиться во Францию, на Лазурный берег, и снять виллу в Сен-Тропе.

— Перестань шутить, — разозлился Уэйвелл, — куда мне придется отправляться на этот раз?

— В Сен-Тропе, — снова рассмеялся Эррера, — я приехал сюда, чтобы отправить тебя на Лазурный берег.

Москва. 25 марта 1997 года

После ухода гостей в комнате словно разрядилось напряжение. И хотя Мовсаев по-прежнему молчал, внимательно вслушиваясь в разговор, улыбка уже несколько сгладила его внешне малопривлекательный облик, и Дронго чувствовал себя гораздо увереннее. Но абсолютно раскованным стал генерал Светлицкий. Он не хотел признаваться даже самому себе, что, несмотря на шесть лет, прошедших после распада СССР, несмотря на давно распущенный и расформированный КГБ, где он начинал свою деятельность, несмотря на полную смену внешних ориентиров его нынешнего государства, он по-прежнему воспринимал такие организации, как ЦРУ или МОССАД, в качестве естественных соперников, от которых в любой момент можно ждать любого подвоха. Проживший сорок лет при советской идеологии и воспитанный в таком духе, он с трудом отказывался от привычных штампов, даже понимая, что это издержки идеологии, а на дворе новые времена.

Тем не менее, проводив гостей, он вернулся к столу в более веселом настроении и громко попросил у кого-то из помощников, очевидно, находившихся за дверью, принести им горячего чаю. И только после этого спросил у Дронго:

— Ну как они вам, понравились?

— Если вы спрашиваете о генерале Райском, то он мне лично всегда был не очень симпатичен. Слишком осторожен и подозрителен. Одна наша беседа с ним даже проходила у него в машине, когда мы надели на себя специальные шлемы для полной блокировки любых методов прослушивания. Если вас интересует мой университетский товарищ, то Павел, конечно, изменился, но не настолько, чтобы я мог изменить о нем свое мнение. И наконец, если вы спрашиваете вообще о МОССАД, то я никогда не скрывал, что считаю эту организацию одной из самых опасных и самых сильных спецслужб в мире.

— Почему опасных? — быстро уточнил Светлицкий.

— Во-первых, потому что они сильные. Во-вторых, у них мощная агентура. Ну, а в-третьих... — он чуть замялся, подыскивая слова, — они действительно не любят привлекать к сотрудничеству посторонних людей, тем более если этот посторонний не связан с ними общими узами религии и местом рождения. Собственно, их агентура держится на многочисленных лоббирующих группировках во всем мире и на общности интересов представителей их народа. Поэтому я всегда буду потенциально чужим для них, как и ваша служба, к которой они тоже сохранили традиционно скептическое отношение.

— Я не буду спрашивать, почему вы употребили слово «тоже», — усмехнулся Светлицкий, — впрочем, это, наверное, общая черта всех разведчиков в мире — не очень доверять представителям других спецслужб.

— И не только, — покачал поднятым пальцем

Дронго, — насколько я понял, они вышли на вас не из чистого альтруизма и уж наверняка не потому, что хотели с вашей помощью найти меня. Бывшая агентура Первого главного управления КГБ СССР имела очень неплохие позиции на Ближнем Востоке, когда палестинцы и сирийцы рассматривались как естественные союзники в борьбе против Израиля. Они убеждены, что вы до сих пор располагаете рычагами влияния на таких террористов, как Ахмед Мурсал. Я уже не говорю о ваших возможностях и связях с иранской разведкой, куда агентам МОССАД вход явно заказан.

Он видел, с каким интересом слушает его Мовсаев. На последней фразе Мовсаев чуть изменился в лице, но по-прежнему не произнес ни слова. Светлицкий прикусил нижнюю губу.

— Вы бываете иногда слишком категоричным, — упрекнул он Дронго.

— Я аналитик, — возразил тот, — моя задача четкий анализ и возможный прогноз развития ситуации. В эти функции не входит говорить вам комплименты и делать вид, что ситуация развивается нормально. Скорее всего израильтяне полагают, что вы действительно сумеете вмешаться в ситуацию и остановить террориста до того, как он начнет действовать.

— Боюсь, вы не совсем понимаете, о каком террористе идет речь, — возразил Светлицкий, — у нас никогда не было контактов с такими радикальными экстремистами, как Ахмед Мурсал. Его группировка одинаково плохо относится ко всем великим державам. Конечно, израильтяне для него всегда враги номер один. Но он одинаково ненавидит империалистов Америки и коммунистов Советского Союза, не делая между ними принципиальной разницы. И те и другие, по его глубокому убеждению, отъявленные безбожники, с которыми можно и нужно бороться любыми методами.

— Однако вы могли влиять на него через палестинцев? — спросил Дронго.

Молодой человек принес поднос с чаем и тарелку печенья. Поставив все на стол, он тихо удалился. Все время, пока он был в комнате, Светлицкий, верный своим привычкам, молчал. И лишь когда они снова остались одни, ответил:

— Раньше могли. Теперь нет. Он порвал с палестинцами, убив руководителя одной из их группировок хаджи Карима. Даже такая организация, как «Хезболлах», приговорила его к смерти. Он сейчас в положении загнанного волка и может решиться на любой, самый отчаянный поступок.

— Кто может финансировать его деятельность? Откуда он достанет деньги? — спросил Дронго.

Светлицкий посмотрел на Мовсаева. Тот, поняв, что вопрос адресован и ему, не очень охотно ответил:

— Возможно, египетские или алжирские радикальные группировки. Может, Ирак, хотя маловероятно, учитывая происхождение Ахмеда Мурсала и неприятие его отцом режима Саддама Хусейна. Деньги может дать кто-то из королевской семьи Саудовской Аравии, настроенный не очень благожелательно к американцам и, соответственно, к израильтянам.

— Значит, с деньгами у него проблем нет?

— Нет, — подтвердил Мовсаев, — думаю, что нет.

— Я хотел, чтобы вы остались для разговора, — перехватил инициативу Светлицкий, — нам крайне важно понять, что именно делал террорист такого масштаба, как Ахмед Мурсал, в Баку. Если он просто прилетел туда, скрываясь от преследования, это одно. А если с определенной целью, то совсем другое. Я уже не говорю о том, что Баку должен был стать самым крайним вариантом в его выборе места. Азербайджан граничит с Ираном, а Баку сейчас нашпигован агентами иранских спецслужб, один из которых мог узнать Ахмеда Мурсала.

— Можно подумать, ваших агентов в Баку меньше, — пробормотал Дронго.

— Это стратегический пункт на Среднем Востоке, — пожал плечами Светлицкий, — раньше говорили: «Тот, кто владеет Баку, владеет всем Кавказом». Сегодня все войны и все конфликты так или иначе завязаны на Баку и бакинской нефти. Или вы считаете, что у России нет стратегических интересов в этом районе?

— У Ирана они тоже есть, — иронически заметил Дронго.

— Безусловно.

— Ага. И у вас они есть. И у американцев. И у МОССАД. Я думаю, американских и израильских агентов там не меньше, чем ваших.

Светлицкий наконец понял ернический тон Дронго и рассмеялся. Потом отрывисто бросил:

— Естественно. Каждая страна хочет обеспечить в этом регионе свои интересы. Думаю, не будет особого секрета, если скажу, что в Баку сейчас есть агенты не только великих спецслужб, включая английскую, китайскую или французскую разведки. Там сейчас настоящий город шпионов. Есть армянские, грузинские, даже чеченские представители, работающие на свои спецслужбы.

— Лучше бы вас всех было поменьше, — со

79

вздохом сказал Дронго, — тогда и в городе было бы поспокойнее.

— Не уверен. Впрочем, это дискуссионный вопрос. Никто не виноват, что именно в азербайджанском секторе Каспийского моря сосредоточены самые большие запасы разведанной нефти и Баку является исходной точкой для нефтепровода, подающего нефть и газ на мировые рынки.

— Город шпионов, — повторил выражение генерала Дронго, — зачем тогда такому террористу, как Ахмед Мурсал, лезть в этот город, рискуя нарваться на представителей спецслужб? Здесь что-то не так. Какая-то нестыковка.

— Во всяком случае, они его арестовать не смогли. Как я понял, вместо него был арестован совсем другой человек, которого скоро отпустят. Именно поэтому они срочно вышли на такого признанного эксперта, как вы, чтобы попытаться решить проблему. Хотя я уверен, что сейчас они задействовали всю свою агентуру, и не только в Баку.

— Чего они хотят, я примерно представляю, — улыбнулся Дронго, — но меня больше интересует, чего хотите вы. Неужели и в самом деле вы действуете из чисто альтруистических мотивов? Я должен вам поверить?

— Нет, — сразу сказал Светлицкий, — конечно, нет. Нам очень важно сотрудничество с МОССАД. Россия как правопреемница Советского Союза потеряла практически все свои позиции на Ближнем Востоке. Если раньше СССР наряду с США были главными арбитрами в ближневосточном урегулировании, к которым все прислушивались, то теперь мы играем даже не вторые роли. Отказавшись поддерживать палестинцев, мы потеряли бывших союзников, которые переориентировались на американцев. В этих условиях наша позиция на Ближнем Востоке, мягко говоря, не очень впечатляющая. Это первый мотив. Существует и второй. Как вы заметили, израильтяне, да и не только они, до сих пор считают, что такие радикальные группировки финансируются нашими спецслужбами. И если раньше мы действительно прибегали к услугам людей такого сорта, то теперь мы не имеем не только финансовых, но и моральных обязательств перед ними.

И наконец, третье обстоятельство, но отнюдь не самое маловажное. В рамках СНГ наши позиции наиболее слабы именно в Азербайджане. В Грузии мы имеем три военные базы, с Арменией подписано соглашение о совместной обороне, там расположены наши войска. Наши пограничники охраняют внешние границы Армении и Грузии по всей протяженности границ бывшего СССР. Но совсем другая ситуация в Азербайджане. Если не считать небольшой радиолокационной станции в Габале, находящейся в одном из сельских районов Азербайджана, мы не имеем в этой республике ни собственных военных баз, ни своего воинского контингента, ни пограничников, охраняющих внешние границы стран СНГ. И это в условиях, когда к концу года из Баку должна пойти первая нефть. Нужно еще объяснять, или вы уже поняли? Да, нам крайне важно знать, почему террорист такого масштаба, как Ахмед Мурсал, выбрал одним из пунктов своего маршрута Баку. И почему азербайджанские власти не смогли арестовать его в аэропорту. А может, не захотели? Тогда где он и как нам его искать? В этом вопросе мы действительно хотим сотрудничества с МОССАД.

В комнате наступило молчание. Потом Дронго

взял свой стакан с остывшим чаем, попробовал, поставил обратно на стол и сказал:

— Серьезные причины. И вы считаете, что все эти задачи может решить один человек, а точнее, такой эксперт, как я?

— Нет, — честно признался Светлицкий и широко улыбнулся, — мы так совсем не считаем. Именно поэтому в Баку вы поедете не один. С вами полетят сотрудники группы особого назначения под командованием полковника Мовсаева. В случае, если вам будет сопутствовать успех, сотрудники группы помогут нейтрализовать террориста и вывезти его на территорию России. Прежде чем отдавать его МОССАД, мы хотели бы задать ему несколько неприятных вопросов. И очень рассчитываем получить вразумительные ответы, от которых, возможно, будет зависеть не только наша ближневосточная политика, но и политика в странах СНГ в будущем.

— А если я откажусь?

— Откажетесь, — задумчиво повторил Светлицкий. — Я все время думаю, глядя на вас, что вы посвящены в секреты слишком многих людей и организаций. И вы думаете, что, отказавшись, сможете спокойно спать у себя дома?

— Это угроза?

— Вы же знаете, что нет. Это реальность нашего времени. Вы неплохой аналитик, Дронго, и должны понимать, что возможности отказа исключены. Они существовали до нашего разговора. Теперь их уже нет.

— Но вы понимаете, что для успешной работы в Баку мне нужно будет выйти на спецслужбы Азербайджана и попытаться понять, что именно там произошло.

— Это ваше право, — согласился Светлицкий, — нас интересует результат. В МОССАД должны видеть нашу готовность к сотрудничеству. А как вы добьетесь успеха, это никого не волнует. Кроме того, насколько я понял, они готовы вам заплатить как частному эксперту. Надеюсь, что и это будет немаловажным фактором для вашей успешной деятельности в Баку.

— Да, — кивнул Дронго, — похоже, это единственное, что меня должно волновать.

Севилья. 25 марта 1997 года

Они удалялись от собора, уклоняясь от шумных и организованных групп туристов, спешивших осмотреть местную достопримечательность.

— Ты хочешь сказать, что есть работа на Лазурном берегу? — с понятным недоверием уточнил Уэйвелл.

— Есть, — усмехнулся Эррера. — Когда мне предложили найти подходящего человека, я сразу подумал о тебе.

— Я сейчас немного не в форме, но надеюсь, что довольно скоро приду в себя, — пробормотал Уэйвелл. — Выкладывай, какие у тебя новости.

— На этот раз тебе придется проводить время на курорте, — повторил Эррера, — в Сен-Тропе.

— Ты сказал об этом уже несколько раз, — заметил Уэйвелл, — может, объяснишь наконец, что ты имеешь в виду, говоря о Лазурном береге?

— Южное побережье Франции, — пояснил Эррера, — тебе придется отправиться туда через неделю.

— Так, — рассудительно произнес Уэйвелл, —

это я понял. Но зачем именно туда и что мне там нужно будет делать?

— Так ты согласен или нет?

— Ты еще не сказал, что я должен делать.

— Ничего. Ты должен снять виллу в Сен-Тропе, заплатив за три месяца вперед, и жить на вилле. Больше от тебя ничего не требуется.

Уэйвелл остановился. Взглянул искоса на своего знакомого, нахмурился.

— Надеюсь, ты не прилетел сюда, чтобы так глупо пошутить? — угрюмо спросил он. — Я тебя серьезно спрашиваю, что я должен делать и почему мне нужно поехать на Лазурный берег?

— Неужели ты думаешь, что я тебя обманываю? — залился смехом Эррера. — Ничего подобного. Если ты согласишься, уже завтра на твое имя будут переведены деньги для твоей будущей виллы в Сен-Тропе. Тебе останется только выехать во Францию. У тебя ведь все документы в порядке? Ты у нас еще и герой французского Иностранного легиона.

— При чем тут документы, — окончательно разозлился Уэйвелл, — ты можешь наконец объяснить, что именно я там буду делать? Хватит валять дурака!

— Я тебе уже объяснял, — повысил голос и Эррера. — Тебе нужно выехать туда, снять виллу и ждать, когда приедут другие люди. А потом просто покинуть виллу.

— И все?

— И все.

— Пошел к черту! — крикнул Уэйвелл, поворачиваясь спиной и явно собираясь уйти.

Эррера схватил его за руку.

— Что с тобой происходит? — тревожно спросил он.

— Отстань! — вырвался Уэйвелл. — Я не мальчик, чтобы со мной разыгрывать такие комедии. Что значит — снять виллу и ждать? А кто потом заплатит за нее? И как я потом уеду? Куда уеду, зачем? Или ты хочешь, чтобы я поработал на этой вилле обычным охранником? В таком случае ты обратился не по адресу.

— Подожди! — крикнул Эррера.

На них стали оборачиваться туристы. Эррера схватил за руку собеседника во второй раз и потащил в какой-то переулок.

— За эту операцию тебе обещали заплатить пятьдесят тысяч долларов. Я тоже внакладе не останусь, они готовы платить и мне. Если ты согласишься, мы встретимся с тобой через неделю в Сен-Тропе и я передам тебе деньги для виллы. Платить будешь наличными. Насчет охранника глупая идея, на вилле будет семья консьержа. Тебе нужно только снять виллу, и больше ничего.

— И за это мне платят пятьдесят тысяч долларов? — все еще не мог поверить Уэйвелл.

— У меня с собой задаток в десять тысяч, — похлопал по своему карману Эррера.

Уэйвелл по-прежнему ничего не понимал. Но деньги были реальностью, которую он воспринимал.

— Согласен, — быстро сказал Уэйвелл, протягивая руку, — давай деньги. — Пачка долларов перекочевала из внутреннего кармана пиджака Армана Эрреры во внутренний карман кожаной куртки Майкла Уэйвелла.

— Что я должен конкретно сделать? — хмуро спросил Уэйвелл.

— Снять виллу, которую для тебя уже заказали, и жить там, по возможности меньше отлучаясь. Вот и все.

— Сколько стоит вилла?

— Примерно четыре тысячи долларов.

— Потрясающая цена. В месяц?

— В неделю, — усмехнулся Эррера.

Уэйвелл остановился. Он уже хотел резко высказаться и даже открыл рот, но вспомнил о деньгах, лежавших в его кармане. Машинально дотронулся до куртки. Пачка была на месте, приятно выделялась, ударяясь о грудь. Он потрогал деньги еще раз и тихо спросил:

— Зачем им такие сложности? За такую цену можно снять не одну виллу.

— Делай, что тебе говорят, — посоветовал Эррера, — и не задавай больше вопросов, а то тебе отрежут язык вместе с головой.

— Четыре тысячи долларов в неделю, — пробормотал Уэйвелл, — за такие деньги... Хорошо, я сниму виллу. И что мне делать дальше?

— Ничего. Просто жить. Можешь даже зарезервировать для себя автомобиль и раскатывать в нем. Но с условием, что каждую ночь будешь проводить только на вилле. А через некоторое время приедут гости от меня и ты, оставив им ключи, уедешь в Париж, где я вручу тебе остальную часть денег. По-моему, работа неплохая. Как раз для такого ослабленного болезнью организма, как твой. Согласись, что лучшей работы ты пока с такой физиономией не найдешь. Тебе повезло, Уэйвелл, а ты пытаешься разрушить собственное счастье своими руками.

— Пятьдесят тысяч долларов только за эту виллу, — облизнул губы Уэйвелл. Подлец Эррера был прав. Ему нужно либо отдохнуть где-нибудь месяца три-четыре, набирая силы и прежний вес, либо согласиться на это необычное предложение Армана Эрреры, которое выглядело почти фантастическим.

— Я согласен, — хриплым голосом сообщил Уэйвелл, — когда нужно выезжать? Объясни все по порядку...

Москва. 25 марта 1997 года

Вернувшись домой, он позвонил в «Савой» Павлу и договорился встретиться с ним в ресторане отеля сегодня вечером. Он понимал, что и гости из Тель-Авива захотят высказать свою точку зрения на сложившуюся ситуацию, а если возможно, и предложить помощь своих сотрудников в расследовании этого загадочного дела.

К отелю трудно было подъехать, и Дронго, отпустив машину еще до Кузнецкого моста, пожелал пройтись пешком. Он еще раньше заметил ведущееся за ним наблюдение и, усмехнувшись, решил не тревожить своих наблюдателей излишним рвением. Он дошел до отеля, вошел в здание. В холле сидел Павел. Увидев Дронго, он встал, направился к нему навстречу.

— Ты приехал вовремя, — одобрительно сказал он, — на улице нас ждет машина. Мы приглашены на прием.

— Какой прием? — не понял Дронго.

— В наше посольство, — усмехнулся Павел, — поедем, а то нас там заждались.

Когда они вышли и сели в машину с дипломатическим номером, Дронго, улыбнувшись, спросил своего старого друга:

— Надеюсь, ваш прием в посольстве был придуман не ради меня?

— Ради тебя, — очень серьезно кивнул Павел.

— Ты знаешь, — заметил Дронго, — мне кажется, что в вопросах безопасности у вас у всех есть некоторые признаки паранойи. Тебе не кажется, что мы могли бы спокойно побеседовать и в другом месте?

— Если бы ты жил в Израиле, ты бы не относился так скептически к этим вопросам, — так же серьезно продолжал Павел, — мы просто обязаны делать все, чтобы выжить и обеспечить нашу безопасность.

Дронго промолчал. Он молчал всю дорогу, пока машина не въехала во двор израильского посольства. Охранники очень долго и тщательно проверяли документы обоих. И лишь после этого пропустили в здание, где немолодая женщина, проводив их до дверей, молча удалилась. В комнате, куда они вошли, сидел только один человек. Это был генерал Райский.

— Вы всегда находите выход из положения, — восхитился Дронго. — Я все время гадал, где именно вы будете со мной встречаться на этот раз и как мы сможем обеспечить секретность наших разговоров? Браво, генерал. Выдумка с приемом в посольстве — это блестящий ход.

— Садитесь, — Райский показал на стоявшее перед ним кресло. Он не воспринимал подобную лесть в свой адрес.

Дронго сел напротив генерала. Павел Гурвич разместился рядом.

— Я думаю, вы понимаете, что только чрезвычайные обстоятельства могли заставить нас прилететь в Москву, — начал генерал, — и тем более обратиться к вашей помощи.

— Об этом мы уже говорили. Не нужно каждый раз напоминать, как вам неприятно со мной работать.

— Нет, — чуть усмехнулся Райский, — я говорю об этом каждый раз, чтобы вы поняли всю серьезность ситуации. И, если хотите, ее уникальность. Ахмед Мурсал не просто террорист. Это террорист, которого ищут собственные друзья для того, чтобы прикончить. Наши традиционные меры борьбы с подобными экстремистами сейчас абсолютно не подходят. Он не входит в контакты с обычной сетью палестинцев или иранцев. Он не поддерживает никаких связей с бывшими товарищами. И самое важное, по нашим данным, он готовит террористический акт, собираясь подставить иранцев или симпатизирующие им группы, чтобы вызвать новый виток напряженности в отношениях между моей страной и проиранскими группировками по всему Ближнему Востоку.

— Вы говорите о «Хезболлахе»?

— И не только о них. Ясир Арафат и его сторонники с трудом поддерживают шаткое равновесие в наших отношениях, пытаясь хоть как-то обуздать собственных экстремистов. У нас подобных радикалов тоже хватает. И если сегодня пока не взрываются бомбы, то это заслуга обеих сторон. Ахмед Мурсал может нарушить равновесие. Это обойдется нам в сотни убитых. Поэтому ради того, чтобы не допустить нового срыва наших переговоров, мы готовы пойти на любые контакты, на любые меры.

— Вы думаете, он нанесет удар в Израиле?

— Скорее всего нет. На этот раз он готовит

нечто более оригинальное. Европа. Он осторожно набирает группу из людей, владеющих английским и французским языками.

— Почему об этом нужно говорить в вашем посольстве? Примерно то же самое вы уже сказали мне и при утренней встрече.

— Вы должны понять наше положение. У российской разведки есть собственные источники информации по такому террористу, как Мул.

— Как вы сказали?

— Мы называем так Ахмеда Мурсала. Его трудно переубедить, сами друзья называют его часто за упрямство Мулом. По гороскопу он Телец, а это знак упрямых и сильных людей. И очень злопамятных, не забывайте об этом, Дронго.

— У меня с ним несовместимость, — засмеялся Дронго, — я по гороскопу Овен.

— Вот его личное дело, — поднял папку Райский, — мы не можем выносить этот документ из посольства. Но вы можете знакомиться с ним столько времени, сколько нужно.

— В личном деле указаны его друзья?

— Конечно. Но боюсь, что друзей у него сейчас нет. Или очень мало. Хотя на нескольких вы можете обратить внимание. Вот этот мерзавец возглавлял нападение на нашу резидентуру в Бейруте, — генерал взял одну из фотографий, — Салех Фахри, кличка Красавчик.

— Ну и рожа, — поморщился Дронго, — представляю, как ему не нравится его собственная кличка.

— Это Арман Эррера. По нашим сведениям, он причастен к убийству нашего агента в Париже. Гомосексуалист, имеет обширные связи во Франции, но мы пока его не нашли. Думаю, это дело нескольких дней.

— Надеюсь, вы его не будете трогать до моего приезда в Париж?

— Не обещаю. Но постараемся. Вообще-то у нас принцип «око за око». Никто не должен уйти от возмездия.

— Библейские заповеди вы явно не соблюдаете, — сказал Дронго. — А как же ваши постулаты? У вас ведь религиозное государство?

— Во всем, что касается безопасности нашего государства... — начал Райский.

— Я все знаю. Мне уже объяснял все Павел. Перед тем как я начну знакомиться с делом Мула, четко изложите мою задачу.

— Первая и самая главная задача — найти Ахмеда Мурсала. Если при этом вы сумеете еще и выяснить, где и когда он готовит удар, то все остальное можете просто забыть. Однако не скрою, что нас интересует, во-первых, что именно делал в Баку Мул и как он оттуда исчез, если, конечно, действительно покинул пределы Азербайджана. Во-вторых, мы не возражали бы против вашей поездки в Тегеран и соответствующей информации, которую от вас могли бы получить иранские спецслужбы. Я думаю, им будет приятно найти убийцу хаджи Карима. И, соответственно, очень неприятно узнать, что новый удар в Европе, в котором обвинят иранские спецслужбы, вызовет такую волну антииранских настроений, что все новые контракты, заключенные за последние несколько лет, станут весьма проблематичными, если не сказать почти нереальными.

— Почему вы считаете, что в Тегеране мне поверят?

— Ваша репутация эксперта безупречна. Все знают, что вы не играете на какой-либо стороне. А заодно вы сможете прочувствовать, что происходит на самом деле. Действительно ли иранцы ведут двойную игру, устроив убийство одного из известных шиитских деятелей. Или они собираются найти и покарать убийцу. Хотя о последнем мы даже не просим. Достаточно, если они не будут ему помогать. Уже эта информация сама по себе стоит того, чтобы обратиться к вашей помощи. Вы согласны?

— Я все понял, — вздохнул Дронго, — вы снова пытаетесь втянуть меня в свои собственные игры. Или это вообще отличительная черта МОССАД?

— Мне иногда становится странно, что мы обратились именно к вам, — признался Райский.

— Вы не упомянули мой гонорар.

— Сто тысяч долларов. Разумеется, ваши поездки мы будем оплачивать отдельно. Гурвич выдаст вам пятьдесят тысяч в счет аванса и для текущих расходов.

— Расписка нужна?

— Конечно, мы же государственная организация. У нас деньги налогоплательщиков.

— А потом меня обвинят в сотрудничестве с иностранной разведкой, — пожал плечами Дронго.

— Это единственное, что вас беспокоит?

— Нет. У меня есть еще несколько вопросов. Во-первых, где именно был убит ваш агент в Париже? И как произошло нападение на вашу резидентуру в Бейруте? Мне нужны подробности, факты, различные мелочи. В общем, полная ситуация.

— Понимаю.

— Во-вторых, мне понадобятся личные дела

всех возможных друзей Мула, оставшихся с ним, не порвавших даже после убийства. Не фотографии, а личные дела.

— Сделаем.

— И наконец, третье, полное невмешательство в мои дела. Расследование я веду сам, и мне не нужны ваши указания. Для связи можете оставить моего старого товарища.

— Хорошо. Офицер Песах Гурвич будет в вашем распоряжении.

— Спасибо. Я, кстати, не знал, что его уже не зовут, как раньше, Павлом. Теперь буду знать и про своего университетского товарища.

— Вы опять иронизируете? — нахмурился Райский.

— Нет. Я просто млею от счастья, — огрызнулся Дронго, пододвигая папку с документами на террориста.

Баку. 28 марта 1997 года

Они прилетели в Баку вчера днем. Трое одинаково молчаливых и совсем непохожих людей. Дронго, вспоминая подробности многих преступлений, совершенных Мулом за последние годы, был все время задумчив. Картина получалась безрадостной. Террорист был натурой эксцентричной, жестокой и деспотичной. А самое страшное, что его не могли остановить страдания беззащитных людей и кровь невинных жертв.

В последнее время, после того как он попал в больницу во Франции, Дронго с нарастающим удивлением и некоторым беспокойством отмечал, что у него чаще и сильнее болит сердце, о существовании которого он раньше и не подозревал. Перелеты на самолетах стали напоминать небольшую пытку, он часто задыхался в воздушных лайнерах, стараясь не показывать окружающим то неприятное состояние панического удушья, которое охватывало его, едва он попадал в закрытое пространство самолётов.

Сидевший в самолете у окна Мовсаев вообще не отличался разговорчивостью. Он дремал все время, отказавшись даже от обеда. Только две рюмки коньяку попросил перед тем, как заснуть. Песах Гурвич, которого Дронго по-прежнему упрямо называл Павлом, напротив, пообедал с большим аппетитом и, достав журнал, углубился в чтение. Перемены, происшедшие в его бывшей стране, представлялись ему такими поразительными и невозможными, что чтение прессы делалось просто необходимым атрибутом выживания в этом непонятном для него новом мире.

Сегодня утром они были приняты в Министерстве национальной безопасности. Узнавший, что генерал МОССАД не приехал, а вместо него к нему на прием хотят попасть офицер МОССАД, сотрудник посольства и бывший международный эксперт-аналитик, министр решил, что принять эту необычную группу вполне может один из его заместителей, и перепоручил ему заниматься делом непонятного канадца, из-за которого разгорелся дипломатический скандал.

Чтобы не мешать расследованию и облегчить работу Дронго и Гурвича, полковник Мовсаев не стал официально заявлять о своем присутствии. Он прилетел в Баку как дипломат и сразу поехал в российское посольство для дальнейшей координации действий с местным резидентом СВР в Азербайджане.

Посольство Канады в Турции прислало в Баку своего специального представителя, потребовав немедленно отпустить задержанного гражданина своей страны и дать внятные объяснения по поводу его незаконного задержания. А прилетевшая группа, сформированная совершенно удивительным образом, только мешала завершению расследования.

Заместитель министра национальной безопасности Азербайджана принял гостей в мрачном настроении. Было неприятно, что именно ему поручено это кляузное, грязное дело.

— Мы уже во всем разобрались, — мрачно сообщил он гостям. — У канадского гражданина украли паспорт еще в Европе, и один из его знакомых предложил ему помощь через посольство Канады в Германии. Он сообщил нам имя своего знакомого, и мы выслали запрос в Германию и передали все документы в канадское посольство. Если паспорт у него не в порядке, то это проблемы канадцев, а не наши. Завтра мы его депортируем в Германию, пусть там разбираются в посольстве. Азербайджанская виза получена им в нашем посольстве в Брюсселе. У нас нет никаких претензий к этому задержанному. И, соответственно, нет никаких оснований держать его у нас.

— Но по его документам границу пересек другой человек, — настаивал Павел Гурвич.

— Сейчас мы его ищем, — развел руками заместитель министра, — фактически мы имеем только один паспорт. Человек с именем Анвера Махмуда не пересекал больше нашей границы, тем более канадский гражданин. У нас в стране бывает не так много канадцев, чтобы мы о них не знали.

Он прилетел и через несколько дней улетел. И у нас нет никаких доказательств обратного.

— Но он врет, — нервничал Гурвич, — из Голландии прилетел не он. С его паспортом оттуда прибыл совсем другой человек, это же ясно. А улетал именно этот тип. Он все врет, проверка в Германии ничего не даст.

— Повторяю, у нас нет никаких доказательств, — сухо возразил заместитель министра, — по нашим сведениям, один человек въехал со своим паспортом в нашу республику и через несколько дней этот же человек с этими же документами пытался выехать. И мы его арестовали по вашей просьбе. Но вы не представили нам никаких доказательств. Извините, но мы должны депортировать задержанного в Германию. Пусть его посольство разбирается с ним на месте. Это не наше дело.

— Максимум, что ему грозит, это штраф за незаконное использование документов, — отметил Гурвич, — и то, если сумеют доказать, что документы были незаконными. Его адвокаты легко докажут, что документы настоящие.

— Это проблема канадских властей, — упрямо повторил хозяин кабинета.

Ему стали надоедать эти израильские представители, которые так тупо настаивали на своей несостоятельности. Он с легким презрением подумал о том, что хваленый МОССАД мог бы сработать и лучше. Сидевший напротив него Дронго молчал. Он понимал, что позиции обеих сторон по-своему справедливы и, не понимая позицию своего собеседника, невозможно принять другую точку зрения. Однако нужно было что-то предпринять.

— Простите, — неожиданно сказал он, обращаясь к заместителю министра, — но вы же можете разрешить нам поговорить с ним.

— Нет, — улыбнулся тот, — не могу. Вы граждане другого государства, а он гражданин третьего. Я не могу разрешить вам допрашивать его.

— Но я не гражданин Израиля, — тоже улыбнулся Дронго.

— Лучше бы вы помогали нам, — сказал заместитель министра, — у наших гостей и без того хватает помощников.

— А может, я помогаю и вам, — быстро отреагировал Дронго.

— В любом случае, разрешить не могу, — сухо ответил заместитель министра.

— Но мы могли бы побеседовать в вашем присутствии, — настаивал Дронго, — поймите, речь идет не только о безопасности Израиля. Это террорист международного уровня. Вполне возможно, что готовится акция в самом Баку. В таком случае вы лично будете виновны в этом террористическом акте. Мы еще можем его остановить или хотя бы понять, куда делся террорист.

Заместитель министра задумался. С одной стороны, есть строгая инструкция. С другой, Израиль был дружественной страной, а перспектива теракта могла оказаться вполне реальной. В Баку за последние годы уже привыкли к подобным трагедиям, когда террористы взрывали станции метро и автобусы, подкладывая бомбы против случайных людей.

— Хорошо, — согласился хозяин кабинета. — Но в моем присутствии.

— В таком случае дайте мне десять минут, — попросил Дронго — только не мешайте, и я попытаюсь разобраться с этим типом.

— Надеюсь, вы не собираетесь избивать его в моем кабинете? — уже позволил себе пошутить заместитель министра.

Через пятнадцать минут в комнату ввели небритого и осунувшегося Анвера Махмуда. Он настороженно смотрел на присутствующих. Он уже знал, что это кабинет заместителя министра национальной безопасности. И знал, что его собираются депортировать в Германию. Поэтому чувствовал себя увереннее, чем в первые дни после ареста.

— Садитесь, — предложил хозяин. Он говорил на азербайджанском, и Анвер Махмуд его понимал.

— Когда меня отправят в Германию? — спросил задержанный.

— Пока трудно сказать, — ответил заместитель министра, — но у нашего друга есть к вам несколько вопросов.

— Какого друга? — насторожился задержанный.

— Решение о вашей депортации в Германию будет пересмотрено, — холодно сообщил Дронго, — вы будете преданы суду в Азербайджане за незаконный переход границы.

— Вы с ума сошли? — возмутился Анвер Махмуд. — Я — канадский гражданин и прилетел из Голландии...

— Эту сказку расскажете в следующий раз, — жестко перебил его Дронго. — В вашем самолете один из туристов снимал камерой свою семью. И в кадр случайно попал настоящий Анвер Махмуд, который сидел на своем месте. Мы проверили по регистрации в компании «КЛМ», это был именно он. Вы самозванец, выдающий себя за Анвера Махмуда. У нас на пленке совсем другой человек. Очевидно, вы убили этого человека и выдали себя за него, чтобы покинуть республику.

— Нет! — закричал Анвер Махмуд. — Это я, это мой паспорт. Он прилетел по моему паспорту.

И, только выкрикнув это, он с ужасом понял, что выдал себя, настолько неожиданным и страшным было сообщение о камере и съемках в самолете. Заместитель министра одобрительно кивнул. Ему очень понравилась выдумка с камерой.

— А когда прилетели вы? — быстро спросил Дронго.

— Мы... вы... мы... — несчастный закрыл лицо руками. — Они обещали мне деньги, — простонал он, — пять тысяч долларов.

— Когда прилетели вы? — не давая ему времени на раздумья, спросил Дронго.

— Две недели назад, — забормотал испуганный Анвер Махмуд, — мы прошли границу в Баку вместе с группой туристов из Турции.

— На чье имя у вас был паспорт? — быстро спросил заместитель министра, уже чувствуя удачу.

— На имя Намига Омара, — опустив голову, тихо прошептал задержанный.

— Какого числа это случилось?

— Шестнадцатого марта.

Заместитель министра поднял трубку телефона. Теперь он чувствовал себя на коне. Он даже забыл, как не хотел разрешать разговор задержанного с Дронго.

— Быстро проверьте, Намиг Омар, гражданин Турции, прилетел к нам шестнадцатого марта. Проверьте и подтвердите. Если он еще в Азербайджане, сообщите мне срочно. — Положил трубку и удовлетворенно вздохнул.

Гурвич от напряжения сжал пальцы. Он прожил в Баку достаточно много лет, чтобы понимать азербайджанский язык. Анвер Махмуд испуганно смотрел на Дронго.

— Что со мной будет? — тихо спрашивал он. — Меня расстреляют?

— Я думаю, до этого не дойдет, — улыбнулся Дронго, — вас все равно вышлют в Германию.

Раздался телефонный звонок. Заместитель министра быстро поднял трубку, выслушал сообщение и убитым голосом сказал:

— Да, я все понял. — Потом негромко произнес: — Намиг Омар покинул Баку двадцать третьего марта. Кажется, мы ничего не сумеем сделать. Он улетел в Турцию.

Павел разжал пальцы. Дронго покачал головой. Так глупо все сорвалось.

Баку. 29 марта 1997 года

В этот день Дронго ждал результатов официального расследования. В Министерстве национальной безопасности пообещали по возможности установить, с кем именно встречался уехавший турецкий коммерсант. В израильском и российском посольствах были усилены меры безопасности, а Гурвич и Мовсаев в этот день встречались с резидентами МОССАД и СВР в Баку и, соответственно, с послами обоих государств.

Дронго приехал в свою квартиру, которая была точной копией московской. С огорчением заметил слой пыли на книжных полках. Нужно будет позвонить, чтобы пришли и убрали. В Баку и в Москве он договаривался с женщинами, которые приходили к нему убирать квартиры раз в неделю, избавляя его от утомительной процедуры.

Проверив комнаты, он прошел в спальню, чтобы немного отдохнуть. И в этот момент раздался звонок. Он огорченно посмотрел на телефон. Тот зазвонил еще раз. «Нужно поднять трубку», — с сожалением подумал Дронго.

— Слушаю вас, — несколько напряженным голосом сказал он.

— Здравствуй, — услышал знакомый голос отца, — ты сказал, что приедешь, но не позвонил.

— А откуда ты узнал, что я именно сейчас дома? — удивился он.

— Твоя соседка. Я попросил ее позвонить мне и сообщить, когда ты появишься. Надеюсь, ты не обиделся?

— Конечно, нет. Ты всегда умел придумывать невероятные и в то же время самые простые варианты.

Отец был настоящим профессионалом. Всю жизнь он работал в органах прокуратуры и лишь на старости лет ушел на пенсию, решив, что в его возрасте нужно уступать дорогу более молодым. Однако, несмотря на преклонный возраст, он сохранил невероятную ясность ума и аналитическое мышление, которое передалось и сыну.

— Это не вариант, — возразил отец, — это самый легкий способ тебя найти. Когда ты приедешь к нам?

— Прямо сейчас, только приму душ.

Через час он сидел в доме родителей. И счастливая мать приносила с кухни все новые блюда. Отец сидел напротив и слушал неторопливый рассказ Дронго о случившихся за последние дни происшествиях. С самого детства они договорились не скрывать друг от друга ничего, и почти сорок лет придерживались этого универсального принципа доверия в отношениях. Отец гордился своим сыном так же, как сын гордился своим отцом. Лет двадцать назад они даже умудрялись рассказывать друг другу о своих интимных проблемах, о которых обычно не говорят столь разные по возрасту люди. Сын советовался с отцом, а тот, вспоминая собственный опыт, предостерегал младшего от поспешных решений. Классический пример двух Дюма, когда отец и сын, несмотря на все разногласия и споры, были большими друзьями, был верен не только в жизни титанов, но и в жизни обычных людей.

Рассказывая о своей неудаче, Дронго добавил, что не верит в официальное расследование, но должен подождать еще несколько дней, пока не проверят все возможные варианты.

— Они применили оригинальный метод, — кивнул отец, — но мне кажется, что ты несколько поторопился с выводами и поэтому ошибся.

— Что ты хочешь этим сказать? — насторожился сын.

— Из твоего рассказа я понял, что канадец прибыл в Азербайджан по документам турка, а тот прилетел, используя его документы. Потом они обменялись. Очень оригинально. Я правильно понял?

— Да, все именно так.

— Нет, не так, — убежденно сказал отец, — судя по твоему описанию, прилетевший позднее канадец — личность совершенно ничтожная, его использовали только в качестве подставки. Верно?

— Да. Но я пока не понимаю логики твоих рассуждений.

— Ты посчитал их комбинацию достаточно интересной и поэтому согласился принять ее как единственно правильную. Но мне кажется, что в твоих рассуждениях не было учета личности этого канадца турецкого происхождения. Как его звали? Анвер Махмуд. Ведь те, кто его подставил, наверняка понимали, что рано или поздно его задержат. Вернее, обязательно задержат в момент пересечения границы. Значит, люди, придумавшие эту операцию, вполне могли исходить из того, что он может выдать имя человека, с паспортом которого он пересекал границу. Улавливаешь мою мысль?

— Кажется, да. По-моему, я идиот.

— Нет. Просто ты видел перед собой конкретного человека и это сбило тебя с толку. А мне легче было абстрагироваться, отталкиваясь от твоего рассказа. Таким образом, мы можем сделать вывод, что приехавший террорист, якобы поменявшийся с канадцем своим турецким паспортом, совсем не обязательно покинул республику именно по документам этого канадца. Они не поменялись друг с другом паспортами. Должен быть кто-то третий, кого канадец не знает. Иначе он может провалить операцию, а такой опытный террорист, как Ахмед Мурсал, вряд ли станет доверять свою жизнь столь ненадежному партнеру.

— Черт возьми, я обязан был догадаться об этом сам. Просто факт обмена паспортов показался мне таким интересным, что я не обратил внимания на такие детали.

— Ты сказал, что этот канадец турецкого происхождения прибыл с группой турок в Баку. Пусть проверят всю группу, все паспорта и все фамилии, — предложил отец, — там обязательно должен быть кто-то третий. Я не хочу утверждать, но здесь наверняка была не простая двухходовка по обмену паспортов, а многовариантный обмен с участием как минимум трех человек. Иначе мне нужно поверить, что террорист доверил свою жизнь такому типу, как Анвер Махмуд, а это противоречит логике.

— Я все проверю, — растерянно пообещал Дронго, — мне кажется, что я уже старею.

— Тебе просто пора обзаводиться собственной семьей, — ворчливо заметил отец.

Дронго улыбнулся и кинулся к телефону. Набрал номер Павла.

— Это я, — взволнованно сказал он, — кажется, мы немного поторопились. Сейчас выезжаю к нашему вчерашнему знакомому, а ты жди меня в вашем посольстве. Вполне вероятно, что появятся новые факты по известному тебе делу.

Бросив трубку, он поднялся, торопливо надевая пиджак.

— Ты еще не закончил обедать, — всплеснула руками мать, входя в комнату.

— До свидания. Я очень тороплюсь, — сын буквально выбежал из комнаты.

— У него действительно важные дела, — кивнул отец в ответ на недоумевающий взгляд жены.

Дронго приехал в Министерство национальной безопасности и позвонил из комендатуры заместителю министра. Конечно, тот не поднимал трубку, тем более когда звонили из комендатуры. Отвечала его секретарь, которая вежливо выслушала настойчивого посетителя и сообщила, что его запишут на прием, который состоится через четыре дня. Все попытки Дронго объяснить, что ему нужно срочно увидеться с ее начальником, разбивались о равнодушие девушки-секретаря, твердо усвоившей, что нельзя пришедшего с улицы человека сразу соединять с начальством. В конце концов, любой мало-мальски уважающий себя человек в Баку сначала обзаведется знакомыми и друзьями, которые позвонят заместителю министра, и только потом, предварительно договорившись о встрече, рискнет прийти на прием. Обычные посетители, не имеющие должных связей, должны были записываться в общую очередь и ждать неделями, а то и месяцами, пока их соизволят принять. Это относилось не только к Министерству национальной безопасности. Подобные нравы были во всех организациях, а особенно в правоохранительных органах, где проситься на прием к ответственному лицу без связей и денег было не просто невозможно, но и глупо, так как любая просьба автоматически закончилась бы отказом.

Дронго понял, что ничего доказать не сможет, и вышел из комендатуры. Немного подумав, он решил поступить иначе и позвонил в российское посольство, попросив найти Мовсаева. Того тоже искали достаточно долго, но потом все-таки соединили.

— Это я, — быстро сказал Дронго, — мне срочно нужна ваша помощь.

— Что случилось?

— В Баку есть ваше представительство российского Аэрофлота. Вы можете им позвонить, чтобы они меня приняли?

— Конечно. Я сам поеду туда, если нужно. А почему именно они?

— Нужно срочно проверить компьютерный банк данных. О приезде и отъезде. У меня нет доступа к информации, поэтому мне понадобится их помощь.

— Через полчаса я жду вас там, — понял без лишних слов Мовсаев.

Дронго положил трубку и бросился ловить автомобиль. Через полчаса он уже сидел в офисе российской авиакомпании «Аэрофлот — международные линии». Мовсаев прибыл почти вместе с ним. Генеральному представителю уже позвонили из посольства, попросив помочь. Представитель принял их в своем кабинете.

— Чем я могу вам помочь?

— Мне нужен срочный доступ к информации сначала турецкой компании «Турк хава еллары», потом к азербайджанской компании «Азал».

— Вы хотите выйти на них через нашу компьютерную сеть? — понял генеральный представитель.

— Да. Поэтому мне нужна ваша помощь. Вы наверняка можете выйти на их информационный банк данных.

Генеральный представитель был сравнительно молодым человеком. Раньше он работал начальником аэропорта в самом Баку и понимал Дронго гораздо лучше, чем мог бы понять любой, оказавшийся на его месте.

— Хорошо, — кивнул он, — можете работать в соседнем зале. Я попрошу нашу сотрудницу помочь вам.

— Спасибо, — Дронго отправился в зал.

Выйти на любой банк данных не представляло особого труда. Информация о прилетах и отлетах в авиакомпаниях никогда не бывает закрытой, так как сама цель любой авиакомпании — продать как можно больше билетов и, естественно, максимально облегчить возможность приобретения билетов пассажирами. Во многих авиакомпаниях мира уже можно было заказать билеты через Интернет и получить их прямо на дом.

— Проверьте шестнадцатое марта. Кто прилетел рейсом турецкой авиакомпании «Турк хава еллары», — попросил Дронго, — мне нужен список пассажиров.

Девушка набрала код, вошла в информационный банк данных компании, и через некоторое время принтер уже печатал список пассажиров.

— Теперь поищите, кто улетал за последние десять дней из числа приехавших именно самолетами турецкой компании.

— Это займет время, — предупредила девушка, — за две недели могли улететь все приехавшие.

— Сколько турецких самолетов прилетает в Баку каждую неделю — кажется, три?

— Уже четыре рейса. Понедельник, среда, четверг, суббота.

— Значит, всего нужно проверить восемь рейсов. Я вас прошу: проверьте все восемь рейсов.

Девушка вздохнула, но стала работать на компьютере. Через пятнадцать минут она протянула лист бумаги с отпечатанными фамилиями.

— Вот список улетевших. Из ста семидесяти двух человек улетело сто четырнадцать. Остальные пока в Баку. Но там были и граждане других стран.

— Нет-нет, — улыбнулся Дронго, — мне нужны только турецкие граждане. — Он подумал немного и попросил: — Подождите, сейчас я позвоню.

Подняв трубку телефона, он набрал номер израильского посольства.

— Мне срочно нужен Гурвич. Или офицер безопасности посольства, — попросил Дронго.

В израильском посольстве все решилось мгновенно. Здесь четко знали, что любое промедление может обернуться трагедией. Через минуту Павел взял трубку.

— Мне нужен список, — потребовал Дронго, — список всех пропавших канадских паспортов. Сколько их тогда пропало?

— Восемь.

— Только канадские?

— Нет, — сказал Гурвич, — но это не телефонный разговор.

— У меня нет времени на разного рода деликатности. Какие еще паспорта пропали? Говори быстрее, возможно, от этого зависит исход нашей операции.

— Вообще-то там были еще турецкие паспорта. Два чистых бланка. У нас есть договоренность с турецкой разведкой, и мы иногда используем эти...

— Черт бы вас всех побрал! — разозлился Дронго. — Почему же вы раньше мне об этом не сказали?! Мне нужны номера. Срочно.

— У меня их нет. Нужно запросить Израиль.

— Позвони и перезвони сразу мне. Какой здесь телефон? — спросил Дронго у девушки и, получив ответ, продиктовал. Затем бросил трубку.

— Канадские граждане на рейсе шестнадцатого марта были? — спросил он.

— Нет, — девушка посмотрела список, — канадцев не было.

— Сколько граждан Турции не улетело из этого списка?

— Двадцать два человека.

— Намиг Омар. Проверьте, есть ли такой человек в списках от шестнадцатого марта.

— Есть, — сообщила девушка, набрав его фамилию.

— Я вижу, что есть, — разозлившись на самого себя из-за потери времени, пробормотал Дронго. «Можно было просто взять лист с фамилиями пассажиров, — зло подумал он. — Кажется, я действительно начинаю делать ошибки».

— Он улетел двадцать третьего, — задумчиво произнес Дронго, — проверьте, кто улетел вместе с ним из этого списка за шестнадцатое марта.

— Еще двадцать пять человек, — любезно сообщила девушка после проверки, — они прилетали туристической группой.

Мовсаев сидел рядом, не вмешиваясь в работу Дронго. Он лишь с интересом следил за появлявшимися на принтере фамилиями. Раздался телефонный звонок. Девушка подняла трубку и передала ее Дронго:

— Вас.

— Мы проверили, — убитым голосом сообщил Павел, — но оба паспорта были изъяты турецкими властями еще несколько месяцев назад. Эти документы им предъявили курдские повстанцы, которые были арестованы при прохождении границы. Это дохлый номер, — пробормотал Павел напоследок.

— До свидания, — Дронго бросил трубку и снова посмотрел на девушку.

— Двадцать две фамилии, — произнес он. — Проверьте, может, кто-нибудь из них улетел самолетом другой авиакомпании?

— Это очень долго, — взмолилась девушка, — нужно делать запрос в «КЛМ», в «Бритиш Эйруэйз», в «Люфтганзу», в «Трансаэро», в «Азал». Вы представляете, как это сложно и сколько займет времени?

— Подождите, — задумался Дронго, — давайте сделаем по-другому. Проверьте, у кого из двадцати двух оставшихся в Баку турецких граждан были обратные билеты?

Мовсаев покачал головой и осторожно сказал:

— Так мы можем ничего не добиться. Они вполне могли взять обратный билет.

— Не обязательно, — возразил Дронго, — ведь тот, кого мы ищем, наверняка прилетел вместе с арестованным канадцем. Хотя бы для контроля за ним. Канадец был им очень важен. Он должен был сыграть свою роль, отвлекая на себя внимание и давая возможность террористу попасть в страну по канадскому паспорту. А здесь, в Баку, снова поменялся, уже в третий раз.

— Вы думаете, был не двойной, а тройной обмен? — понял Мовсаев.

— Уверен. Нам нужно вычислить третьего. Иногда такие мелочи, как обратный билет, могут сказать больше, чем это хотелось бы террористу.

— У восемнадцати пассажиров были обратные билеты, — сообщила девушка.

— Остались четверо, — пробормотал Мовсаев, тревожно взглянув на Дронго. Тот кивнул, вчитываясь в список из четырех фамилий. Потом поднял голову.

— Он не полетит ни в Голландию, ни в Германию. Побоится сунуться туда с подложными документами. Тем более после убийства в Париже. Значит, искать нужно либо в странах СНГ, либо в арабских. Как крайний вариант — Англия. Проверьте, не брал ли кто-нибудь из этих четверых билеты в другие места. Например, в страны СНГ или в азиатские страны.

— Это очень долго, — опять предупредила девушка. — В страны СНГ летают и частные компании, и много других самолетов. А в азиатские летают в основном самолеты «Азала», азербайджанской авиакомпании.

— Куда летают эти самолеты?

— В Арабские Эмираты, Иран, Пакистан, Индию, Китай, Сирию, Турцию... по-моему, летали раньше и в Египет. Я не помню все маршруты.

— А в Израиль?

— Да-да, конечно. В Израиль тоже летают. В Тель-Авив есть прямой рейс.

— Проверьте эти рейсы, — попросил Дронго. Девушка начала набирать данные на компьютере. Они ждали долго, пока, наконец, она подняла голову и сказала:

— Да, есть. Две фамилии. Один улетал в Сирию двадцать третьего марта, другой в Пакистан двадцать пятого.

— Они прибыли одним рейсом с Намигом Омаром шестнадцатого марта из Турции?

Девушка кивнула. Ей начала надоедать непонятная назойливость незнакомца. Так можно просидеть до вечера. Дронго сжал зубы. Вполне возможно, что он напал на след. В любом случае эти двое пассажиров вылетели из Баку позже канадского гражданина и один из них вполне мог оказаться террористом.

— Других данных по компании нет? — на всякий случай спросил он. — Посмотрите по этим двум фамилиям. Хотя нет, посмотрите по всем четырем.

От него не укрылось то раздражение, с каким девушка забегала пальцами по клавишам. Мовсаев усмехнулся.

— Кажется, мы начинаем ее мучить, — негромко сказал он, и в этот момент девушка подняла голову.

— Есть, — сказала она, — один из них вылетал

в Москву самолетом компании «Азал» восемнадцатого марта.

— Когда? — почти в один голос спросили Дронго и Мовсаев.

— Восемнадцатого марта, — подтвердила девушка, немного испуганно взглянув на нервных гостей, — он вылетел в Москву утром восемнадцатого марта.

— Имя? — потребовал Дронго.

— Натиг Кур, — прошептала девушка.

— Куда он полетел из Баку — в Сирию или Пакистан?

— В Сирию, двадцать третьего марта, — подтвердила девушка, — коммерческим рейсом. Так обычно летают туристические группы.

— Подождите, — прервал ее Дронго, чувствуя рядом учащенное дыхание Мовсаева. — Вы сказали, что он утром восемнадцатого вылетел в Москву, а уже двадцать третьего отправился отсюда в Сирию. Значит, он успел вернуться из Москвы. Проверьте еще раз все рейсы «Азала» с восемнадцатого по двадцать третье.

— Я уже проверила, — возмущенно ответила девушка, — здесь нет на него данных. Только его вылет в Москву восемнадцатого.

— Какие еще самолеты летают из Москвы? Какие компании?

— «Аэрофлот — международные линии», «Домодедово», «Трансаэро». Иногда бывают и коммерческие рейсы.

— Проверьте пока три российские компании, — попросил Дронго. Он взглянул на Мовсаева.

— Кажется, нашли, — сказал тот нахмурившись.

На этот раз ждать пришлось недолго. После

первого же набора девушка нервно поежилась и сказала:

— Он прилетел девятнадцатого нашей авиакомпанией в Баку. Что еще вы хотите узнать?

— Спасибо, большое спасибо. — Дронго вышел из зала, увлекая за собой Мовсаева.

— Теперь мы знаем точную картину случившегося, — начал объяснять Дронго. — Шестнадцатого марта из Турции прилетают в Баку два человека, канадец с документами Намига Омара и Натиг Кур со своим паспортом, контролирующий перелет канадца. Семнадцатого в Баку прибывает сам Мул по документам канадца. На следующий день Натиг Кур почему-то срочно вылетает в Москву и через день возвращается. Я убежден: если мы сумеем грамотно организовать проверку, то можно выяснить, с кем именно он контактировал в Москве. Двадцатого марта канадец, получив свой паспорт, пытается вылететь в Голландию, и тогда его арестовывают. Это сигнал для террориста о том, что израильские спецслужбы уже находятся в Баку. Тогда он вылетает двадцать третьего марта в Сирию по документам Натига Кура, а тот, взяв его паспорт, соответственно вылетает в Турцию, чтобы прикрыть самого Мула. Комбинация гениальная, если учесть, что пограничники, как правило, не очень смотрят на фотографии, проверяют лишь правильность документов турецких граждан. Они ведь считаются как бы своими и ездят в республику, часто оформляя визу на месте.

— Значит, террорист вылетел в Сирию, — подвел итог Мовсаев.

— Да. Но до этого он сам или его друг, я думаю, скорее второе, вылетал в Москву. Что он там делал? Совершенно ясно, что визит Мула в Баку был связан именно с этой поездкой в Москву. Если в Москву полетел сам Мул, то зачем он избрал такой сложный путь через Баку, когда в Москву нужна специальная российская виза для любого турецкого гражданина. Нет. Все-таки в Москву полетел его сообщник, который сейчас находится в Турции.

— Я немедленно вылетаю в Москву, — решил Мовсаев, — попытаюсь выяснить, что там делал этот сообщник террориста. Проверим все отели, весь его путь из Баку в Москву и обратно.

— Нужно проверить аэропорты, — быстро вставил Дронго, — почему он не взял билет туда и обратно, а воспользовался услугами двух авиакомпаний. Проще и надежнее было взять билеты одной компании. Но он полетел на самолете азербайджанской авиакомпании в Москву, а потом вернулся самолетом Аэрофлота. Кажется, я знаю почему. Первый самолет идет в Домодедово, а второй вылетает из Шереметьево-один. Значит, нужно проверить именно Шереметьево. Почему-то он туда специально приехал, чтобы вылететь. Рейс Аэрофлота из Шереметьева рано утром, в восемь часов. Он вполне мог выбрать более удобное расписание, тем более что у него в запасе было еще четыре дня до отъезда в Турцию.

Мовсаев молча смотрел на Дронго. Что-то промелькнуло в его взгляде.

— Вы что-то хотите уточнить? — понял Дронго.

— Нет. Признаюсь, я не верил в ваши исключительные аналитические способности. Это просто феноменальный результат. Суметь так просчитать весь план Мула, это нечто невероятное. Я не люблю говорить громких слов, но вы уникум, Дронго.

— Вы ошибаетесь, — улыбнулся Дронго, — это скорее мой папа.

— В каком смысле? — не понял Мовсаев. — Вы хотите сказать, что учились у него?

— И продолжаю это делать всю свою жизнь. Это он подсказал мне идею с тройным обменом, объяснив, что Мул не стал бы рисковать, выезжая из Азербайджана по паспорту, известному арестованному канадцу. Я даже думаю, что сначала улетел настоящий Натиг Кур по документам канадца в Турцию, а уже потом, следом за ним, террорист с его документами в Сирию.

— Я позвоню вам из Москвы, — сказал на прощание Мовсаев и протянул руку, впервые за все время их знакомства.

Баку. 30 марта 1997 года

Он еще спал, когда требовательно зазвонил телефон. Не открывая глаз, он поежился, словно чувствуя, как неприятен будет именно этот звонок. Телефон звенел не переставая. Дронго усмехнулся, кажется, у него вырабатывается некое шестое, а может, и седьмое чувство, когда он по трели телефонного звонка может прочувствовать ситуацию. Или это было просто предчувствие?

Предчувствие его не обмануло.

— Здравствуйте, — сказал кто-то неприятно жестким голосом. — Сегодня в двенадцать часов вы должны быть в Министерстве национальной безопасности, в приемной заместителя министра.

— Ясно, — сказал Дронго, — но только почему «должен»? По-моему, более верная форма обращения — попросить меня об этом.

Говоривший на другом конце чуть не задохнулся от возмущения. В Азербайджане традиционно уважали носителей власти. А такими были прежде всего сотрудники прокуратуры, милиции, безопасности, суда, таможни, налоговой полиции и прочих мелких и крупных организаций, которые могли доставить неприятности любому человеку, создавая крупные проблемы там, где их не было.

— Вы с ума сошли? — гневно спросили на другом конце провода.

— Пока нет. Просто пытаюсь научить вас более вежливой форме общения, — усмехнулся Дронго. — Если ваше ведомство вместо того, чтобы заниматься своими прямыми обязанностями и обеспечивать государственную безопасность республики против иностранных резидентов, хлынувших в город, занимается чисто полицейскими функциями, то о вежливости вы, конечно, не слышали. До свидания.

— Вы придете? — уже поняв, что ему не переубедить этого упрямца, спросил незнакомец.

— Я подумаю. — Он положил трубку и отправился в ванную комнату.

В двенадцать часов он все-таки приехал в Министерство национальной безопасности и, получив пропуск после двадцатиминутной проверки его документов, наконец оказался в приемной заместителя министра. Еще полчаса его заставили ждать, чтобы прочувствовать всю важность момента. Он сидел не двигаясь, но почему-то улыбаясь, чем очень нервировал девушку-секретаря и помощника. Наконец ровно в двенадцать пятьдесят его впустили в кабинет.

— Здравствуйте, — угрюмо сказал заместитель министра, не вставая, — вы почему опоздали?

— Я пришел вовремя, — возразил Дронго, —

просто сначала меня продержали двадцать минут внизу, а потом тридцать минут в вашей приемной.

— Надо было прийти еще раньше, — неприязненно сказал заместитель министра. Он до сих пор не предложил ему сесть, и Дронго, взяв стул, опустился на него, не спрашивая разрешения у хозяина.

— Не забывайтесь, Дронго, — усмехнулся заместитель министра, — здесь вам не Вашингтон и не Париж. Ваши родители, кажется, живут в Баку? Да и вы сами имеете здесь квартиру? Мне кажется, вы ведете себя неразумно.

— А мне кажется, что это вы ведете себя неразумно. Вместо того, чтобы сотрудничать и не давить на меня, вы позволяете себе так по-хамски со мной обращаться. Я ведь могу обидеться, — усмехнулся Дронго, — и перестать вам помогать. Неужели вам действительно неинтересно, зачем Мул прилетал в Баку?

— Вы русский шпион, — задыхаясь, прошипел заместитель министра, — вы израильский агент.

— Выберите что-нибудь одно, — засмеялся Дронго, — а то как-то не состыковывается. Или русский, или израильский. Нельзя же одновременно работать на два совершенно разных ведомства.

— Мы запретим вам въезд в Баку. Начнем оперативное расследование, — пригрозил заместитель министра.

— И не узнаете, как вас обманули, — поднялся Дронго. — Впрочем, это уже ваши проблемы.

— Что вы хотите сказать? — хмуро спросил хозяин кабинета.

— Во-первых, Мул улетел не в Турцию, а совсем в другую страну. Во-вторых, один из его сообщников почему-то летал в Москву. И наконец, в-третьих, я знаю имя и фамилию того, кто ему помогал в Баку, знаю, как Мул вылетел из Баку и куда именно. Но если вам неинтересно, до свидания. — Он повернулся, чтобы выйти из кабинета.

— Подождите, — послышался нерешительный голос хозяина кабинета, — вернитесь.

Дронго обернулся. На этот раз заместитель министра уже стоял. Он сделал резкий шаг к столу. И, пройдя несколько шагов, сел за длинный стол для заседаний, как бы приглашая Дронго стать равноправным партнером. Тот не заставил себя долго упрашивать, сел напротив.

— Вы блефуете или серьезно говорите о том, что все узнали? — недоверчиво спросил заместитель министра.

— Я действительно сумел уточнить некоторые детали, — подтвердил Дронго.

— За один день?

— Чтобы все узнать, мне понадобилось несколько часов. Точнее, около двух часов.

Заместитель министра сделал скорбное лицо. Потом через силу все-таки спросил:

— Каким образом?

— Очень просто. Я посчитал возможным, что арестованному канадцу действительно ничего не было известно, ему не могли доверить жизнь и безопасность такого террориста, как Ахмед Мурсал. И тогда все встало на свои места. Я проверил все фамилии пассажиров, прилетевших с Намигом Омаром в тот день из Турции. Выяснилось, что через два дня после прилета группы и на следующий день после появления самого Мула в Баку один из пассажиров, сидевших в самолете с Намигом Омаром, вылетел в Москву. На следующий день он вернулся в Баку. Двадцатого ночью вы арестовали канадца, пытавшегося улететь в Голландию, и это было вашей самой большой ошибкой. Это был сигнал Мулу о том, что за ним следят. Конечно, после ареста канадца он не мог вылететь из Баку с его паспортом. Он поменялся со своим сообщником, и тот вылетел в Турцию, а он — в Сирию. В один день.

Заместитель министра молчал. Целую минуту он переваривал информацию. Потом почему-то шепотом спросил:

— Как вам удалось все это узнать? Вы ведь никуда не ходили.

— Ваши люди за мной следили, — понял Дронго. — Для этого не обязательно бегать по городу. Я поехал вчера в одну из авиакомпаний и проверил все данные через компьютерную сеть.

— Как просто, — громко сказал заместитель министра. — А мне доложили, что вы встречаетесь там с российским резидентом.

— У ваших людей шпиономания. Только вместо того, чтобы ловить настоящих шпионов, они почему-то следили за мной.

— Как зовут сообщника Мула? Вы знаете его имя?

— Знаю. Турецкий гражданин Натиг Кур. Именно по его документам Мул вылетел в Сирию.

— Почему в Сирию?

— Этого я пока не знаю. Но думаю, что достаточно скоро буду знать, почему именно туда. Конечно, если ваши люди вместо того, чтобы следить за мной, станут сотрудничать.

Хозяин кабинета мрачно уставился на Дронго. Потом вдруг улыбнулся.

— Черт возьми, — сказал он, — вы действительно такой человек или все время притворяетесь?

— Конечно, притворяюсь, — засмеялся Дронго.

Его собеседник прошел к столу, вызвал по селектору своего секретаря.

— Принеси нам чай, — приказал он, возвращаясь к своему гостю. — Я прикажу, чтобы вам выделили в помощь оперативную группу. — Сказал примирительно: — Вы работаете потрясающе. Мне и раньше говорили, что у вас вместо головы компьютер, но я, признаться, не очень верил.

— Надеюсь, что у меня все-таки голова. Компьютеры пока не столь совершенны, — без улыбки заметил Дронго, — но сейчас мне понадобится помощь ваших людей.

— Что конкретно?

— Нужно выяснить, с кем мог встречаться в Баку Натиг Кур, его связи, возможные контакты. Он наверняка поселил Мула не в отеле, а на частной квартире. Нужно попытаться выяснить, где именно они жили. Его поездку в Москву будут проверять непосредственно на месте. Я вчера именно об этом просил российского представителя. Кстати, ваши сотрудники работают не так уж плохо, если смогли вычислить приехавшего полковника Службы внешней разведки России. А теперь они должны проверить все, что касается Баку. Особое внимание следует обратить на возможные грузы, которые либо ушли вместе с Натигом Куром восемнадцатого марта в Москву, либо пришли оттуда на следующий день. И соответственно, с каким грузом уехал по документам этого турка Мул в Сирию. Они ведь специально выбрали именно те дни, когда в Азербайджане празднуют традиционное начало нового года Навруз-Байрам, зная, какв это время люди расслабляются, в том числе и таможенные службы. Хотя я совсем не исключаю и того, что таможенникам просто хорошо заплатили за определенный груз, который они должны были пропустить без досмотра.

— Да, — сурово сказал заместитель министра, — это вполне реально.

— У нас в запасе не так много дней. Судя по всему, подготовка к акции идет полным ходом. Даже если она состоится в Израиле или еще где-нибудь, все равно нити будут тянуться в Баку. Неужели вам приятно, если в Москве и в Тель-Авиве будут каждый раз вспоминать о некомпетентности местных сотрудников, не сумевших разгадать комбинацию с террористами?

— Вы умеете убеждать, — недовольно буркнул заместитель министра, — хорошо, я дам вам лучших людей. Их руководителя группы вы знаете. Он вместе с вами помогал обеспечивать безопасность президентов в прошлом году, когда вы угнали самолет.

— Я не угонял самолета, — возразил Дронго. — Это сделали террористы, а я всего лишь попытался им помешать. А вот за Эльдара Касумова спасибо. Он действительно очень толковый сотрудник. Я не знал, что он уже работает у вас. Раньше он был в службе охраны президента.

— Он теперь у нас начальник отдела, — пояснил заместитель министра. — Его сотрудники будут работать с вами.

— У них наверняка были сообщники в городе. Без местных жителей им не справиться, — задумчиво сказал Дронго. — Вряд ли Мул рискнул бы приехать в Баку, никого здесь не зная. У него обязательно должны быть сообщники из местных.

— Проверим. Все проверим. Хотя вы сами знаете, в нашем городе сейчас больше двух миллионов людей. А иностранцев в десять раз больше, чем всех сотрудников министерства. У нас никогда не бывало столько иностранцев, как сейчас. Наверное, за всю историю города не было такого бума. По нашим данным, их тысяч пятьдесят, не меньше.

— Вы знаете, как называют Баку в мире?

— Нет.

— Город шпионов. Последний Клондайк на земле. Вам еще придется отправлять меня в Иран. Мне нужно будет срочно слетать в Тегеран.

— Если выяснится, что вы еще и иранский шпион, я сойду с ума, — пошутил заместитель министра и первый рассмеялся собственной шутке.

Баку. 30 марта 1997 года

Он приехал в израильское посольство, договорившись с Павлом о встрече. Посольства Израиля традиционно охранялись и проверялись особенно тщательно. Жизнь в окружении не всегда благожелательно настроенных соседей научила дипломатов осторожности. Однако за пять лет существования израильского посольства здесь особых инцидентов не было. Новый посол Израиля Аркадий Мил-Ман, назначенный в эту страну лишь несколько месяцев назад, в отличие от предыдущего прекрасно владел русским языком, ему не требовался переводчик. Мил-Ман был дипломатом, имевшим большой опыт работы в странах СНГ. Он работал в посольствах России и Казахстана, прежде чем получил назначение в Баку. Выходец из традиционной религиозной семьи, которая приехала в Израиль из Львова, где господствовали очень строгие нормы, он получил прекрасное образование.

Он принял эксперта в своей резиденции вместе с представителем МОССАД Гурвичем. И, несмотря на весь сюрреализм положения, когда все трое говорили на русском языке, так как были выходцами из страны, раньше называемой Советским Союзом, разговор получился достаточно напряженным.

Дронго рассказал о фактах, собранных в авиакомпании, о своих выводах.

— Ты считаешь, что террорист полетел в Сирию, — возбужденно уточнил Павел.

— Почти убежден, — кивнул Дронго. — Сейчас самое главное — постараться выяснить, зачем его сообщник или он сам, я не исключаю и такой вариант, летал в Москву. И почему вернулся на следующий день из другого аэропорта. Мне кажется, что они перебрасывали в Баку какой-то груз. Только этим можно объяснить срочный вылет. Или там была назначена встреча с нужным человеком. Но, думаю, скорее первое, так как они понимали весь риск положения, при котором легко можно будет обнаружить внезапную командировку в Москву.

— В таком случае мы сделаем срочный запрос в Дамаск, — нахмурился Павел, — возможно, мы ошибаемся и Мул готовит новую акцию в Израиле, а не в Европе. Возможно, он просто пытается нас обмануть, или набираемые в группу лица со знанием европейских языков будут проводить акцию прикрытия в самом Израиле.

— Пока я не могу точно ответить, где и когда он проведет свою акцию, — согласился Дронго, —

у нас почти нет никаких данных, указывающих на его дальнейшие передвижения по стране.

— А вы не думаете, что его срочный приезд сюда мог быть связан и с другими обстоятельствами? — спросил посол.

— В каком смысле?

— Целью его визита мог быть другой город, — с нажимом ответил посол, — например, Тегеран.

— Судя по той информации, которую мне предоставили сотрудники вашей разведки, — нет. Но вполне возможно, что это грандиозная игра, затеянная с целью обмануть ваши спецслужбы. В любом случае ответ нужно искать в Тегеране и в Москве. Только там можно полностью прояснить ситуацию. Это уже потом можно будет собрать все оборванные цепочки воедино и постараться узнать, что именно он делал в Баку, зачем сюда прилетал.

— Город шпионов, — улыбнулся Павел Гурвич, — после разделенного Берлина это первый такой город на земле, где одновременно действуют американские и российские, иранские и израильские, английские и арабские, французские и грузинские представители спецслужб.

— Только немного сместились акценты, — улыбнулся Дронго. — Раньше это было противостояние двух систем, а сейчас все конкурируют друг с другом. Все летят в город на запах больших денег. И пытаются отобрать друг у друга самый жирный кусок пирога.

— Ваша нефть — это ваше счастье, — вздохнул посол.

— И наше проклятие, — закончил за него Дронго.

— Что ты думаешь делать? — спросил у него Павел.

— Лететь в Тегеран. Пока местная служба безопасности проверит все возможные связи Натига Кура, пройдет несколько дней. За это время я постараюсь выйти на контакты с иранскими представителями в Тегеране и выяснить степень их осведомленности о передвижениях Ахмеда Мурсала.

— Это очень опасно, — предостерег Павел, — если они в игре, ты не уедешь живым из Тегерана. После того, как в Баку была разыграна столь изящная комбинация с тройным обменом, Мул уверен, что он сумел уйти от наблюдения. И если ему помогали из соседней страны... Ты понимаешь, как сильно рискуешь?

— Тогда не нужно было вообще ко мне обращаться, — мрачно огрызнулся Дронго, — в таком случае давай поменяемся. Ты лети в Тегеран, а я останусь в Баку.

— Ты ведь знаешь, что нас не пускают в Иран. Это невозможно.

— Тогда дайте указание своей агентуре в Иране выйти на иранскую разведку. Учитывая тот факт, что ваша агентура в Иране наверняка сама законспирирована, на это уйдет несколько месяцев. У вас есть в запасе несколько месяцев?

— Очень боюсь, что нет. Именно поэтому мы обратились к тебе. Любые контакты наших представителей с иранцами будут обставлены столькими условиями, что мы никогда не сможем договориться. Счет идет на дни.

— Поэтому я полечу, — решил Дронго, — другого выхода сейчас просто нет.

— Я могу вас заверить, что наше государство

никогда не забывает помогающих нам людей, — торжественно заверил посол.

— Нет. Я не работаю ни на одно государство в мире. Просто, когда я уйду, попросите Гурвича показать вам фотографию своей сестры, погибшей от взрыва. Вот ради такой девочки я готов рискнуть. И если в результате моей поездки в живых останется хотя бы один человек, то и тогда я буду считать свою миссию успешной. До свидания, господин посол.

Дамаск. 31 марта 1997 года

Автомобиль мягко затормозил у небольшого дома. Несмотря на явную спешку, с какой водитель пытался добраться до этого места, подъехав, он не стал выходить из машины, терпеливо ожидая, когда из дома кто-нибудь появится. Его «Хонда» хорошо просматривалась отовсюду. Сидевший за рулем человек ждал, положив руки на руль.

Наконец из дома вышел молодой человек и приблизился к автомобилю. Он наклонился и посмотрел в лицо сидящему в нем. Потом внимательно осмотрел кабину и кивнул водителю, разрешая выйти. Водитель выбирался нарочито медленно, слишком медленно, чтобы наблюдавшие за ним люди могли убедиться в том, что у него не было с собой оружия. Из дома вышел еще один человек, но уже вооруженный. Он молча поднял автомат, наставив его на приехавшего. Тот по-прежнему очень медленно и осторожно поднял руки. И стоявший сбоку молодой человек в арабской одежде быстро и тщательно его обыскал. Лишь после этого он кивнул стоявшему в дверях вооруженному охраннику, и тот, посторонившись, пропустил незнакомца в дом.

В самом доме гость ориентировался более уверенно, пройдя по длинному коридору, он вошел в большую комнату без окон, где на ковре сидел одетый в традиционную арабскую одежду Ахмед Мурсал. Он был без головного убора. Рядом с ним на ковре лежал пистолет, нарочито положенный таким образом, чтобы его видел любой входящий. Вошедший молча кивнул Мулу и уселся напротив. Почти полминуты длилась тишина, словно террорист изучал пришедшего, которого он знал много лет. Затем разрешил:

— Говори.

— Он просил передать, что израильтяне сумели вычислить тебя в Голландии. Они прилетели в Баку за тобой и арестовали канадца, когда тот пытался улететь.

— Я знаю обо всем и без его подсказки, — усмехнулся Мул, — ничего нового ты мне не сообщил. Непонятно, зачем я плачу такие деньги?

— Это не все, — быстро сказал гость, — он просил сообщить, что за тобой идет по следу известный международный эксперт. Он сумел разгадать твой трюк с тройным обменом и хочет проверить, что делал твой друг в Москве.

Ахмед Мурсал нахмурился. Потом быстро спросил:

— Что еще он просил передать?

— Эксперт вылетает в Тегеран. Хочет проверить твои связи в Иране. Он предлагает тебе встретить его там.

— Как зовут эксперта?

— Он не назвал имени. Только кличку.

— Какая?

— Дронго. Он сказал, что, услышав это слово, ты все поймешь.

Ахмед Мурсал помрачнел. Потом легко поднялся. Это был высокий сильный мужчина с пронзительным взглядом, который бывает у больных или фанатичных людей. Гость поднялся следом за ним.

— Мы его встретим в Тегеране, — сказал Ахмед Мурсал. — Он нам не сумеет помешать.

— Меня просили передать, что он очень опасен, — предостерегающе сказал гость.

— Это мы проверим, — первый раз за все время разговора улыбнулся террорист. — И передай, что мы должны знать обо всем. И о Москве, и о Баку, и об этом визите в Иран. Хотя я уверен, что живым он все равно не останется. Можешь идти. И попроси, чтобы нам дали подробное описание эксперта и адрес его жительства в Тегеране.

— До свидания, — гость чуть слышно вздохнул и быстро вышел из комнаты, словно намереваясь как можно быстрее покинуть негостеприимный дом. Оставшись один, террорист посмотрел на свой пистолет, словно опасаясь увидеть своего противника в проеме двери. Затем, тяжело вздохнув, потянулся за оружием. «Его нужно встретить в Тегеране», — подумал он.

Тегеран. 1 апреля 1997 года

Дронго летел в Тегеран самолетом иранской авиакомпании и уже при посадке почувствовал разницу между цивилизацией Азербайджана и соседнего государства. Женщины были в традиционных темных платках, называемых «чадра» и закрывавших все тело. Правда, иногда из-под темного платья выглядывала изящная ножка в дорогой французской или итальянской обуви, но, как правило, темная ткань скрывала всю фигуру, включая и ноги.

«Как странно, — думал Дронго, сидя в салоне бизнес-класса, — великая страна, с самой древней историей. Древнеперсидские государства существовали тогда, когда не было еще ни Франции, ни Великобритании, в Европе не было даже греческих государств, когда ее населяли еще ахейцы, а на месте великого Рима по территории Италии передвигались племена этрусков. Народ с такой древнейшей культурой, с таким наследием в конце двадцатого века считается средоточием мракобесия и фанатизма».

Дронго взглянул на дремавшего рядом соседа. Тот был небрит и без галстука, считавшегося неприемлемым атрибутом в одежде правоверного мусульманина.

«Почему, — подумал Дронго, — почему право народа жить так, как ему хочется, считается предосудительным? Ведь в Алжире состоялись выборы, на которых победили исламисты, но военные и светские власти совершили самый настоящий переворот, не допустив исламскую партию к управлению государством. То же самое произошло в Турции, где исламисты набрали больше всех голосов и некоторое время возглавляли правительство, но затем также под давлением военных вынуждены были уйти в оппозицию.

Почему Запад считает, что его ценности столь универсальны? Ведь во всех остальных случаях западные страны немедленно подняли бы шум по поводу нарушения прав человека и права народа на собственный выбор. Но в случае с исламистами считается, что любые действия против них заранее оправданы. Раньше было противостояние, когда любое противодействие коммунистической угрозе считалось оправданным. Кровавый режим подонка Пиночета, уничтожившего десятки тысяч собственных граждан, считался приемлемым для западного образа жизни, а либеральный режим «розового» социалиста и гуманиста Сальвадора Альенде был слишком социалистическим?

В Африке и Латинской Америке каждая из великих стран, боровшихся за гегемонию во всем мире, шла на любые подлости, на поддержку любого кровавого режима, если режим провозглашал соответственно либо социалистические, либо капиталистические идеалы. Чтобы свергнуть МПЛА во главе с Агостиньо Нето, которых поддерживали в Анголе Советский Союз и Куба, американцы пошли на поддержку откровенного бандита Савимби. Чтобы убрать Патриса Лумумбу, поддержали даже бандитов и садистов, готовых убивать собственных соотечественников. Во всем мире действовал универсальный принцип, по которому «враг моего врага» был «моим другом». Наглядный пример воинствующего фарисейства демонстрировали Соединенные Штаты Америки, отказываясь признавать законными и демократическими режимы в Иране и Ливии, где выборы проходили пусть не в абсолютно демократической, но тем не менее в нормальной обстановке. А вместе с тем не только признавался кровавый режим афганских талибов, но им оказывалась и существенная помощь через Пакистан. Хотя справедливости ради нужно отметить, что фанатизм афганских талибов был куда страшнее пространных речей Муаммара

Каддафи или откровений иранских духовных лидеров.

Во всем мире благодаря умелой пропаганде и уже устоявшемуся образу Иран выглядел как символ мракобесия и центр международного терроризма. Но при этом откровенно игнорировался тот факт, что во многих государствах, имевших с Вашингтоном и с крупнейшими европейскими державами дипломатические отношения, ежедневно погибало гораздо больше людей, чем в Иране или Ливии, где существовала относительная политическая стабильность».

Дронго еще раз посмотрел на сидевшего рядом соседа. Тот храпел, зажав в руках газету. Рядом лежал ноутбук, портативный компьютер, на котором бизнесмен работал перед тем, как задремать. К поясу был прикреплен мобильный телефон. Спящий мог выглядеть вполне респектабельным западным бизнесменом, если бы не небритое лицо и отсутствие галстука.

«И чем им не нравятся эти галстуки? — недоуменно подумал Дронго. — Почему можно носить западные костюмы, рубашки и любую обувь, пользоваться всеми благами цивилизации, но столь ревностно относиться к галстуку? Неужели все дело именно в нем и с него начинается подрыв духовных ценностей?»

Бизнесмен пошевелился во сне, и Дронго посмотрел на сидевшую в другом ряду молодую женщину. Она была в чадре и тоже дремала. Ее голова скользнула вниз, и темный платок немного приоткрыл красивые волосы женщины. Она неожиданно проснулась и, испуганно оглянувшись по сторонам, поправила платок на голове. Рейс продолжался.

Дронго нахмурился. Он вспомнил о своей миссии. Перед отъездом он связался с заместителем министра национальной безопасности, и тот пообещал передать в Тегеран официальное сообщение с просьбой принять Дронго для консультации по некоторым вопросам. Из Тегерана быстро пришел положительный ответ. В Иране вообще были благожелательно настроены к любым визитам из Баку, совершаемым именно в Тегеран. И очень настороженно относились к поездкам из Баку в Тебриз.

Об этой проблеме старались не говорить, чтобы не вызвать неудовольствия. Большая часть Азербайджана находилась не в составе бывшего Советского Союза, а в составе Ирана. Разделенный более ста пятидесяти лет назад, один народ долгое время жил по разные стороны Араза. В сороковые годы казалось, что историческая справедливость будет восстановлена. Советская Армия вошла на территорию Северного Ирана, и в Тебризе уже открыто работали эмиссары Баку. Но все кончилось крахом. Американцы пригрозили атомной войной, а Советский Союз все еще не был готов к подобному катаклизму. И тогда «вождь народов» отдал приказ вывести войска из Ирана. Тысячи революционеров-азербайджанцев, десятки лет мечтавших об объединении своей страны, были брошены в тюрьмы, тысячи других покинули свою Родину навсегда, перебравшись либо в Северный Азербайджан, либо в другие европейские страны.

По самым скромным подсчетам, в Южном Азербайджане жило в три раза больше азербайджанцев, чем в Северном. Но в мире упорно замалчивали эту проблему, обращая внимание лишь на разделенных немцев или корейцев. В обоих случаях это были яркие символы идеологического противостояния, тогда как Азербайджан был просто поделен в начале девятнадцатого века договором между Россией и Персией. Это, соответственно, была не столько идеологическая, сколько конкретно-национальная проблема одного народа. Но кого интересовала судьба народа в эпоху идеологического противостояния?

После обретения независимости Северным Азербайджаном ситуация резко изменилась. В Баку все чаще стали поговаривать об объединении народа, о братьях, живущих по другую сторону Араза. Соответственно в Тегеране на это реагировали с понятным неудовольствием. На протяжении последних десятилетий в Иране было запрещено преподавание на азербайджанском языке, не было открыто ни одной школы, не вышло ни одной газеты, а выступающие за некоторую автономию граждане Ирана азербайджанской национальности немедленно подвергались репрессиям, а зачастую и публичной казни. В отличие от распавшегося Советского Союза иранские лидеры отнюдь не собирались позволить разрушить собственную страну, отторгнув от нее почти треть государства, где проживало около сорока процентов ее населения.

Именно поэтому любые визиты из Баку в Тегеран рассматривались столь положительно, и, соответственно, любые визиты в главный город Южного Азербайджана — Тебриз, бывший на протяжении многих веков центром всего Азербайджана, — были крайне нежелательны. Несмотря на многократные просьбы и официальные демарши правительства Азербайджана и Министерства иностранных дел республики, официальный Тегеран не разрешал открывать консульство в Тебризе, опасаясь слишком тесных контактов между представителями Южного и Северного Азербайджана. Разумеется, Дронго знал все эти сложности и понимал, что его визит в Тегеран будет под пристальным контролем иранских спецслужб именно в силу специфики всех бакинских рейсов, когда прилетавшие из соседнего государства официальные представители и даже гости с полуофициальными запросами, как в случае с Дронго, должны были получать специальное разрешение на посещение северных районов страны.

Но разница между обычными визитерами и Дронго была в его несколько необычной миссии, которая должна была пройти только в Тегеране.

В аэропорту был довольно строгий таможенный и пограничный контроль. Проверявший документы Дронго представитель пограничной службы строго взглянул на приехавшего.

— Вы раньше бывали в Иране?

— Да, конечно.

— У вас нет отметок в паспорте.

— Это новый паспорт, — улыбнулся Дронго.

— Сколько раз вы бывали в нашей стране?

— Не считал, но несколько раз бывал. Последний раз, когда я ехал в Кербелу через Иран.

Кербела, священный город для мусульман-шиитов, находился в Ираке, и только паломникам из Азербайджана и Дагестана разрешалось проезжать туда через Иран, чтобы совершить паломничество. В Кербеле находились могилы почитаемых у шиитов имама Али и его сына Хусейна. Совершивший паломничество считался каблеи, что было вторым духовным званием после совершения большого хаджа в Мекку. Услышав про Кербелу, пограничник быстро вернул документы и пожелал счастливого пути.

На такси Дронго приехал в отель «Истиглалият», где разместился в просторном номере. Он не сомневался, что предоставленный ему номер прослушивается, в Тегеран приезжало не так много иностранцев, чтобы не иметь возможности установить достаточно строгий контроль. Иранцы справедливо опасались деятельности агентуры других государств, резко настроенных против их государства.

Приняв душ, Дронго позвонил по известному ему телефону.

— Здравствуйте, — сказал он по-турецки, — мне нужен господин Али Гадыр Тебризли.

— Кто говорит? — спросили по-фарсидски. В этой стране не поощрялись разговоры на турецком, столь схожем с азербайджанским, на котором говорило пол-Тегерана.

— Я не говорю по-фарсидски, — признался Дронго. На этот раз он не стал употреблять турецких слов, а перешел на азербайджанский, понятный местным жителям.

— Что вам нужно? — спросили его. В фарсидском и азербайджанском языках были некоторые похожие слова, однако лучше других в Тегеране мог бы почувствовать себя таджик, для которого не было бы сложностей с языком, как не бывало сложностей у приехавшего из Баку азербайджанца в Турции, или молдаванина из Кишинева в Бухаресте.

— Мне нужен господин Али Гадыр Тебризли.

Это был руководитель группы советников иранской разведки, знакомый Дронго еще по предыдущим визитам в Тегеран. Он пользовался большим влиянием в Тегеране, так как, кроме обычного университетского образования в Кембридже, окончил теологическую академию в Саудовской Аравии и специальные курсы в Лэнгли. Но все это было до семьдесят девятого года, после которого в Иране столь стремительно поменялись ориентиры и из прозападного шахского государства в стране возник исламский режим аятоллы Хомейни. К удивлению самих американцев, один из самых перспективных и самых толковых специалистов бывшей шахской охранки САВАК не только не был уволен из органов, не только не репрессирован, но и, наоборот, получил довольно значительную должность при новом режиме. Никто не мог даже предположить, что блестящий ученик Кембриджа и Лэнгли был талантливым двойным агентом и одновременно пересылал донесения в Париж, где находилась ставка аятоллы Хомейни. В семьдесят девятом году ему было сорок четыре. Сейчас, спустя восемнадцать лет, ему шестьдесят два, но он по-прежнему выглядел моложаво, только вместо привычно выбритого лица у него были коротко подстриженная, почти чеховская бородка и усы. Он сохранил привычку к европейской одежде, предпочитая мягкие вельветовые брюки и кашемировые пиджаки. А вместо галстуков он завязывал по старой привычке разные платки и был скорее похож на стареющего франта с Английского бульвара в Ницце, чем на одного из руководителей иранской разведки.

— Он будет через два часа, — ответил недовольным голосом говоривший с Дронго незнакомец.

— Передайте ему привет от Дронго, — попросил он.

— От кого? — не понял его собеседник.

— Он догадается, — заверил его Дронго и положил трубку.

Он вышел на балкон. Весенний Тегеран был по-особенному красив. Несмотря на мрачные статьи, иногда появляющиеся в западной прессе, город стремительно развивался, обновлялся, расширялся. Последствия изнурительной войны с Ираком иногда еще встречались в виде старых разрушенных домов, в которых никто не жил. Но здесь шло довольно интенсивное строительство. Открывались офисы европейских компаний, представительства крупных западных, японских и азиатских фирм. Отстающие в этом вопросе американцы не испытывали особого восторга по поводу сотрудничества своих европейских союзников с Ираном.

Справа от отеля велось строительство многоэтажного здания. Дронго обратил внимание на башенные краны с японской символикой. Он вернулся в номер, когда услышал телефонный звонок. Поднял трубку. Но не успел ничего сказать, так как в трубке послышались гудки. «Странно», — подумал Дронго. Он считал, что иранские спецслужбы могли бы работать и поаккуратнее. Взглянув на часы, он поспешил одеться, чтобы спуститься вниз, в ресторан.

В ресторане, разумеется, не подавали спиртного, алкоголь был строжайше запрещен во всех ресторанах города. Это, правда, не мешало многим местным жителям вволю предаваться пороку у себя дома, за закрытыми дверями.

Он обедал в одиночестве, не обращая внимания на двух молодых парней, скромно устроившихся за одним из соседних столиков. Дронго никогда не любил алкоголь, он не пил пива, почти не принимал крепких напитков, лишь иногда разрешая себе выпить стакан красного вина. Но за обедом он вдруг остро почувствовал, что запрет на алкоголь делает его особенно желанным. Закончив обедать, он расплатился с официантом и вышел из ресторана. Двое молодых людей вежливо проводили его до лифта. Он вошел в большую кабину, нажал на кнопку с цифрой «пять», когда в лифт ворвался еще один мощный тип с широкими квадратными плечами и мрачно о чем-то попросил. Увидев, что Дронго недоуменно пожимает плечами, он потянулся к кнопке с цифрой «шесть».

Двери закрылись, и кабина мягко пошла вверх. Внезапно лифт остановился. Дронго недоуменно оглянулся и увидел, что его мрачный сосед держит в руках пистолет с уже навинченным на него глушителем. Лифт не двигался, а убийца стоял в трех метрах от него с пистолетом в руках. И спастись не было никакой возможности...

Москва. 1 апреля 1997 года

Полковник Арвар Мовсаев был не просто одним из лучших сотрудников Службы внешней разведки по восточным странам. Он был настоящим профессионалом, влюбленным в свою работу. Прилетев в Москву, он не стал терять времени и уже утром первого апреля отправился в Домодедово, чтобы постараться выяснить, зачем Натиг Кур прилетал в столицу на один день. Вместе с ним в Домодедово поехал подполковник Вячеслав Никитин, которому было поручено координировать свои поиски с работой Мовсаева.

В Домодедове их ждало разочарование. Никаких грузов Натиг Кур не оформлял и не отправлял. Его прохождение через границу было зафиксировано пограничной службой сразу после прилета самолета из Баку. После чего его след обрывался. На таможне он не предъявлял никаких дополнительных грузов, и ни один из таможенников, дежуривших в ту смену, не мог вспомнить, заполнял ли он декларацию при прохождении границы и какую именно сумму указывал. В случае, если он ввозил достаточно большую сумму, ее следовало вносить в декларацию, а при выезде он должен был сдать две декларации, въездную и выездную.

Никитин был почти полной копией Мовсаева. Такой же немногословный, неразговорчивый, замкнутый. Лишь внешне он отличался от полковника. Невысокого роста, худощавый, подтянутый, с немного размытыми чертами лица. К полудню оба офицера поняли, что в Домодедове им больше нечего делать. Автомобиль ждал их у въезда на территорию аэропорта, и они отправились в Шереметьево.

— Ищем иголку в стоге сена, — вздохнул Никитин, — принеси то, не знаю что, найди то, не знаю что. А если и в Шереметьеве не найдем никаких следов?

— Будем искать в городе, — мрачно ответил Мовсаев, — проверим все гостиницы. Он же где-то останавливался на ночь. Не мог же он провести ее в аэропорту. Возможно, кто-то и вспомнит его.

— А если нет?

— Не знаю, — честно признался Мовсаев, — знаю только, что он сюда приезжал и наверняка приезжал не просто так, раз понадобился столь срочный визит. Дронго предупреждал, что разгадка вполне может находиться в Шереметьеве.

Он помолчал, потом добавил:

— Времени у нас, судя по всему, совсем нет. Если это был Мул, то нельзя исключить и вариант замены. Почему ему не повторить в Москве то, что он сделал в Баку, чтобы окончательно сбить со следа МОССАД. Это вполне в его стиле.

— Мы затребовали его досье, — негромко сообщил Никитин, — очень опасный тип. В конце восьмидесятых имел контакты с представителями восточно-немецкой разведки. Жестокий, мстительный садист. Кого только мы тогда не поддерживали!

Мовсаев удивленно взглянул на подполковника. Потом сказал:

— Мы поддерживали не конкретного человека. Вы же знаете, как было раньше.

Никитин был моложе своего коллеги на несколько лет. И эти несколько лет приходились как раз на начало восьмидесятых, когда идеологическое противостояние достигло своего пика. Но он, не став спорить, согласно кивнул.

— Если не выясним ничего в Шереметьеве, нужно будет проверять по всему городу, — устало заметил Мовсаев.

— Да, — согласился Никитин, — я попрошу, чтобы нам выделили дополнительно несколько сотрудников.

В Шереметьево они приехали в два часа дня. В отличие от аэропорта Шереметьево-два, где всегда была неразбериха и скученность, вызванная огромным потоком пассажиров и грузов, в Шереметьево-один было несколько полегче, что объяснялось меньшим количеством международных рейсов.

Здесь поначалу тоже ничего не получалось. Сначала они проверили прохождение Натига Кура через таможенную службу. Но его декларации не были отмечены, а это значило, что он либо вообще не проходил отсюда границу, либо не привозил с собой крупной суммы валюты. Неожиданности начались, когда они стали проверять прохождение турецкого гражданина через границу. Выяснилось, что он проходил границу через комнату для официальных гостей, или депутатскую, как ее называли до сих пор. Поднявшиеся в зал для официальных делегаций, оба офицера поспешили найти начальника службы безопасности подполковника Тавроцкого, которому предъявили свои удостоверения.

— Девятнадцатого марта через «депутатскую» выехал в Баку турецкий гражданин Натиг Кур, — сказал Мовсаев, — через кого была заказана депутатская комната для турецкого гражданина и почему его отсюда пропустили?

— Я сейчас проверю, — ответил Тавроцкий, открывая журнал регистрации. Он поднял данные за март.

— Так и есть, — произнес удовлетворенно, — турецкий гражданин Натиг Кур вылетел в Баку девятнадцатого марта. Он проходил вместе с неким Сабировым, для которого была подана заявка из посольства Азербайджана в России. У нас строгий контроль, — добавил он, посмотрев на офицеров.

— Кто такой Сабиров?

— Заместитель председателя Комитета деревообрабатывающей и лесной промышленности. По закону он считается заместителем министра, и на него прислали официальную заявку, указав, что гостей будет двое. Натиг Кур прошел вместе с ним на посадку.

— У них был груз? — быстро уточнил Никитин.

— Не знаю. Но это можно проверить через таможню, — ответил Тавроцкий, поднимая трубку. — Софья Аркадьевна, — попросил он, — проверьте, кто дежурил девятнадцатого марта в депутатской. Да, если можно — пришлите сюда. Сейчас пришлют, — сказал, положив трубку.

— Пассажиры, проходящие через депутатскую комнату, имеют досмотр? — уточнил Мовсаев.

— Да. Абсолютно все. У нас очень строгие правила безопасности. Все без исключения лица, проходящие к самолетам, досматриваются нашей службой безопасности.

— Исключения бывают?

— Нет. Только если летит президент страны или премьер. Но для них есть специальный аэропорт во Внукове.

— Это мы знаем. Значит, все люди, проходящие к самолету, подлежат досмотру. А их багаж?

— Я же сказал, мы не делаем никаких исключений.

— У заместителя председателя комитета мог быть дипломатический паспорт. В этом случае вы его все равно будете досматривать?

— У нас инструкция, — нахмурился Тавроцкий, — никаких исключений. Даже послы, которые идут со своим багажом к самолету, подлежат досмотру.

— Это хорошо, — одобрительно кивнул Мовсаев.

В этот момент в комнату вошла миловидная светловолосая девушка в голубой форме. Это была сотрудница таможни, которая работала в депутатской комнате девятнадцатого марта.

— Добрый день, — поздоровался Мовсаев, — садитесь, пожалуйста.

Девушка испуганно кивнула и села на краешек стула.

— Как вас зовут? — спросил Мовсаев.

— Света, — нерешительно представилась девушка.

— Успокойтесь, — посоветовал полковник, — скажите, Света, это вы дежурили утром девятнадцатого марта в зале для официальных делегаций?

— Да, — кивнула девушка.

— Вы можете вспомнить, кто именно проходил через зал в это утро?

— У нас за смену бывает человек пятьдесят-сто, — нерешительно произнесла девушка. — Если бы вы сообщили мне рейс...

— На Баку, рейс Аэрофлота. Двое мужчин, из которых один был турецкий гражданин. Вы их досматривали?

— Нет, не помню. Но если у них были дипломатические паспорта, то мы не осматриваем багаж. Только служба безопасности.

— А у них были дипломатические паспорта?

— Я не знаю. Но у нас все записано.

— Вы можете проверить?

— Я сейчас позвоню, — пролепетала вконец испуганная девушка. Она была уверена, что допустила какую-то оплошность.

Мовсаев подвинул к ней телефон, и девушка быстро схватила трубку, словно в ней было ее спасение. Набрав несколько цифр, она попросила проверить данные за девятнадцатое марта, рейс на Баку. Потом посмотрела на Мовсаева.

— Какой рейс? Отсюда вылетают самолеты двух авиакомпаний. Аэрофлот и «Трансаэро».

— Аэрофлот, — подсказал полковник.

Девушка передала название компании и через несколько секунд кивнула.

— Да, — сказала она, — у одного был дипломатический паспорт. У Сабирова. А второй заполнял декларацию, как обычные пассажиры.

— Но его багаж все равно проверялся? — настаивал Мовсаев.

— Да, конечно. Но уже службой безопасности. Иначе их не пропускают на рейс.

— Больше вы ничего не можете вспомнить?

— Нет, ничего, — произнесла девушка.

— Можете идти, — разрешил Мовсаев.

Девушка медленно поднялась, взглянула на полковника, словно решая, что еще ей сказать, потом так же медленно кивнула и вышла из комнаты.

— Нам нужно искать в городе, — убежденно сказал Никитин.

— Видимо, да, — согласился Мовсаев, — ясно только одно: догадка Дронго подтвердилась. Натиг Кур действительно прилетел в Москву и улетел отсюда через один день. Но зачем он сюда прилетал?

И словно в ответ на его вопрос дверь чуть скрипнула. На пороге стояла та же девушка в голубой форме.

— У вас есть какие-то вопросы? — спросил Тавроцкий.

— Я вспомнила, — сказала она, робко входя в комнату, — у них было три ящика багажа. Мы хотели досмотреть, но Сабиров сказал, что это его багаж, и ящики пронесли в самолет без досмотра.

— Как это «без досмотра»? — нервно спросил Никитин. — Вы же сказали, что ничего без досмотра не проходит, — обратился он к Тавроцкому.

— Досмотр проходят только багаж и ручная кладь пассажиров, которые они берут с собой в самолет, — пояснил Тавроцкий, — и сами пассажиры. Но за багаж, который они сдают в багажное отделение самолета и не берут с собой, наша служба безопасности ответственности не несет.

— И таможня не досматривает? — уточнил Мовсаев.

— Нет, — объяснила девушка, — если багаж у владельца дипломатического паспорта, то мы его не досматриваем.

— Значит, багаж этих двоих пассажиров прошел в самолет без досмотра? — прикусил губу Никитин.

— Да, — кивнул Тавроцкий.

Мовсаев переглянулся с Никитиным. Очевидно, обоим пришла в голову одна и та же мысль. Получалось, что именно за этим багажом так срочно стремился в Москву Натиг Кур.

— Черт побери! — выругался Мовсаев. — Неужели мы опять опоздали?

Тегеран. 1 апреля 1997 года

Человек, который никогда не был на волосок от смерти, не сможет понять это ощущение последнего шага перед уходом в небытие. В этот момент испытываешь даже не страх, а какое-то оцепенение, словно последний шаг от тебя уже не зависит. И тебе все равно, в какую сторону будет сделан этот шаг. Находясь на разделительной линии между жизнью и смертью, трудно быть сознательным до конца. И уж тем более делать резкие движения в большой кабине лифта, когда в трех метрах от тебя стоит профессиональный убийца.

Дронго иногда думал, что такое может случиться, но никогда не предполагал, что это случится именно в Тегеране, в одном из самых закрытых городов мира.

Убийце что-то мешало. Он медлил нажать на курок. Он словно чего-то ждал. Потом недоверчиво повертел головой, прислушиваясь к шуму. Дронго не понимал, почему он медлит. Он всматривался в жесткие черты небритого лица. Неужели это последнее лицо, которое он видит в своей жизни? Убийца по-прежнему медлил. Он сжимал в руке пистолет и чего-то ждал. Дронго вдруг заметил, как чуть дрожит направленное на него оружие.

Нет, убийца не боялся стрелять. Вряд ли он испытывал скованность перед тем, как выстрелить. Тогда почему он медлит? Это не тот тип, который пугается вида крови. Тогда в чем дело? Лифт по-прежнему стоял. «Лифт», — догадался Дронго. Он не понимает, почему остановился лифт. И ждет, когда его пустят. Он боится остаться в лифте с убитым. Он думает о том, как выйти из этого лифта.

Убийца по-прежнему медлил. Дронго измерил расстояние до его пистолета. Не получается. Кабина лифта слишком велика. Но ждать, когда тебя пристрелят, просто оскорбительно. Как только кабина лифта тронется, убийца выстрелит. Договариваться с ним бесполезно. Он наверняка не знает европейских языков. Но нужно что-нибудь предпринять.

И в этот момент он услышал шум у себя за спиной. Он не мог обернуться, понимая, что на любое резкое движение убийца выстрелит, так напряжены его нервы. Он стоял, глядя в глаза своему убийце и продолжая слышать шум у себя за спиной. А вот у стоявшего напротив него убийцы, наоборот, начали расширяться зрачки, словно он увидел за спиной Дронго нечто ужасное. Он быстро поднял пистолет, словно намереваясь выстрелить над плечом Дронго. Раздался негромкий щелчок, затем второй, какие бывают обычно при стрельбе из пистолета с глушителем, и Дронго словно почувствовал некий удар, настолько сильным было напряжение в кабине лифта. Но он не почувствовал боли. Наоборот, две пули вошли в его убийцу, прямо в грудь, и он растянулся в кабине лифта, выпустив из рук пистолет. На груди расплывались два темно-красных пятна. Его убийца дернулся и затих. Пистолет лежал рядом с ним, но наклоняться за оружием было бы верхом безрассудства. Дронго медленно обернулся, словно ожидая увидеть нечто невероятное.

Стараясь не дергаться, он повернулся всем телом к тем, кто так вовремя пришел ему на помощь. Двое молодых людей, которые обедали в ресторане за соседним столиком, стояли напротив кабины лифта с оружием в руках. Кабину остановили точно на третьем этаже. За их спинами блеснули очки в дорогой оправе Али Гадыра Тебризли. Он улыбался.

— Кажется, я остановил этот лифт вовремя, — весело сказал он.

— Да, — чужим голосом ответил Дронго. — Это самая приятная авария в моей жизни.

— Выходите, — поманил его Али Гадыр, — и благодарите Аллаха, что я успел вовремя.

— Тогда, наверное, вас в первую очередь, — пошутил Дронго и вышел из кабины, даже не взглянув на оставшегося там убийцу.

— Я думаю, нам лучше побеседовать где-нибудь в другом месте, — сказал Али Гадыр, не поясняя при этом, что речь идет вовсе не о номере самого Дронго. Но тот его понял, кивнул.

Они пошли по коридору. Двое молодых людей быстро вошли в кабину лифта, чтобы обыскать убитого. Дронго все-таки обернулся.

— Как вы узнали? — спросил он.

— Я был уверен, что Ахмед Мурсал нанесет удар именно в Тегеране, — вздохнул Али Гадыр, — представляете, как радовались бы все, если бы вас убили прямо здесь? Тогда не оставалось бы никаких сомнений, что именно мы поддерживаем подлеца Мула и его безумцев.

Они были уже на втором этаже, дошли до небольшого холла, где не было посторонних. Али Гадыр показал Дронго на диван и уселся первым.

— Здесь нет микрофонов, — пошутил Дронго, усаживаясь напротив.

— Этого я не могу гарантировать, — очень серьезно ответил его собеседник.

— Вы действительно считаете, что убийцу послал Ахмед Мурсал?

— Я не предполагаю, я знаю. Мне передали сообщение нашей агентуры из Сирии. Он прилетел еще вчера ночью. Мои люди потеряли его сегодня утром и хорошо еще, что я, быстро приехав сюда, успел отключить лифт.

— Как он мог узнать? — мрачно поинтересовался Дронго. — Об этом не мог знать почти никто.

— Значит, кто-то знал. И этот кто-то сообщил Мулу в Сирию, а он прореагировал так быстро, как только мог, прислав сюда своего человека.

— И я должен поверить, что это не вы сообщили ему о моем визите в Тегеран?

— Должны, — вздохнул Али Гадыр, — вы ведь не дилетант, Дронго, и обязаны понимать, что мы никогда не сможем простить убийцу хаджи Карима. Мул психически ненормален. Он готов стрелять во врагов и в друзей.

— Поэтому я здесь, — вздохнул Дронго.

— Я понимаю, — спокойно сказал Али Гадыр, — и даже знаю, что вы сообщите о результатах нашей беседы в МОССАД. Это единственный случай, когда я молю Аллаха, чтобы он помог им остановить Мула.

— В Тель-Авиве считают, что убийство хаджи Карима было хорошо разыгранным спектаклем, а вы по-прежнему помогаете Ахмеду Мурсалу и вместе с ним готовите новую террористическую акцию.

— В кабине лифта мы тоже все разыграли? — нахмурился Али Гадыр. — Из-за ненависти к нам израильтяне готовы предположить все что угодно, свалив на нас любое преступление, любой террористический акт. Но, по моим сведениям, на этот раз Мул нанесет удар во Франции. А это нас беспокоит не меньше, чем МОССАД.

— Я могу узнать почему?

— Можете. Наше правительство подписало грандиозный контракт с французской компанией «Тотал». На несколько миллиардов долларов. После того, как мы свернули наши отношения с Германией и Великобританией, Франция стала нашим самым крупным партнером в Европе. Несмотря на все упреки американцев в том, что они сотрудничают с нашей страной. И если в этот момент во Франции произойдет новый террористический акт, который совершит проиранская группировка, контракт почти наверняка будет разорван. В лучшем случае заморожен на несколько лет. Теперь вы понимаете, как сильно мы не заинтересованы в успехах Мула? Я уже не говорю об убийстве хаджи

Сеида Карима, одного из признанных лидеров шиитской общины Ливана. Такие вещи мы не прощаем. Как не прощают в МОССАД убийства их агентов.

— Не нужно говорить так, словно я на них работаю, — поморщился Дронго.

— Вы с ними сотрудничаете, это одно и то же, — рассудительно сказал Али Гадыр, разведя руками.

— Ахмед Мурсал несколько дней назад прилетал в Баку. Мы до сих пор не знаем, что именно он там делал.

— Мы тоже пока этого не знаем, хотя о его приезде мы слышали. И про громкий арест канадского гражданина тоже знаем. Наша агентура в Баку все проверяет, но пока мы не имеем подтвержденных фактов.

— Вы исключаете возможность сотрудничества ваших людей с Мулом?

— Абсолютно исключаю. О вашем приезде знали только три-четыре человека. И раньше всех об этом узнал я. Надеюсь, меня вы не подозреваете?

— Тогда кто мог ему сообщить?

— Кто угодно. В Баку наверняка есть его осведомители. В том числе и среди официальных структур. Я уже не говорю про многочисленную агентуру российской разведки, которая довольно часто мешает нашим сотрудникам нормально работать. У Мула могли сохраниться его прежние связи с восточно-германской разведкой, а через них с Москвой. Такой вариант нельзя исключать.

— Бедный город, — вздохнул Дронго, — если только две разведки соседних государств имеют там столь развитую агентуру, то что говорить про других.

— Город шпионов, — засмеялся Али Гадыр, — так говорят сейчас повсюду в мире. Кроме нашей агентуры, там очень сильны позиции Москвы. Но уже сейчас в Баку действует мощная американская резидентура, английская, которая пытается восстановить позиции своей разведки на Среднем Востоке, французская, даже китайская. Я думаю, по концентрации сотрудников секретных служб Баку сейчас занимает безусловно первое место в мире. Не секрет, что многие разведки специально размещают там свои резидентуры и для работы против нас. А американцы обнаглели настолько, что, обосновавшись в Баку, уже пытаются вести электронную разведку против нас.

— Один день, — задумчиво сказал Дронго, — у террориста был в запасе один день, и он узнал о моем путешествии в Иран. Значит, ему сообщил кто-то из моего близкого окружения. Другой вариант просто исключен.

— Возможно, — согласился Али Гадыр, — но сейчас Мул в Сирии. И мы его ищем.

— Я вылечу в Дамаск через два дня, — решил Дронго, — но сначала узнаю, почему он приезжал в Баку. Ключ к разгадке этой тайны в Баку, я в этом убежден.

— Возможно. Если вам понадобится наша консультация, можете звонить сразу мне. Вот моя визитная карточка, — протянул свою карточку Али Гадыр.

— Спасибо. Я возвращусь завтра утром. Вообще-то, я думал пробыть у вас несколько дней, но сегодняшнее покушение сорвало все мои планы.

— Хорошо, что оно состоялось, — вдруг сказал Али Гадыр, — иначе вы бы слишком долго пытались установить истину.

— Подождите, — воскликнул пораженный своей догадкой Дронго, — вы сказали, что едва успели остановить лифт. А ведь он точно замер на третьем этаже. И ваши люди сразу стали стрелять. Значит, вы не теряли этого убийцу. Вы специально дали ему возможность войти в лифт, чтобы потом столь эффектно продемонстрировать свои возможности.

— У вас бурная фантазия, Дронго, — нахмурился Али Гадыр.

— А у вас странные методы работы. Ваши люди открыли стрельбу, как только увидели моего возможного убийцу. Они даже не предложили ему сдаться, хотя ему некуда было бежать из кабины лифта. Значит, вы сделали это нарочно.

— Вы знаете, о чем я очень жалею? — хмуро спросил Али Гадыр и сам ответил: — Почему у такого толкового специалиста, как вы, нет тормоза на языке. Неужели все нужно рассказывать? Вы могли бы и промолчать.

— Я буду считать это вашим советом, — печально ответил Дронго, — и вашим предостережением тоже.

Баку. 1 апреля 1997 года

Еще вчера его вызвали к министру национальной безопасности. В кабинете, кроме самого хозяина, сидел и его заместитель. Уже увидев их вдвоем, он догадался, о чем пойдет речь. Так и получилось. Министр начал разговор об этом чертовом канадце, которого нужно было депортировать в Германию.

— Проверьте все его связи, потрясите его хорошенько перед высылкой, — приказал министр, —

и, самое главное, установите, что могло связывать этого турка-канадца с нашими местными жителями? Как он мог обменяться паспортом с Натигом Куром? И почему ваши сотрудники не смогли ничего выяснить, тогда как приехавший любитель сумел все распутать?

Он знал, что министр несколько преувеличивает. Во-первых, сотрудники самого Касумова не работали с задержанным канадским гражданином. А во-вторых, приехавший был далеко не любителем, а экспертом международного класса, известным аналитиком, о котором в Баку ходили легенды. Но возражать министру он не осмелился. Министр сам понял, что несколько увлекся. Он нахмурился и спросил у своего заместителя:

— Где этот гений сейчас?

— В Тегеране, пытается установить связи Ахмеда Мурсала с иранскими спецслужбами.

— И он надеется вернуться живым?

— По его мнению, иранские спецслужбы непричастны к деятельности Ахмеда Мурсала в Баку. Согласно данным, которые передали нам представители израильского посольства, Ахмед Мурсал совершил убийство известного шиитского лидера хаджи Карима. Если это правда, то в Иране сейчас настроены к нему не совсем дружелюбно. Он псих. Самый настоящий псих, — убежденно закончил заместитель министра.

— Если он псих, значит, плохой конспиратор, — резонно заметил министр. — Но судя по обмену с тремя паспортами, он не псих, а изворотливый сукин сын. — Министр помолчал, потом добавил: — Нужно выяснить его связи, где он останавливался в Баку, с кем ходил, гулял, жил, разговаривал. В общем, все.

— Натиг Кур вылетал в Москву на один день, — торопливо добавил заместитель министра. — Дронго считает, что он вполне мог привезти какие-то важные грузы или документы.

— Проверьте все версии, — согласился министр, — хотя этот Дронго строит из себя всезнайку. Лучше бы работал на наше министерство. Так он вместо этого еще израильтянам помогает, у которых и без того самая многочисленная агентура в мире.

— Он частный эксперт, — попытался объяснить заместитель министра.

— Для отвода глаз, — убежденно сказал министр, — наверняка работает на Москву или Тель-Авив.

— Я ему то же самое говорил.

— А он?

— Смеялся, шутил. Как будто это к нему не относится.

— Пусть смеется. Если у нас будет доказательство, что он работает в Баку, собирая материал для какой-нибудь разведки, мы его немедленно арестуем.

Касумов молча слушал разговор двух руководителей. Он знал, что в таких случаях лучше не встревать.

— Собери свою группу, — закончил министр, — поставь конкретные задачи. Лично проверь аэропорт, там сходятся все концы. Свяжись с полицией, пусть потрясут проституток, покажите им фотографии Натига Кура и Анвера Махмуда. Оба турки, хотя один из них и канадский гражданин, а значит, могли увлечься девушками, работающими по вызову. Особенно блондинками, турки из-за них с ума сходят. Пусть полиция потрясет животами, проверит девушек.

— Сделаем, — кивнул Касумов.

— Покажите их фотографии во всех гостиницах, может, кто-нибудь и узнает, — махнул рукой министр, разрешая сотруднику выйти из кабинета. Когда они остались одни, он спросил у своего заместителя: — Что ты думаешь насчет этого дела?

— Грязная история, — вздохнул тот, — нас всех втянули в это неприятное дело. И Москва здесь замешана, и Тель-Авив, и Тегеран. Пусть сами выясняют между собой отношения. Зачем нам вмешиваться?

— Мне вчера президент звонил, — зло сказал министр, — ему перевели статью из какой-то французской газеты. Наш город называют во всем мире городом шпионов. Если мы сейчас ничего не найдем, то вообще опозоримся. Брось все свои дела и занимайся этим проклятым турком-канадцем. И пусть Касумов допросит его прямо сегодня. А потом сразу отправьте его в Германию. Нечего ему у нас сидеть, мне уже два раза из-за него звонили из посольства Канады в Анкаре.

— Сделаем, — кивнул заместитель, — но он вряд ли расскажет нам что-нибудь новое. Судя по всему, тройной обмен понадобился именно для того, чтобы он ни при каких обстоятельствах не встретился с настоящим террористом. Мы до этого несколько раз проверяли. Он только один раз видел Натига Кура, да и тот приехал к нему в гостиницу всего на минуту, чтобы поменять паспорта. А кто менял паспорта в Голландии, он не знает. Но это точно не Ахмед Мурсал. Мы показывали его фотографии задержанному.

— Все равно допросите его еще раз. Может,

перед отъездом он что-нибудь расскажет. И ищите второго турка. У него обязательно должны быть знакомые и друзья в городе. По сведениям пограничников, он неоднократно приезжал в Баку. Ищите второго, — настойчиво повторил министр.

Тегеран. 2 апреля 1997 года

Он должен был вылететь днем второго апреля, и Али Гадыр, зная об этом, пригласил его на утренний хаш. Обычно хаш — это традиционно тяжелая восточная еда, подается на рассвете в холодное время года. Но в начале апреля по утрам в Тегеране все еще бывает достаточно холодно и вполне можно рассчитывать на такое блюдо, как восточный хаш, к тому же подаваемое дома, где можно немного обойти строгие запреты на алкоголь и запить тяжелую жирную еду некоторым количеством водки, без которой хаш просто немыслим.

Хаш готовится достаточно кропотливо. Закупаются коровьи ножки, которые тщательно очищаются, после чего загружаются в чан с водой. Обычно их перед этим рубят на куски и только затем ставят на огонь. Процесс варки обычно занимает весь вечер и всю ночь. К утру они развариваются настолько, что от них отходит мясо и сам бульон напоминает скорее жирную кашу, чем обычный суп. К столу хаш подается вместе с острыми восточными закусками, гранатом, лимонами и маринованными баклажанами. Разумеется, запивать столь тяжелую еду желательно некоторым количеством водки, которая обязательно присутствует на столе.

Эта традиционная восточная еда почти за столетие прошла удивительную метаморфозу. Вначале это была обычная еда очень бедных людей, погонщиков верблюдов, наемных работников — «амбалов» — и вообще неимущих. Незатейливость приготовления и использование в качестве основы обычно никому не нужных конечностей делали эту еду особенно дешевой и доступной. Но затем хаш полюбили и богатые люди, и постепенно утренний хаш превратился в целый ритуал со своими особенностями приготовления. Попадались и настоящие мастера своего дела, которые умудрялись приготовить особенно наваристый хаш. По мнению врачей, эта еда способствовала довольно быстрому заживлению переломанных конечностей. И, к слову сказать, надолго выводила из нормального ритма печень любого гурмана.

Али Гадыр пригласил его к себе домой в восемь часов утра, зная, что в два часа дня гость вылетает из Тегерана. В отель за Дронго приехала машина, и молчаливый водитель отвез его к двухэтажному собственному дому Али Гадыра Тебризли. У ворот встретил такой же молчаливый охранник, который проводил гостя в большую гостиную, где его уже ждал хозяин дома, одетый в светлые брюки и итальянский джемпер. На столе, кроме легких закусок, ничего не было. Заметив удивление Дронго, хозяин улыбнулся и кивком разрешил привратнику удалиться. Лишь после этого он вкатил столик с многочисленными напитками, уточнив у Дронго, что он будет пить.

— Вообще-то я не очень большой любитель алкоголя, — проворчал гость, — но вы можете оставить «Абсолют» с перцем или российскую лимонную водку. У вас, я смотрю, большой выбор.

— А вы совсем неплохо разбираетесь в напитках, несмотря на трезвый образ жизни, — улыбнулся Али Гадыр, приглашая гостя к столу. — Можете не беспокоиться, — сказал он, — здесь микрофоны не установлены. Хотя ручаться все равно не могу.

— Ничего, — усмехнулся Дронго, — за столько лет я как-то привык к тому, что мои разговоры всегда интересуют посторонних людей. Когда меня не слушают, я даже чувствую себя неуютно, как актер без зрителей.

Хозяин коротко рассмеялся, приглашая присесть. Они сели друг против друга, и женщина внесла две глубокие тарелки с дымящейся едой. Такую густую и жирную пищу можно было есть только поданной с огня. В домах женщины обычно не закрывали лица темным покрывалом и вообще чувствовали себя гораздо увереннее, чем на улице. Общественная мораль и внутренняя резко контрастировали, и этот разрыв обещал когда-нибудь привести к взрыву.

Али Гадыр разлил водку в небольшие рюмки.

— Ваше здоровье, — пожелал он гостю и первым чуть отпил, поморщившись. И лишь затем взялся за ложку. Ложки были серебряные, с гербом рода хозяина дома, принадлежавшего к известному южноазербайджанскому клану.

— Вы сегодня уезжаете, — утвердительно сказал хозяин дома, начиная беседу.

— Если самолет поднимет меня после вашего хаша, — пошутил Дронго, — то я надеюсь улететь.

— Сколько лет я вас знаю, а вы все шутите, — вздохнул хозяин дома, — даже после вчерашнего.

— Вы считаете, что я должен сходить в мечеть и раздать там деньги за свое чудесное спасение? По-моему, я как раз сделал то, что должен был сделать — перед отъездом зашел поблагодарить своего спасителя.

— Не богохульствуйте, — попросил Али Гадыр, — в конце концов, существование Аллаха это научно установленный факт.

— А я уже не спорю, — сказал Дронго, склоняясь над тарелкой. — Знаете, я ведь по натуре убежденный агностик. Но чем больше узнаю о строении Вселенной и самого человека, тем больше убеждаюсь в существовании неземной космической силы, способной формировать данные объекты и существа. Поверить в случайность почти невозможно.

— Тогда вы должны принять и нашу истину, — быстро вставил Али Гадыр. — Ведь мы строим исламское государство. И пытаемся доказать всему миру, что духовная власть может вполне сосуществовать со светской.

— Миру трудно принять вашу истину, — строго заметил Дронго и поднял рюмку, — за ваше здоровье.

Они и на этот раз не стали делать больше одного глотка, словно соревнуясь, кто меньше выпьет.

— Вообще-то странное ощущение, — признался Дронго, — спорить о построении теологического государства под звон рюмок.

— Хаш иначе есть нельзя, — добродушно заметил Али Гадыр, — и потом — это, возможно, мой единственный грех. Вы же знаете, что я учился в Англии, и там довольно быстро приобщился к крепким спиртным напиткам. И с трудом отвыкаю от этого своего порока. Но мы продолжим наш разговор. К сожалению, в мире сформировался несколько искаженный образ нашего государства. С ложной подачи американских и израильских средств массовой информации мы выглядим не лучшим образом.

— Согласитесь, что некоторые обвинения имеют под собой реальную почву, — проворчал Дронго. — Могу вас поздравить, у вас великолепный повар.

— Еще по одной тарелке, — добродушно предложил Али Гадыр и, поднявшись, подошел к одной из дверей, позвал женщину. Она появилась сразу, словно ждала с той стороны. Хозяин дома показал ей на тарелки, она, кивнув, поняла все без слов, забрала тарелки.

— А я никогда не говорил, что мы страна ангелов, — заметил Али Гадыр, возвращаясь к столу. — В условиях жесткого противостояния мы обязаны отстаивать свои интересы.

— Но вы их иногда отстаиваете слишком рьяно, — заметил Дронго. — Мир не готов к вашему варианту исламского государства. Феминизм, космополитизм, интеграция, либеральные воззрения, победившие в западном мире, не приемлют тех ценностей, которые вы пытаетесь навязать другим народам.

— Мы ничего не пытаемся навязать, — возразил Али Гадыр, — мы лишь хотим, чтобы нам не навязывались западные ценности, которые мы считаем аморальными.

— Вы не считаете, что это трудно объяснить людям, которые погибают от взрыва бомб, установленных террористами, которые финансируются на ваши деньги?

— Не нужно, — добродушно сказал Али Гадыр, — вы же прекрасно знаете, что палестинцам выплачивают гораздо большие деньги саудиты и иорданцы. Однако они считаются союзниками

Америки, и все закрывают глаза на их деньги. А наши деньги вызывают возмущение только потому, что мы не готовы отдавать свою нефть и свою честь американцам.

— И тем не менее вы довольно активно поддерживаете свои группировки по всему Ближнему Востоку.

— А американцы не поддерживают своих союзников? Или когда они вызывают корабли своего флота к берегам Ливана и обстреливают поселки с мирными жителями, даже если среди них и встречаются террористы, — это акция гуманизма? Или израильтяне, которые обстреливают Южный Ливан, тоже демонстрируют свою приверженность миру? Не нужно убеждать меня, Дронго, что мы хуже других. Мы такие, как все. И только защищаем свои ценности.

Женщина внесла еще две тарелки с дымящейся едой, поставив их перед собеседниками, молча вышла. Али Гадыр поднял свою рюмку.

— За нашу встречу, — сказал он и снова сделал один глоток. Дронго последовал его примеру. Лишь опустив рюмку, он пробормотал:

— Мир не готов признавать ваши ценности.

— Это проблема мира, а не наша.

— Но разве вы не видите, что уступаете в этом противостоянии? Мусульманские университеты в Толедо, в Багдаде, в Каире, в Самарканде на протяжении столетий считались центрами духовной жизни всего мира. Медицина и философия, архитектура и строительство, астрономия и математика — все шло с Востока, это был подлинный ренессанс исламского мира. Вы же образованный человек, Али Гадыр. Лучше меня знаете мировую историю. Когда в Европе было глубокое средневековье, на Востоке творили величайшие гении человечества. В Европе еще не было столетней войны, когда творил Низами Гянджеви. Что произошло? Почему за последние сто-двести лет вы так сильно отстали? Можно сколько угодно ругать западную цивилизацию, но нельзя не признавать ее ошеломляющих успехов.

Али Гадыр сидел, наклонившись над тарелкой, продолжая сосредоточенно есть и слушать своего собеседника, не перебивая его.

— Вспомните сами, — продолжал Дронго, — все, чем мы сегодня пользуемся, есть западная цивилизация. Вы отказываетесь от галстуков, как от атрибутов западного образа жизни, а ездите на их машинах, пользуетесь их кондиционерами, факсами, телексами, телефонами. Потребляете электричество, пришедшее из этого чуждого вам мира. Летаете на их самолетах, используете их технологию, их разработки, смотрите их телевидение, хотя последнее вы уже успели запретить. Впрочем, я думаю, ваши граждане все равно нарушают запрет. За последние сто лет вы не сумели внести ничего нового. Так почему вы столь яростно отказываетесь признавать ценности другого мира?

— Потому что они разрушают душу человека, — поднял наконец голову Али Гадыр, — потому что вместо философского осмысления своей жизни человек превращается в бессовестного потребителя, лишенного всякой нравственности, всякой морали. Или вы считаете приемлемым западный образ жизни? Без Аллаха в душе нельзя жить. Это я понял, еще когда учился в Великобритании. Или вы считаете, что голливудский ширпотреб нравственно возвышает людей? И если все обстоит так, как вы говорите, почему тогда во всем мире растет число людей, принимающих мусульманство? Почему во Франции, в Англии, в Германии, даже в сытой Америке число этих людей уже перевалило за миллионы и продолжает расти. Чем им так не нравятся западные ценности? Неужели вы считаете, что только под влиянием нашей пропаганды они изменяют своему Богу?

— Бог един, — возразил Дронго, — ведь мусульмане почитают и Деву Марию, и Христа, и Моисея, и Абрама.

— Но мы не позволяем в наших мечетях изгаляться бессовестным художникам, каждый раз по-своему трактуя Бога. Вера должна быть абсолютной.

— И поэтому она часто иррациональна, — закончил Дронго, отодвигая тарелку. — Мир слишком рационален и прагматичен, чтобы принять подобный иррационализм.

— Потому что в мире существует сегодня только мнение Вашингтона. И еще нескольких европейских столиц, иногда имеющих собственное мнение. Все остальные страны не в счет, они давно вне игры. Я, конечно, не имею в виду Израиль, который посредством своей диаспоры умеет навязывать свое мнение всему миру, в том числе и всемогущему Вашингтону.

— Вы по-прежнему настроены непримиримо. А мне казалось, что вчера вы искренне хотели убедить меня в своем миролюбии.

— Я хотел убедить вас в том, что мы не собирались вас убивать. И Мул действует отнюдь не по нашим инструкциям. Если этот сукин сын сорвет нам контракт с французами, я даже не знаю, что может произойти. Для нас этот контракт очень важен, можно сказать, это самый важный контракт, который мы подписали за всю новую историю существования нашей республики. Я думаю, вы не удивитесь, если я сообщу вам, что, кроме французской компании «Тотал», в разработке примет участие и российская нефтяная компания «Лукойл».

— Не удивлюсь. Учитывая интерес Москвы к вашему региону и ваше тесное сотрудничество.

— И Париж, и Москва будут вынуждены свернуть свои отношения с нами, если Мул сумеет провести свою террористическую акцию. Поэтому мы готовы сотрудничать даже с таким дьяволом, как Израиль, лишь бы не допустить успеха Ахмеда Мурсала.

— Я могу так передать?

— Можете. Мы не будем иметь никаких контактов с израильтянами, но вам мы можем сообщить, что он полетел в Сирию. И, по нашим сведениям, довольно активно готовится к акции, которую почти наверняка проведет в Европе.

— И вы знаете, где именно? — подняв голову, Дронго посмотрел в глаза своему собеседнику.

— Во Франции, — тот положил ложку, немного подумал и добавил: — Почти наверняка во Франции.

— Как я смогу держать связь с вашими людьми?

— Во Франции вы сможете позвонить в посольство и передать от меня привет. Там будут знать, кто говорит. Добавьте, что последний раз вы завтракали у меня в доме. Это будет сигнальная фраза.

— Договорились.

В комнату вошла женщина, выжидательно взглянувшая на хозяина дома.

— Может, третью тарелку? — добродушно спросил Али Гадыр.

— Спасибо, — засмеялся Дронго, — теперь только чай.

Они поднялись и прошли в другую комнату, где все уже было приготовлено для чая. Женщина внесла два небольших чайника и пиалы, поставив их перед мужчинами. Али Гадыр задумчиво поднял свою пиалу.

— Мы все видим, — сказал он, — все осознаем. Но наша вера во Всевышнего помогает нам преодолевать трудности. Мы не можем измениться. И нас нельзя заставить измениться. Скорее мы погибнем, но не примем чужие постулаты.

— Тем не менее новым президентом своей страны вы избрали известного либерала, — улыбнулся Дронго, — предпочитая его более строгому прагматику.

— Все-таки хотим доказать, что мы открыты новым веяниям, — в свою очередь усмехнулся Али Гадыр. — Вы ведь сами говорили, что мы слишком закрытое общество.

— Я передам наш разговор, — кивнул Дронго, поднимая пиалу с чаем, — но вы понимаете, что у другой стороны должны быть гарантии?

— Их нет, — твердо сказал Али Гадыр, — они просто должны в этот раз поверить нам, что мы не поддерживаем Ахмеда Мурсала и более того, готовы сделать все, чтобы провалить его акцию.

— Я вылечу в Баку на один-два дня. А оттуда полечу в Сирию.

— Поторопитесь, — посоветовал Али Гадыр, — иначе мы все можем опоздать. Этот человек крайне опасен. Раньше он был опасен только для врагов, сегодня стал опасен и для своих друзей. Когда пес становится бешеным, его не может остановить и хозяин. Единственная гарантия безопасности — пристрелить такую собаку. Я думаю, вы меня поняли, Дронго?

Баку. 2 апреля 1997 года

Касумов разослал своих сотрудников по городу, надеясь обнаружить следы столь часто посещающего Баку Натига Кура. К работе по обнаружению возможных мест проживания турка были привлечены десятки и сотни сотрудников полиции, но весь вчерашний день прошел без особых результатов. Днем второго апреля Эльдар Касумов с двумя сотрудниками поехал в международный аэропорт, чтобы проверить все на месте.

Он привык к обычной неразберихе в аэропорту. В любом международном аэропорту действуют обычно, как минимум, три-четыре службы, включая службу безопасности, полицию, пограничников, таможенную службу, не говоря уже о сотрудниках самого аэропорта. Как правило, все валят друг на друга и никто не хочет признаваться в собственных ошибках.

Но прохождение Натига Кура через границу было документально зафиксировано. Удалось установить, что он прилетел девятнадцатого марта вместе с заместителем председателя Комитета лесной и деревообрабатывающей промышленности Сабировым. Оба пассажира вышли через депутатскую комнату, куда был доставлен их багаж. Но никто из таможенников не мог вспомнить, сколько чемоданов или ящиков груза было у приехавших.

Касумов принял решение отправиться к Сабирову на работу. Позвонив предварительно и условившись о встрече, он выехал в город. Сабиров оказался невысоким полнолицым мужчиной лет пятидесяти. Приняв Касумова в своем кабинете, он был удивлен и сильно встревожен неожиданным визитом сотрудника Министерства национальной безопасности. И не скрывал своего замешательства. Он приказал секретарю принести чай и не пускать к нему никого из посетителей.

— Чем вызван такой интерес именно ко мне? — беспокойно спросил Сабиров.

— Вы были недавно в Москве? — уточнил Касумов.

— Был. Вылетал по делам комитета. А почему это вас так интересует?

— Вы прилетели из Москвы девятнадцатого марта рейсом «Трансаэро»?

— Нет, — ответил удивленный Сабиров, — я прилетел рейсом Аэрофлота, который выполняется рано утром.

— По нашим сведениям, с вами летел турецкий гражданин Натиг Кур, с которым вы вместе проходили депутатские комнаты в Москве и в Баку.

— Правильно. Со мной летел именно он.

Касумов достал фотографию Натига Кура, полученную от пограничников.

— Это был он?

— Да, конечно. Мы действительно вместе летели из Москвы, ну и что?

— Вы его давно знаете?

— Я его вообще не знаю.

— Тогда почему вы его взяли с собой?

— Я его не брал, — развел пухлыми ручками Сабиров, — мне позвонил мой родственник, проживающий в Баку, и попросил помочь его знакомому турку приехать в Баку. Он рассказал мне, что этот турок давно не был в Баку и мечтал увидеть наш город. Естественно, я согласился и мы встретились с этим турком уже восемнадцатого в депутатской. Мы посидели немного в буфете. До этого я его ни разу не видел. Потом прилетели в Баку. Вот и все. Больше я его не видел. Его кто-то встречал, какой-то молодой человек.

— У него был большой багаж?

— Да, три ящика. Я еще удивился, но он объяснил, что это документы о нашей азербайджанской эмиграции, которые он собирал в Европе и хочет теперь переправить в Баку и подарить местному музею. Я даже немного растрогался. Обычно они бывают такими меркантильными, а здесь попался благородный человек.

— Как зовут вашего знакомого, который попросил за Натига Кура? — быстро уточнил Касумов.

— Я бы не хотел подводить человека, — уклонился от ответа Сабиров, — он пожилой человек, живет в Нардаране. Не нужно его беспокоить.

— Вас обманули, — устало пояснил Касумов, — этот турок на самом деле вылетел из Баку вечером восемнадцатого марта. А уже утром прилетел обратно с вами. Допускаю, что человек, который просил за него, мог об этом не знать, но вам я обязан сообщить, что этот турок раз пять приезжал до этого в Баку. Вы нужны были ему только для того, чтобы провести его багаж через депутатскую комнату.

— Какой подлец, — всплеснул руками Сабиров, — а мне он так понравился. Тогда при чем тут мой родственник? Вы ведь сами говорите, что он мог не знать.

— Именно это мы и хотим проверить, — строго сказал Касумов.

— Он... понимаете, это родственник моей жены. Точнее, ее дядя. Он живет в Нардаране, очень уважаемый человек.

— Он живет один?

— Нет. У него пятеро детей.

— Когда вы с ним последний раз говорили?

— Как раз сразу после приезда. Он меня благодарил за турка.

— А потом вы с ним виделись?

— Нет, — чуть подумав, ответил Сабиров, — кажется, нет. Он даже обещал прийти к нам после Навруз-Байрама и не пришел. Действительно, нет.

— У него есть телефон?

— Да, конечно.

— Позвоните ему, — строго потребовал Касумов.

Сабиров испуганно взглянул на опасного гостя и быстро подвинул к себе телефон. Потом шепотом спросил:

— Вы думаете, они его убили? А как же его дети?

— Позовите его к телефону, — потребовал Касумов, теряя терпение.

Сабиров достал платок, вытер лоб. На другом конце кто-то взял трубку.

— Парвиз, здравствуй, — быстро сказал Сабиров. — Как у вас дела?

— Все хорошо, — весело ответил молодой парень, — вы давно к нам не заезжали.

— У вас все нормально?

— Да, все хорошо. Только папа...

— Что «папа»? — От испуга Сабиров даже зажмурился.

— Ничего, у него давление небольшое, врача вчера вызывали. Он сейчас дома, позвать его к телефону?

— Конечно, позови, — радостно сказал Сабиров и торжествующе посмотрел на Касумова: — С ним все в порядке, — сообщил он и, не удержавшись, язвительно спросил: — Может, вы все-таки ошиблись?

— Позовите его к телефону, — потребовал Касумов.

— Алло, — громко сказал Сабиров, — здравствуйте, Нияз-муэллим. Как ваше здоровье?

— Спасибо, неплохо. Как у тебя дела?

— Ничего, все в порядке.

— Ты извини, я обещал к вам приехать, но не сумел. У меня давление все время скачет. Врачи говорят, что от погоды.

— Может быть, — вежливо согласился Сабиров. — Нияз-муэллим, здесь один человек хочет с вами поговорить. Я сейчас ему трубку передам.

— Здравствуйте, Нияз-муэллим, — взял трубку Эльдар Касумов, — я из службы аэропорта, мы проверяем всех приехавших иностранцев. Я хотел у вас узнать: вы давно знаете Натига Кура?

— Кого? — не понял или не расслышал его собеседник.

— Турецкого гражданина Натига Кура, который прилетел девятнадцатого марта вместе с вашим родственником Сабировым и за которого вы просили, сказав, что он много лет не был в Баку.

— Какой Натиг Кур? — все еще не понимал его

собеседник. Касумов взглянул на Сабирова, но тот был внешне спокоен.

— Дайте мне трубку, — попросил он и, взяв трубку, громко спросил: — Нияз-муэллим, вы разве не помните, как звонили мне в Москву?

— Конечно, помню, — подтвердил тот.

— И просили за турка, который давно не был в Баку, — высоким голосом произнес Сабиров.

— Вспомнил, — уверенно сказал Нияз-муэллим, — действительно просил. Только я забыл, что его звали Натиг Кур.

— Он вспомнил, — удовлетворенно сказал Сабиров, передавая трубку Касумову. Тот быстро взял трубку.

— Откуда вы его знаете? — прокричал он — слышимость была плохой.

— Меня сосед попросил. Акрам-киши. Сказал, что его друг завтра возвращается вместе с моим родственником.

— А откуда он знал, что ваш родственник летит именно Аэрофлотом и девятнадцатого марта?

— Этого я не знаю.

— Он ваш сосед?

— Да, живет недалеко от нас, в Нардаране.

Это был небольшой дачный поселок в пригороде Баку.

— Мы сейчас к вам приедем, — решил Касумов, — скажите свой адрес.

Его собеседник назвал адрес, все еще не понимая, почему какой-то турецкий гость вызвал такую панику, что даже приехали к его родственнику. Он немного забеспокоился, что своей просьбой подвел мужа своей племянницы, занимающего такой большой пост.

— Он сделал что-нибудь плохое? — спросил

Нияз-муэллим, и не было ясно, кого именно он имеет в виду, самого родственника или его гостя. Но Касумов не стал уточнять.

— Мы сейчас приедем, — прокричал он в трубку, — вы никуда не уходите, ждите нас.

Он положил трубку и кивнул Сабирову.

— Поедете с нами, — тоном, не терпящим возражений, приказал он. — Мы должны распутать дело до конца.

— Я должен предупредить председателя комитета, — пояснил Сабиров. — Через полчаса у нас совещание.

— Предупредите, — кивнул Касумов, — объясните ему, что речь идет о национальной безопасности.

— Да-да, конечно, — торопливо кивнул Сабиров.

В закавказских и среднеазиатских республиках, где черный «нал» всегда превалировал над законными доходами, традиционно почитались представители всех правоохранительных органов, силовых структур. Разговор с председателем занял гораздо больше времени, чем требовалось для простого объяснения причин своего отсутствия. Встревоженный председатель довольно долго выяснял, куда собираются увезти его заместителя и не связан ли неожиданный визит сотрудника Министерства национальной безопасности с непосредственной работой Сабирова. Лишь получив заверения от самого Касумова, что отъезд Сабирова никак не связан с его служебной деятельностью, председатель комитета несколько успокоился и даже поинтересовался, когда его заместитель вернется на работу...

Они выехали в Нардаран на двух автомобилях.

В машине Сабирова сидели сам Касумов и его свидетель. Дорога к морю заняла не так много времени, хотя была не очень хорошей, особенно последняя часть в самом поселке заставила их автомобили попрыгать на ухабах. Если в самом Баку еще как-то поддерживался порядок на дорогах, иногда ремонтировали, то пригороды представляли собой ужасное зрелище, до которого городским властям, казалось, не было никакого дела.

У дома Нияз-муэллима их уже ждал его старший сын, который провел гостей в дом. Сам хозяин встретил их на пороге, пригласил пообедать. Во дворе уже разожгли мангал и начали готовить шампуры, насаживая мясо. К азербайджанскому шашлыку традиционно подавались поджаренные на огне помидоры и чуть высохшие от сильного огня баклажаны с корочкой, в которые вкладывался кусочек жира барана. Сам шашлык обычно готовился не из свежего мяса, а из так называемой бастурмы, когда мясо барана нарезали на мелкие кусочки и, смешав с луком, солью, перцем, чесноком и уксусом, мариновали один день, для придания мясу изысканной нежности.

Но Касумов отказался от угощения, попросив поскорее провести их к дому соседа. Он знал, что отказываться невежливо, и поэтому твердо пообещал, вернувшись от соседа, остаться на обед. Нияз-муэллим понимающе кивнул. В конце концов, мясо все равно будет готово через полчаса, а за это время можно было сходить и к соседу.

— Пойдемте, — предложил он своим гостям, — Акрам-киши будет очень рад встретить нас в своем доме. Мы как раз пригласим его к себе. Может, мне послать к нему своего сына?

— Нет-нет, — возразил Касумов, — давайте лучше пойдем к нему сами. Это очень далеко от вашего дома?

— Нет, минут пять, — улыбнулся Нияз, показывая в сторону моря, — старик живет совсем один. Он будет рад гостям.

Они вышли из дома и направились к морю. За Касумовым пошли два его сотрудника. Нияз-муэллим беспокойно оглянулся, увидев, какой процессией они движутся к дому соседа.

— Что-нибудь случилось? — спросил он у Сабирова.

— Нет, — успокоил его родственник, — они хотят выяснить насчет этого турка.

— Понятно, — улыбнулся Нияз-муэллим, — у каждого своя работа.

Они дошли до старого дома, открыли калитку, вошли во двор.

— Акрам, — крикнул громко Нияз, — принимай гостей.

— У него нет собаки? — удивился Эльдар Касумов.

— Есть, — кивнул Нияз, — но ее почему-то не слышно. У него очень хорошая собака.

Он подошел к будке, посмотрел по сторонам, прошел дальше к сараю. За сараем был большой каменный бассейн. Нияз-муэллим недоуменно остановился и осторожно открыл дверь в сарай. Внутри громко жужжали большие черные мухи. Он вгляделся, сделал шаг и остановился, пораженный. На полу лежала собака. Ее поза и высунутый язык свидетельствовали о смерти животного, происшедшей достаточно давно. Над ее уже разлагающимся телом летали неприятные мухи. Касумов заглянул в сарай и бросился к дому.

Дверь была заперта на ключ. Его сотрудники выломали ее и первыми ворвались в дом. Касумов вошел следом. За ним осторожно последовали Нияз-муэллим и Сабиров. Теперь уже не оставалось никаких сомнений. В доме стоял специфический запах. На полу лежал Акрам-киши, нелепо подвернув под себя руку. Один из сотрудников наклонился над ним. Потом поднял голову.

— Кажется, он умер несколько дней назад, — сказал он.

— Его убили, — кивнул Эльдар.

— Как убили? — испугался Нияз-муэллим.

— Как и его собаку, — пояснил Касумов, наклоняясь над убитым, — скорее всего, отравили. Сильный, неприятный запах. Вызывайте экспертов, — приказал он одному из своих людей, — и сообщите в прокуратуру.

Внезапно Сабиров с криком выбежал из дома. Его стошнило, и он стоял во дворе, дрожа всем телом. Нияз-муэллим растерянно вышел следом. Третьим из дома показался Эльдар Касумов.

— Кто его мог убить? — тревожно спросил Нияз-муэллим. — У него не было врагов. Это был такой хороший человек.

— Тот, кто попросил его об этом турке, чтобы вы предложили своему родственнику провести его через депутатскую, — хмуро пояснил Касумов. — Видимо, он знал просившего лично и тот решил не оставлять свидетелей.

— Люди совсем озверели, — печально сказал Нияз-муэллим. — Разве можно убивать человека за такой пустяк? Разве они не боятся Аллаха?

— Наверное, нет, — пожал плечами Эльдар, — это не те люди, которых может мучить совесть.

Вспомните еще раз, может, он говорил вам, кто именно его просил за этого турка, чтобы вы предложили своему родственнику ему помочь.

— Нет, не говорил. Он знал, что мой родственник едет в Москву. Я ему об этом рассказывал. Иногда он отправлял с ним посылки для дочери. Она живет в Москве. И в этот раз он просил передать посылку для дочери. Он обычно посылал для внуков фрукты или свежую зелень.

— Когда это было?

— Не помню. Числа десятого или двенадцатого, когда он выезжал в Москву, — Нияз-муэллим показал на своего родственника, который все еще не пришел в себя.

— А потом он пришел к вам и попросил за турка?

— Да. Хотя нет. Сначала он спросил, когда возвращается мой родственник в Баку и я ему сказал, что девятнадцатого. Брат моей жены тоже в Москве, и мы узнали обо всем от него.

— И вы рассказали об этом своему соседу?

— Кажется, да. Но он знал точно, какого числа будет обратный рейс. Да-да, он точно знал, я ему говорил. Несчастный человек, так страшно умер. Как его дочь будет переживать, — вздохнул Нияз-муэллим.

— Когда он вас попросил сказать своему родственнику, чтобы тот помог турку?

— Кажется, семнадцатого или восемнадцатого. Я точно не помню. Но я попросил сына из города позвонить в Москву и все передать. Сын позвонил и передал. Но он ничего не знает, — торопливо добавил на всякий случай Нияз-муэллим, — он передал все, что я его просил.

— Понятно, — вздохнул Касумов, доставая записную книжку, — дайте мне номера телефонов и адреса в Москве дочери погибшего и брата вашей жены.

Баку. 3 апреля 1997 года

Прилетев в Баку, Дронго позвонил в израильское посольство. Павел ждал его звонка и попросил его приехать. Дронго понимал, почему его бывший однокурсник настаивает на частых встречах именно в посольстве. Нельзя было исключить возможности прослушивания их беседы как со стороны азербайджанских властей, так и со стороны иранской разведки, которая держала под пристальным контролем все, что было связано с посольствами Израиля и США. В свою очередь местные резидентуры ЦРУ и МОССАД в Баку самым серьезным образом занимались иранским посольством, а заодно и контролировали работу друг друга. Кроме того, нельзя было исключать возможность прослушивания их беседы и со стороны самой мощной резидентуры в Баку — представителей российской разведки, которая имела самую разветвленную сеть агентов по всему Азербайджану. Даже южные соседи Азербайджана — иранцы, даже богатые американцы, даже вездесущие представители МОССАД и дотошные англичане не имели такой бескорыстной и мощной агентуры, как российская разведка. При этом в Баку было немало и людей влияния Москвы, на которых всегда можно было рассчитывать в сложных условиях.

Израильские спецслужбы традиционно старались не доверять собственных секретов никому, даже своим самым близким союзникам, за которыми они на всякий случай тоже следили. Поэтому Дронго не удивился предложению Гурвича и приехал в посольство, заметив, что наблюдение за ним все-таки установили. По манере наблюдения, по характерным методам агентов он понял, что это работа агентов азербайджанской службы безопасности. Это была удивительная смесь традиционных приемов бывшей советской контрразведки, помноженных на некоторые новаторские приемы турецких специалистов. Таков был и стиль работы многих правоохранительных органов Азербайджана, где специалисты старой школы уживались с новыми сотрудниками, проходившими практику в западных спецшколах.

В посольстве Гурвич принял его не один. В Баку снова прилетел генерал Райский, решивший лично встретиться с Дронго. Именно этим визитом было вызвано столь повышенное внимание к самому Дронго со стороны других спецслужб. Посла в этот раз при разговоре не было, они беседовали втроем. Дронго подробно рассказал о своем визите в Иран, пересказал разговор с Али Гадыром Тебризли. После чего наступило молчание. Генерал Райский тяжело вздохнул и спросил:

— Вы верите в искренность Тегерана?

— Я не думаю, что у них есть основания нас обманывать.

— А если все это хорошо продуманная игра? И покушение в лифте, когда они так быстро остановили кабину, сумев предотвратить убийство. И столь эффектное появление Али Гадыра? Вам не кажется, что это может быть игра иранской разведки?

— Нет, не кажется. Лифт остановился до того, как убийца достал свое оружие. Я видел его лицо.

Он явно колебался. Таким хорошим актером он не мог быть. И потом, его действительно пристрелили. Это была не игра, генерал.

— Все правильно. Но вы не подумали, что в саму игру мог быть вставлен и этот несчастный, которому действительно поручили вас убить, и который не ожидал, что ему помешают. Вполне возможно, что его пистолет был заряжен холостыми патронами, а его убрали только потому, что он мог невольно стать нежелательным свидетелем.

— Не получается, — упрямо возразил Дронго, — я знаю Али Гадыра достаточно давно. И он знает меня. Первое, что я должен был подумать после этого покушения, это сделать вывод о том, что подобную имитацию убийства подстроили сами иранцы. Но именно поэтому они не стали бы действовать столь примитивно. Они могли бы разыграть нечто гораздо более серьезное. И если они действительно хотели помешать расследованию, то достаточно было меня вывести из строя, причинив не очень тяжелое ранение, с таким расчетом, чтобы я мог вернуться в Баку, рассказать вам обо всем и не принимать больше участия в расследовании. И наконец, главное. Если это игра Тегерана, то почему Али Гадыр сообщил мне о том, что террорист находится сейчас в Сирии. Это был мой собственный вывод, который я сделал в Баку. А он его подтвердил. Если они начали игру, то почему сообщают мне местонахождение Мула, тем более зная, что я могу сообщить об этом вам. И наконец, слова Али Гадыра о «контракте века» между французской нефтяной компанией «Тотал», российским «Лукойлом» и иранской нефтяной компанией. Я ведь могу проверить все эти данные. И вы можете проверить...

— Это правда, — кивнул генерал Райский, — ничего проверять не нужно. Один из наших отделов уже давно занимается этой проблемой. Иранцы действительно готовы начать сотрудничество с французами и россиянами и такой контракт не выдумка вашего собеседника.

— Вы только подтверждаете мои наблюдения и немного опровергаете собственные предположения. Последнее, на что я хочу обратить ваше внимание, — это слова моего иранского собеседника о готовящемся террористическом акте во Франции. Боюсь, что и к этим словам вы должны отнестись со всей серьезностью. Они подтверждены и вашими агентурными данными о том, что Ахмед Мурсал собирает по всему миру террористов со знанием европейских языков.

— Не знаю, — наконец сказал Райский, — в ваших словах, возможно, есть рациональное зерно. Но вы меня все равно не убедили.

— Привычка, генерал, — очень серьезно произнес Дронго, — вы традиционно недоверчиво относитесь к иранцам. Согласитесь, что разведчик не может мыслить стереотипами.

— Я не нуждаюсь в ваших советах, — зло отрезал Райский, — я не имею права вам верить. И не хочу вам верить.

— Но почему? — не понял Дронго.

— Очень просто. Убийца ждал вас в первый день вашего приезда в Иран. В первый день. Значит, он был послан заранее. А это значит, что Ахмед Мурсал узнал о вашем визите до того, как вы полетели в Иран. Понимаете, почему я не могу в это поверить?

Дронго кивнул. Странно, что он не учел и этого

важного фактора. Но, с другой стороны, о его визите в Иран знали не только в МОССАД.

— Я об этом подумал, — задумчиво произнес он, — но, кроме вас, о моем визите могли знать еще достаточно много людей.

— Не получается, — хмуро возразил Райский, — все равно не получается. В МОССАД о вашем визите знали только несколько человек. Еще несколько человек знали об этом и в российской разведке. Вчера в Баку убит один из самых важных свидетелей. Тот самый, который попросил провести через депутатскую комнату Натига Кура. Российская разведка установила, что через российскую границу проходил другой человек, очевидно, настоящий Натиг Кур, который, приехав в Баку, поменял свои документы с террористом.

— Это точные сведения? — повернулся к Гурвичу Дронго, поняв, что тот сообщил об этом своему начальству.

— Точные. Вчера сообщили из Министерства национальной безопасности.

— По официальным каналам?

— Да. Расследование ведет Эльдар Касумов.

— Вы понимаете, что происходит, Дронго? — повысил голос Райский. — Получается, что в обоих случаях нас опередили. А это уже не просто террорист, пусть даже самый опасный, который прячется от нас по всему миру. Речь идет о худшем, о предательстве. Кто-то сообщил Мулу о вашем визите в Тегеран, кто-то успел сообщить о ваших выводах насчет тройного обмена паспортов. Кто-то сыграл на опережение, и я не обязан верить, что все это дело рук одного Мула. У него просто нет таких возможностей и таких людей. За его спиной должна стоять мощная организация. И такой организацией может быть только иранская разведка.

— Неужели вам не надоело жить постоянно в условиях войны? — вдруг спросил Дронго. — Неужели вам не надоела постоянная ненависть? Ну постарайтесь хотя бы иногда отказываться от привычных шаблонов. Не могут иранцы играть такими вещами, как религия. Просто не могут. Они не смогли бы имитировать смерть хаджи Карима. Для них, как истинных мусульман, каждый совершивший хадж считается хаджи, а тем более хаджи Карим. Его полное имя Хаджи Сеид Карим, а это значит, что он происходит из рода Мухаммеда, пророка мусульман. Он был одним из лидеров шиитской общины Ливана, и иранцы не простят его убийство Ахмеду Мурсалу. Свои ценности есть у каждого народа, если не хотите их принимать, то хотя бы научитесь их уважать.

— Если в Иерусалиме произойдет новый взрыв или где-нибудь снова захватят наших граждан, кто будет виноват? — гневно спросил Райский. — Ваши теологические рассуждения не подходят под наш конкретный пример. Наше государство с самого дня своего рождения живет во враждебном окружении. Нас ненавидят и боятся. И я не имею права сидеть здесь с вами и рассуждать о причинах этой ненависти. У меня конкретная задача — найти террориста, разыскать самого опасного негодяя, который когда-либо боролся против нас. Я не имею права на ошибку. Я не должен верить в его гениальность или в ваши схоластические рассуждения. Если он успевает повсюду, если устраивает тройной обмен, привозит непонятные грузы из Москвы, посылает убийцу к вам еще до того, как вы полетите в Тегеран, устраняет единственного свидетеля в Баку, то я обязан предположить, что за его спиной стоит мощная организация. И эта организация борется против нас.

Он замолчал и отвернулся, давая понять, что спор исчерпан.

— Я свяжусь с Касумовым и постараюсь узнать, что там случилось, — примирительно предложил Дронго.

— Извините, — буркнул Райский, — просто эти постоянные взрывы в Иерусалиме стали нашей страшной бедой. Каждый раз мы с ужасом ждем сообщений, кто еще погиб из наших родственников в этом кровавом кошмаре.

— Я понимаю, — кивнул Дронго.

— Конечно, вы не обязаны меня выслушивать, тем более со мной соглашаться, — продолжал генерал, — и ваши выводы я приму к сведению. Но и вы примите к сведению мои сомнения.

— Возможно, истина находится где-то посередине, — предположил Дронго.

Гурвич, видя, что оба собеседника несколько выдохлись, счел за благо вмешаться, постаравшись немного сблизить позиции сторон.

— По последним сообщениям, террорист действительно находится в Сирии, — негромко сообщил он.

— Нужно полететь в Сирию, — быстро сказал Дронго, — но до этого постараться выяснить, что произошло с главным свидетелем и кто его мог так быстро убрать. Боюсь, что у Мула были свои люди в городе.

— Не уверен, — снова вмешался Райский, — но надеюсь, вы не собираетесь искать убийцу? Этим уже занимаются Министерство национальной безопасности и местная прокуратура. Я не уверен, что у вас есть время и возможности заниматься расследованием.

— Ничего, — улыбнулся Дронго, — у меня есть знакомый, который может помочь следователям. Я собираюсь его попросить.

— Надеюсь, вы не собираетесь никому рассказывать о нашем разговоре? — спросил генерал.

— Нет. Я же сказал, что у меня есть надежный человек, пожалуй, единственный в мире, которому я могу доверять больше, чем самому себе.

— Никогда в это не поверю, — скептически сказал Райский, — вы ведь профессионал и знаете, что в нашем деле никому нельзя доверять. Это абсолютная норма в нашей профессии.

— За исключением одного случая. Это мой отец, генерал. Надеюсь, вы не будете возражать, если я попрошу его немного помочь мне?

Сен-Тропе. Порт Гримо. Вилла «Помм де Пимм». 4 апреля 1997 года

Он прилетел в Ниццу несколько дней назад. На Лазурном берегу единственный крупный международный аэропорт был в Ницце; даже в Монако, формально самостоятельном государстве, не было своего аэропорта, и туда летали только вертолеты, ходили поезда, но в основном туристы приезжали на своих автомобилях.

Поверить в слова Армана Эрреры было невозможно. Но действительность превзошла все его ожидания. Он получил еще одну пачку денег. Правда, не сразу пятьдесят тысяч, как обещал Эррера, но ему выдали двадцать тысяч долларов наличными. Вернее, сначала в Севилье Эррера дал ему первые десять тысяч, а уже затем здесь, в Сен-Тропе, вторую пачку. К большому сожалению Уэйвелла, деньги ему перевели лишь целевым переводом, указав, что они могут быть израсходованы только в качестве оплаты за виллу «Помм де Пимм». Что ему и пришлось сделать. Когда он подписывал документы, у него дрожали руки и он не представлял себе виллы, за которую можно заплатить такие деньги. Но когда приехал на виллу, расположенную в порту Гримо, в десяти километрах от Сен-Максима, в пятидесяти метрах от дороги на побережье, ведущей в Сен-Тропе, он понял, что вилла несомненно стоит таких огромных денег.

Майкл Уэйвелл впервые в жизни осознал, что такое счастье. И как выглядит настоящая роскошь. На огромной вилле было четыре большие спальные комнаты, каждая со своей ванной и с двумя большими широкими кроватями. Две спальные комнаты находились на втором этаже, а две другие на третьем, куда вела широкая лестница. Огромная гостиная имела свой отдельный бар со стойкой, высокими креслами, приспособленными для стойки бара, и холодильной установкой. В левой части гостиной находился угловой холл для любителей смотреть телевизор или просто погреться у камина. К гостиной примыкала довольно большая и великолепно оснащенная всем необходимым кухня. Из кухни и гостиной можно было попасть на верхнюю террасу, которая нависала над садом. Внизу был большой бассейн с искусственным подогревом. Сад вокруг виллы простирался до самого моря, и почти на трех тысячах квадратных метров росли всевозможные плодовые деревья в этом раю. Еще ниже находилось искусственно созданное озеро с беседкой. На первом этаже виллы, куда можно было попасть, лишь обогнув дом, находились две комнаты и кухня консьержа, который жил там со своей семьей.

Уэйвелл внес деньги за виллу и целый день ходил по комнатам, наслаждаясь роскошью. В дом можно было попасть через парадный вход, который вел в холл и в еще одну, пятую ванную комнату для гостей. Только из холла можно было попасть в гостиную. Для особо ленивых из бассейна была устроена лестница прямо на верхнюю террасу, откуда также можно было попасть в гостиную.

Майкл подумал, что это слишком много для его измученной души. Еще два дня он беспробудно пьянствовал на вилле, заказав по телефону шампанское «Дом Периньон» и лучший французский коньяк, какой только могли доставить сюда из Сен-Максима. И только четвертого апреля, проспавшись, решил, что непростительно глупо проводит время. И отправился в Сен-Максим, чтобы найти подружку для совместного проживания. Условия, которые поставил Эррера, были фантастическими. Нужно всего лишь наслаждаться проживанием на вилле и ждать неведомых гостей от Эрреры. Он успел подружиться с консьержем, невероятно тупым и ограниченным мсье Эриком. Мсье Эрика отличала редкая медлительность в принятии решений и полное отсутствие здравой житейской смекалки. Любой вопрос, который иногда возникал у Майкла Уэйвелла, вызывал у консьержа мучительные раздумья, словно он решал самую сложную задачу в жизни. И даже в первую ночь, когда Майкл выехал на такси в Сен-Максим за покупками, а потом, проехав свой поворот, забыл указать водителю на порт Гримо и позвонил по телефону консьержу, чтобы уточнить дорогу, это вызвало у мсье Эрика замешательство, он в течение двадцати минут пытался сообразить, как объяснить таксисту, где именно находится поворот на виллу.

Но даже такой тип не мог испортить общего праздника, и Майкл Уэйвелл поднялся четвертого апреля днем с твердым намерением найти себе подружку. В конце концов это было даже обидно — иметь в своем распоряжении такой огромный дом, такой бассейн, такой сад и пользоваться всем в одиночку, словно он был по-прежнему болен гепатитом либо еще какой-нибудь заразной болезнью.

Под домом был гараж на два автомобиля, где мсье Эрик держал свой джип и куда Майкл Уэйвелл ставил взятый в аренду темно-голубой четырехдверный «БМВ». Правда, разгоняться на трассе было невозможно. Дорога между Сен-Тропе и Сен-Максимом всегда была забита автомобилями и велосипедистами, спешащими в оба курортных города. В Сен-Тропе находились виллы самых известных политических деятелей, звезд эстрады, мастеров спорта. Одними из самых известных владельцев собственных поместий на побережье были Брижит Бардо и Роже Вадим. Вместе с тем в Сен-Тропе на причале стояли, выстроившись, как на параде, самые роскошные яхты, которые Уэйвелл видел когда-либо в своей жизни. Каждая яхта была самим совершенством, словно ее изготовители соревновались с другими в отделке, в нестандартности исполнения.

Он приехал на своем «БМВ» в Сен-Тропе часов в пять вечера и с сожалением обнаружил, что его собственная машина жалко смотрится на фоне роскошных открытых «Мерседесов» и «Феррари», «Ягуаров» и «Крайслеров». Правда, открытие сезона еще не состоялось и на побережье не было еще так много яхт и автомобилей, как здесь обычно бывает летом, но даже апрельским вечером Майкл Уэйвелл понял, что он чужой на этом празднике миллионеров. Однако подобное обстоятельство могло смутить кого угодно, но только не его. Он оставил автомобиль на стоянке у почты и стал прогуливаться по улицам, бесцеремонно оглядывая местных красоток. Очень скоро он сообразил, что все местные красавицы либо уже отдали свои сердца приезжим туристам, либо уехали отсюда искать счастья в другое место. Кроме того, соревноваться с местными знаменитостями было невозможно. На пляже запросто мог появиться известный режиссер или актер, из-за которого молодые девушки впадали в экстаз.

Покрутившись по городу, он с огорчением понял, что в этом курортном месте нужно быть либо очень известным, либо очень богатым человеком, чтобы на тебя обратили внимание. Поужинав в местном ресторане, он махнул рукой на аристократический Сен-Тропе и, вернувшись к почте, забрался в автомобиль, решив уехать в Тулон. Однако совсем недалеко от почты, буквально за поворотом, располагался ночной клуб, и он решил в последний раз попытать счастья в этом заведении.

Здесь было все, как полагается. Масса девушек, готовых откликнуться на любое предложение, и не меньшая масса парней, также готовых оказывать свои услуги кому угодно, от стареющих мужчин до молодых экзальтированных дамочек. В этот ночной клуб приезжали девушки, работающие в расположенных по всему побережью кемпингах, отелях, мотелях, ресторанах, пиццериях, магазинах, туристических бюро. Здесь можно было отдохнуть по-настоящему, и Майкл Уэйвелл с удовольствием потрогал карман, где было заготовлено несколько тысяч французских франков.

На следующее утро он проснулся в одной из своих спальных комнат с неприятным вкусом во рту. Он выглянул в окно. Разбитый «БМВ» стоял у озера. В бассейне с веселыми криками плескались сразу три девушки. Они были абсолютно голыми, и это понравилось ему больше всего. Правда, затем он увидел среди кустов еще и одного молодого человека, который лежал под скамейкой и, судя по всему, еще не пришел в себя после вчерашней попойки. Майкл ошалело посмотрел на разбитый «БМВ», нахмурился, затем перевел взгляд на купающихся девушек, улыбнулся и услышал, как звонит телефон. Он пошел поднимать трубку.

— Майкл, — услышал он разъяренный голос Эрреры, — где ты пропадал, черт тебя подери? Мы же договаривались, что все ночи ты будешь дома.

— Я и был дома, — пробормотал Майкл, тяжело икнув.

— Врешь, — разозлился еще больше Эррера, — я тебе звонил до пяти утра, тебя не было на вилле. Твой консьерж сказал, что ты вернулся под утро.

— Он меня просто не видел, — попытался оправдаться Уэйвелл.

— В общем так, — зло перебил его Эррера, — первое и последнее предупреждение. Если еще раз ты не будешь ночевать дома, можешь считать наш контракт расторгнутым. И выгони с виллы всех посторонних. Это в твоих интересах.

«Сукин сын», — зло подумал о своем консьерже Уэйвелл, но вслух не решился высказываться. Примирительным голосом произнес:

— Ты не беспокойся, я все понял. Просто я немного увлекся в Сен-Тропе.

— Увлекайся на вилле. И выгони всех девчонок, старайся не привлекать к себе внимания. Если ты за себя не ручаешься, лучше уезжай с виллы прямо сейчас. Так будет лучше и для тебя, и для меня.

— Нет, нет, — испуганно возразил Уэйвелл, из головы которого уже выветрился алкоголь, — я все понял. Можешь мне не объяснять. Я сейчас всех выгоню.

Эррера бросил трубку. Уэйвелл, тяжело вздохнув, положил трубку на рычаг. Потом, подумав немного, сделал кукиш и показал его телефону. Услышав радостные крики купающихся, он обернулся.

— Искупаюсь, а потом всех выгоню, — сказал он себе. — А если понравится какая-нибудь из них, оставлю ее на вилле. Пусть купается вместе со мной.

Он уже забыл об угрозе своего старого знакомого, не подозревая, что еще пожалеет о том, что не обратил внимания на предостережение Армана Эрреры.

Баку. 4 апреля 1997 года

Рано утром в дверь позвонили. Он проснулся, посмотрел на часы, с неудовольствием отметив, что в такое время он не просыпается. На часах было пятнадцать минут десятого. Он обычно вставал не раньше одиннадцати, привыкнув за долгие годы своей независимой работы никуда не спешить. Его ночные бдения, когда он размышлял над очередной разгадкой трудного задания или просто наслаждался очередной книгой, обычно заканчивались в четыре, в пять часов утра. Он привык к такому обычному для «совы» графику и редко нарушал его. Именно поэтому он взглянул на часы, вздохнул и выбрался из постели, чтобы одеться. В дверь позвонили второй раз. Он успел набросить рубашку, быстро надел брюки и поспешил к двери. Даже в спешке он не забывал о том, что нельзя стоять перед железной дверью или перед глазком. Нужно было встать чуть правее от двери, чтобы увидеть тех, кто звонит в дверь. Японский глазок был сконструирован именно таким образом.

Он узнал звонившего. Это был Эльдар Касумов, с которым они уже однажды вместе работали. Даже после этого он не сразу открыл дверь. Еще раз осторожно посмотрел в глазок и спросил:

— Кто там?

— Это я, Эльдар, — ответил стоявший на лестничной клетке.

Тембр голоса был нормальным, гость вел себя спокойно, и Дронго наконец открыл дверь. Он всегда подсознательно помнил знаменитую поговорку французов: «Предают только свои».

— Доброе утро, — приветливо поздоровался Касумов.

— Входи, — посторонился Дронго, пропуская гостя в квартиру.

«Странно», — вдруг подумал он. Гость был младше него на год-два-три, не больше, они были примерно одного возраста, но пришедший упорно называл Дронго на «вы», а он обращался к нему на «ты», словно действительно был старше на много лет. «А может, это действительно так, — с испугом подумал он, — может, действительно я намного старше? Я видел за свою жизнь столько мерзостей и столько разных судеб, я путешествовал по стольким местам и встречался со столькими людьми. Может, поэтому иногда кажется, что я живу уже больше века. Концентрация жизни такова, что с каждой новой историей я как бы проживаю одну жизнь. И в каждой из этих жизней бывают свои герои, свои женщины, свои предатели...» Женщины... как все глупо получается именно с ними. И дело даже не в погибшей Натали Брэй. С тех пор прошло столько лет, что уже сам ее образ стал постепенно стираться из памяти. Она погибла в Австрии, в венском аэропорту, успев заслонить его своим телом. Иногда ночью он успевал оттолкнуть ее и даже однажды успел сжать в объятиях, перед тем как проснуться, но проснувшись, обнаружил совсем другую женщину в своей постели. Это было так страшно и больно, он даже застонал от неожиданности. В его жизни было еще несколько женщин, некоторые были с ним достаточно близки, но не было того единственного пьянящего чувства, которое было с Натали. Возможно, в этом виноват он сам, ставший со временем беспощадным циником, обратив внутренний гнев на самого себя.

Иногда его посещали сомнения. Возможно, он был не прав, выбрав для себя именно такую трудную жизнь. Можно было заняться чем-нибудь другим, выбрав менее опасную профессию. Можно было устроить свою собственную судьбу немного лучше, сделав жизнь разумной и более комфортной. Можно было избежать этих невозможных усилий, этих встреч, этих потерь. Можно было сделать все по-другому. Но разве только сам человек определяет свою судьбу? Может быть, сама Судьба вмешивается в жизнь человека?

— Вы спали? — спросил Эльдар, оторвав его от мрачных мыслей.

— Нет-нет, — торопливо кивнул он, — проходи в комнату, я уже проснулся.

Несмотря на свой возраст, Касумов был уже начальником отдела и, Дронго знал, одним из самых перспективных офицеров в Министерстве национальной безопасности.

— Ты что будешь пить? — спросил он. — Чай или кофе?

— Чай, — улыбнулся Эльдар, — может, мы лучше сядем сразу на кухне? Заодно вы и позавтракаете.

— Ты упрямо говоришь мне «вы», как будто я старше тебя на много лет, — ворчливо заметил Дронго.

— Вы опытнее, — дипломатично нашелся Эльдар, проходя на кухню.

По утрам Дронго обычно не завтракал. Он выпивал чашку чая, закусывая двумя или тремя сухими печеньями. Включив электрочайник, он сел за стол напротив своего гостя.

— У вас неприятности, — сказал, глядя на Эльдара.

— Да, — кивнул тот, — два дня назад в Нардаране мы обнаружили труп единственного свидетеля. Мне сказали, что вы улетели в Иран, и я не мог вас найти. А вчера несколько раз к вам звонил, но телефон не отвечал.

— Только не нужно меня обманывать, — улыбнулся Дронго, — ваши сотрудники следили за мной до самых дверей израильского посольства. И ты наверняка знал, что я находился там полдня, а потом поехал к своим родителям. Поэтому ты решил сегодня приехать так рано, чтобы застать меня дома. Верно?

— Верно, — засмеялся Эльдар, — вы заметили «наружку»?

— Конечно, заметил. Где вы их набираете? Плохо обученные советские агенты с бесцеремонными манерами турецких полицейских.

— Здорово, — снова рассмеялся гость, — точно сказано.

Вода закипела, чайник выключился, и Дронго, достав пакетики чая, разлил воду в две чашки, выложил на столик конфеты и печенье, протянул одну чашку гостю. И предложил:

— Теперь рассказывай все по порядку.

— Мне поручили провести расследование, — начал Касумов, — в процессе проверки нам довольно быстро удалось выяснить, что турецкий гражданин Натиг Кур прилетел с неким Сабировым из Москвы, вместе с ним прошел через зал для официальных делегаций, таким образом его багаж избежал досмотра таможенников. Нам удалось установить, что Сабиров работает заместителем председателя Комитета лесной и деревообрабатывающей промышленности. Мы довольно быстро узнали, что его попросил о помощи турецкому гражданину его родственник Нияз Байрамов, живущий в Нардаране. Второго апреля я сам поехал к нему. Он рассказал, что его попросил сосед, некий Акрам Велиев. Когда мы попытались найти этого соседа, обнаружилось, что он мертв. Экспертиза дала заключение, что он отравлен. Во дворе нашли собаку, отравленную цианидом, как и хозяин. Очевидно, яд положили в пищу. Сейчас мы проверяем самого Байрамова и всех соседей. Но у первого, судя по всему, железное алиби. Он все эти дни болел, не выходил из дома. К тому же есть свидетели, слышавшие, как сосед просил за своего турецкого родственника.

— А другие соседи?

— Никто ничего не слышал. Патологоанатомическая экспертиза установила, что Велиев был отравлен за сутки до того, как мы его обнаружили.

— То есть первого апреля?

— Да. Или в ночь на первое, так будет точнее.

— Труп собаки вскрывали?

— Конечно. Точно установлено, что яд в обоих случаях сработал почти мгновенно.

— Убийца был из местных, — задумчиво сказал Дронго, — в Нардаране собаки так просто не подпустят к себе чужого.

— В том-то все и дело, — кивнул Касумов, — это мне тоже показалось странным. Мы проверяем уже два дня всех соседей, но пока ни одного подозрительного. Да и вообще невозможно, чтобы кто-то из соседей решился на такое. Они ведь там живут десятилетиями, все друг друга с детства знают.

— Сегодня пятница, значит, убийство состоялось в ночь на вторник, — просчитал Дронго, — в ночь на первое. А первого апреля у нас был вторник. Получается, что убийца имеет возможность ночью отлучаться из дома. Наверняка не семейный, иначе жена не стала бы ему разрешать подобные отлучки. И кто-то из близких к покойному людей, ведь собака ночью не залаяла и сам хозяин впустил к себе своего убийцу. У него родственники остались?

— Дочь живет в Москве. Обычно у них в Нардаране большие семьи, по пять-шесть детей, а то и больше, но у Велиева была одна дочь. Говорят, что у него болела жена, не могла больше рожать. После переезда дочери в Москву и смерти жены он остался один. У него есть сестра и брат. Сейчас проверяем их семьи, но пока ничего конкретного.

— У них семьи большие?

— У сестры четверо детей, у брата — пятеро. Все как полагается. Дети уже взрослые, у некоторых свои семьи. Конечно, мы в первую очередь начали проверять его племянников и племянниц. Но, я думаю, что напрасно мы все это затеяли. В бакинских селах очень дорожат семейными традициями, кланами семьи. И вряд ли сын брата решится на убийство своего дяди. Хотя сейчас многие ориентиры потеряны, встречаются и такие ублюдки, но пока мы ничего не можем найти.

— Замужние молодые женщины в семьях есть?

— Проверяли уже. У сестры Велиева два зятя. Один работает в прокуратуре, другой в какой-то коммерческой организации. До сих пор находится в Турции. А тот, что в прокуратуре работает, дома ночевал, мы проверяли.

— Убийца использовал яд, — напомнил Дронго, — он должен был быть уверен, что яд обязательно сработает. Судя по тому, что использовал его дважды, он был уверен в его эффективности. Убийца достаточно сильный человек, ведь по вашим актам вскрытия видно, что смерть наступила почти мгновенно, значит, он видел, как умирает его жертва. И был уверен в эффективности яда. Откуда он достал его? Подумай сам, ему ведь легче было размозжить голову старика бутылкой или просто придушить. А он придумал такой экзотический для Нардарана способ, как травля ядом. И тем более убил собаку. Подожди, подожди. А что если наоборот, сначала убил собаку, проверив эффективность яда, а потом хозяина? Такой вариант возможен?

— Вполне, — кивнул Касумов, заинтересованно следивший за рассуждениями Дронго.

— Ты свой чай пей, уже остыл, — добродушно заметил Дронго, — Велиев где-нибудь работал?

— Нет, он на пенсии.

— Какие-нибудь интересы? Может, у него были друзья?

— Проверяем. Пока ничего нет.

— Убийца наверняка бывал в доме, — твердо произнес Дронго, — это не мог быть посторонний человек. Ищите среди друзей, знакомых, знакомых родственников. Может, у него были какие-нибудь интересы?

— Рыбу ловил, — пожал плечами Касумов, — но там половина поселка рыбу ловит. Нет, никаких зацепок нет.

— А как с Москвой. Там проверяли?

— Вчера послали запрос в Москву. Но пока проверят, пройдет столько времени. Дочь Велиева сегодня уже прилетит в Баку, завтра состоятся похороны старика. Она прилетит с мужем, и мы ее допросим сразу после похорон. У нас есть в Москве еще одна зацепка. Там живет брат жены Нияза Байрамова. Судя по рассказам соседей, он занимается чем-то не очень законным. Думаем на следующей неделе командировать туда своего сотрудника. Если, конечно, сумеем выбить командировку.

— Это будет долго, — возразил Дронго, — дайте мне адрес, я проверю по своим каналам. Не беспокойся, я не собираюсь посылать к нему частных детективов. Можно будет составить официальный запрос в Службу внешней разведки России.

— Нет, — торопливо сказал Касумов, чуть покраснев, — если еще в МВД или ФСБ, то мы можем послать запрос, а к ним нельзя. Вы ведь сами понимаете, что это разведка чужого государства. Мы не можем иметь с ними ничего общего.

— Да, — немного напряженным голосом заметил Дронго, — как это я не подумал об этом? Они ведь действительно чужие. И страна чужая. И вообще Москва — столица другого государства.

— Извините, я не хотел вас обидеть.

— Да нет. При чем тут я? Просто сама ситуация, при которой Москва стала столицей чужого, а зачастую и очень чужого государства, кажется мне чудовищно нелепой. Как и Киев, Ташкент или Таллин.

— Чтобы выйти на контакты со Службой внешней разведки, я должен получить согласие у министра или его заместителя, — твердо произнес Касумов.

— Все верно. Поэтому ты лучше дай мне адрес родственника Байрамова, а я проверю по своим каналам. Я ведь не обязан отчитываться, кого именно попрошу проверить данные.

— Но я не могу давать адрес даже вам, — улыбнулся Касумов.

— Будем считать, что я узнал его случайно. Такое возможно. Пойми, у нас нет времени. Совсем нет времени. Мы обязаны точно выяснить, кто и почему убил Акрама Велиева. Но еще больше я хочу знать ответ на другой вопрос: от кого убийца получил приказ на устранение Велиева. У меня не так много времени, Эльдар, чтобы ждать, пока вы пошлете своего человека в Москву.

— Я вас понимаю.

— У меня есть в запасе два дня. В воскресенье утром я должен буду улетать, — сказал Дронго, внимательно наблюдая за реакцией собеседника. Тот не стал скрывать своего огорчения.

— Давайте сделаем так, — предложил Дронго, — я поеду в Нардаран и все посмотрю на месте. Встретимся с тобой там в четыре часа дня. И заодно ты привезешь туда все материалы дела, какие у вас есть. Мы посмотрим их прямо в машине.

— Мы? — удивленно сказал Касумов. — Вы сказали мы?

— Я чисто машинально, — улыбнулся Дронго, — просто в это время я повезу отца на дачу. Вот я и решил совместить приятное с полезным, пусть он подышит морским воздухом, пока мы будем осматривать дом Велиева. Надеюсь, ты не станешь возражать?

— Нет, конечно, — развел руками Касумов.

Баку. 4 апреля 1997 года

В этот день он решил пообедать дома, чтобы сразу после полудня отправиться в Нардаран. Он сидел за столом напротив отца и слушал его неторопливую речь, стараясь не думать о предстоящей поездке в Нардаран. Отец заметил его рассеянный взгляд и, оборвав свою речь на полуслове, спросил:

— У тебя были неприятности?

— Кажется, да.

— Кажется или были?

— Боюсь, что все неприятности еще впереди, — честно признался сын.

— Тогда давай по порядку, — нахмурился отец, — и постарайся ничего не упускать.

— Может, после обеда? — улыбнулся сын.

— Давай прямо сейчас, — предложил отец, —

199

обед мы уже почти закончили, а ты, судя по всему, торопишься. Сейчас уже третий час дня, и если ты приехал к нам обедать, то действительно произошло нечто серьезное.

— Почему?

— Ты же не встаешь раньше одиннадцати. Но, судя по твоему невыспавшемуся лицу, сегодня поднялся достаточно рано. Я знаю, как ты не любишь вставать рано, мама всегда не могла тебя разбудить утром в школу. И если ты после этого не завалился спать у себя дома, а приехал обедать к нам, значит, произошло нечто весьма серьезное.

— Всегда поражался твоему мышлению, — пробормотал сын, — все правильно. Кажется, мне нужен твой совет.

— И не смотри на часы, — добавил отец, — если у тебя нет времени, приедешь вечером и все расскажешь.

— Нет, — возразил Дронго, — мне лучше рассказать прямо сейчас, иначе потом я не смогу решиться.

В течение следующих двадцати минут он подробно рассказал о своих приключениях в Иране и о событиях в Баку, опустив лишь подробности покушения на него в Тегеране, упомянул только о том, что был задержан его возможный убийца. Отец слушал внимательно, не перебивая. Одним из его главных достоинств было умение слушать. Как у настоящего профессионала, оно пришло к нему с годами, и он в течение почти полувека учился слушать людей, пытаясь понять их боль и надежду.

Когда рассказ был окончен, Дронго снова посмотрел на часы. Около трех часов дня. Минут через двадцать им нужно выезжать.

— В чем именно должна выражаться моя помощь, — тяжело спросил отец, — ты хочешь, чтобы я расследовал это убийство в Нардаране?

— Да, конечно. Я послезавтра улетаю в Сирию. Самолет один раз в неделю, и я не могу ждать еще семь дней, которых у меня может не быть. А я совсем не уверен, что, как Эркюль Пуаро или Шерлок Холмс, смогу найти убийцу за оставшееся время.

— Я никогда не верил в частных детективов, — поморщился отец, — может, потому что сейчас не девятнадцатый век. Кстати, самый великий сыщик двадцатого века, придуманный человеческим гением, — комиссар Мегрэ, а он уже работал в бригаде. Поэтому твои потуги выглядят несколько дилетантски, если не сказать непрофессионально. Когда речь идет о специалистах такого уровня, нужны организации и системы. В одиночку террористов не побить. Нужен коллективный мозг.

— Поэтому мне и понадобилась твоя голова, — ловко ввернул сын, — согласись, что это уж почти коллективные мозги.

— Соглашаюсь, — рассмеялся отец, — но я имел в виду саму систему.

— С появлением компьютеров вопрос системы отпадает сам собой, — пояснил Дронго. — Можно войти в банк данных и получить любую информацию. В двадцать первом веке, как и в девятнадцатом, все будет решать мозг конкретного человека, пусть даже и вооруженного компьютером.

— У нас получился несколько отвлеченный спор, — вздохнул отец. — Когда ты договорился встретиться с Касумовым в Нардаране?

— Через час. Я думал, мы поедем на твоей машине.

Отец не смог бы на свою пенсию содержать автомобиль и платить приличную зарплату водителю. За него это делал сын, получающий весьма неплохие гонорары за расследования. Но по молчаливому уговору машина считалась закрепленной за отцом.

— Тогда давай поторопимся, — поднялся со своего места отец.

Выходя из дома к машине, Дронго заметил молодую девушку, проходившую по двору. Проводив ее взглядом, он заметил, что отец внимательно следит за ним, и несколько смутился. Отец ничего не сказал, усаживаясь в автомобиль. Уже в машине спросил у сына:

— Ты действительно думаешь, что я могу вот так просто приехать на дачу на несколько минут и сразу найти убийцу? По-моему, ты чаще обычного стал бывать в других странах, твои путешествия немного оторвали тебя от сегодняшней реальности.

— Я понимаю, что это не так просто. Но мне будет легче, если я буду знать, что и ты вместе со мной думаешь над этой проблемой.

— У тебя что-то произошло в Тегеране, — вдруг сказал отец, — там случилось что-то такое, о чем ты не хочешь говорить. Или убийцу арестовали не до того, как он пытался тебя убить, а после? Я прав?

— С чего ты взял? — он не хотел скрывать выражения своего лица, но удивление было не меньшим, чем растерянность.

— Ты суетишься. Раньше ты бы ни за что не посвятил меня в свои тайны. А сейчас решил все рассказать, словно хочешь заранее оправдаться в случае возможной неудачи.

— Оправдаться перед кем? — быстро спросил сын.

— Может быть, перед самим собой. Это всегда

самый трудный процесс для судьи, который имеет о своем клиенте практически полную информацию, и негативную, и позитивную. Мне всегда было труднее оправдаться именно перед самим собой.

— И много было таких случаев в твоей жизни?

— Иногда случались, — усмехнулся отец.

Автомобиль свернул с аэропортовской дороги влево, на старую дорогу, ведущую в пригородные поселки Баку. Дронго всегда нравилась именно эта дорога. И хотя она была гораздо хуже новой аэропортовской трассы, он часто просил водителей сворачивать именно на нее. Она будила воспоминания детства, когда на старенькой «Победе» его дяди они добирались до другого пригородного селения — Маштаги, где была их дача.

Он помнил, какой многочисленной семьей собирались они на даче, когда туда приезжали его родные и близкие, а его бабушка готовила еду на всех гостей. Бабушка любила оставаться на даче, куда приезжали ее многочисленные дети, внуки и правнуки. Она и умерла на этой даче, когда после двух инфарктов в семьдесят семь лет у нее случился инсульт.

Дача была одним из самых светлых воспоминаний детства. Однажды соседский бык, непонятно отчего вдруг взбесившись, порвал проволоку, отделявшую их участок от соседского, и стал топтать их виноградники. Бросившиеся за ним соседские ребятишки истоптали гораздо больше винограда, чем это могло сделать даже взбесившееся животное. Впрочем, бык довольно скоро успокоился, а они еще долго вспоминали об этом случае.

— О чем ты думаешь? — вдруг спросил отец.

— Дорога, — повернулся к нему Дронго. — Каждый раз, когда я по ней еду, я вспоминаю начало шестидесятых, когда был совсем маленький и мы ездили на дачу.

— С тех пор прошло больше тридцати лет, — кивнул отец. И вдруг безо всякого перехода спросил: — Тебе не кажется, что тебе уже много лет?

— Кажется, — усмехнулся сын. Он знал, о чем будет говорить его отец.

— Я никогда не вмешивался в твою личную жизнь, но, согласись, могу я иногда хотя бы узнавать, как ты думаешь жить дальше? Тебе уже тридцать восемь. По-моему, иногда нужно думать и о собственной жизни.

— Тебе сколько лет было, когда ты женился?

— Тридцать один. Я был тогда заместителем прокурора города.

— Ну вот видишь. А я в тридцать восемь лет все еще безработный. Согласись, что это большая разница. Как я объясню своей будущей супруге, чем я занимаюсь и где работаю? Рассказывать байки о том, что я журналист, путешествующий по миру? Или частный детектив? В лучшем случае она просто посмеется.

— Если будет любить, не станет смеяться, — уверенно сказал отец.

— Если будет любить, — как эхо повторил сын.

— Ты все думаешь о той женщине, о той американке? — тихо спросил отец.

У них никогда не было секретов друг от друга, сын все честно рассказывал отцу. И о своей единственной женщине, которую он всегда помнил, он тоже ему рассказал. У него были две встречи с Натали Брэй. После первой, когда она призналась ему в Буэнос-Айресе в своих чувствах, он не сразу вернулся домой. Тогда он был тяжело ранен и попал домой лишь спустя полгода. Потом он долго молчал, а когда начал говорить, то первым делом рассказал отцу об истории их отношений. Вернее, отношений не было никаких, были только чувства. Отец, обычно чуткий и внимательный к его проблемам, несколько скептически отнесся к рассказу сына.

— Она американка, — убежденно сказал он, — значит, с молоком матери впитала идеи феминизма. Обрати внимание, что она первая сказала тебе о своих чувствах. По-моему, вам трудно будет вместе, я бы не хотел, чтобы ты был «подкаблучником», а ты по натуре не тот тип мужчины, который будет подчиняться женщине.

Тогда он не стал возражать отцу. Через полтора года он снова встретился с Натали в Австрии, и их отношения переросли в настоящие глубокие чувства. Но все оборвалось в венском аэропорту, когда она, защищая его от пули, приняла удар на себя. Вернувшись домой, он два месяца не решался ничего рассказать отцу, боясь сорваться. И лишь затем все рассказал. Отец выслушал молча, изменившись в лице. Но он не стал ничего комментировать. Просто пробормотал нечто непонятное, возможно, это было запоздалое признание собственной ошибки. А может, он в этот момент прежде всего подсознательно подумал о собственном сыне, представив, что именно могло случиться в этом проклятом аэропорту. Но он никогда не забывал о словах, сказанных сыну, как и сын не забывал его слов.

— Нет, — честно сказал Дронго, — нет, уже не думаю. Ты ведь знаешь, что у меня были женщины. Но пока я не встретил никого, кто мог бы мне так понравиться.

— Ты идеалист, — убежденно сказал отец, — у

твоей мамы тоже есть недостатки, но это не мешает мне любить ее больше всего на свете.

— Вы идеальная пара, — пробормотал Дронго, — за сорок с лишним лет ни разу не поспорили, не поругались. Так в жизни не бывает.

— Бывает, — усмехнулся отец, — просто мужчина должен быть мужчиной, а женщина — женщиной. Вот и весь секрет.

— Как просто, — кивнул сын, — остается найти женщину, которая захочет терпеть такого типа, как я. И как минимум первая предложит мне на ней жениться.

— Опять? — отец покачал головой. — Боюсь, что от тебя мне внуков не дождаться. Хорошо еще, что твой младший брат давно женился, иначе я бы никогда не стал дедушкой.

— Тебе не кажется, что эта идея становится маниакальной для вас обоих с мамой?

— Кажется. Но ты ведь упрямый и все равно все делаешь по-своему.

— Я стараюсь исправляться.

— Поэтому ты везешь меня в Нардаран, на место убийства, вместо того, чтобы найти более подходящее место, куда можно отвезти своего отца? Кстати, кроме прямых родственников убитого, проверяли других его родных?

— Да, конечно. Я забыл сказать. У его сестры две дочери замужем. Их мужья могли быть ночью в доме убитого. Но один был в это время в зарубежной командировке, а второй работает в прокуратуре.

— Надеюсь, обоих проверили? Или ты считаешь, что форма прокурора — гарантия его абсолютной непорочности?

— Разумеется, нет. Их проверяли. Один был все

время дома, другой до сих пор находится в командировке.

— Ты сказал Касумову, что это наверняка был близкий человек? В Нардаране чужой в местный двор не полезет. Там не только своя собака, там все соседские собаки взвоют. Да еще и хозяин не каждого домой к себе ночью пустит. Там ведь люди особенные живут. Со своим характером.

— Именно поэтому я и попросил тебя поехать со мной. Уже почти четыре часа. Скоро будем на месте.

Машина свернула еще раз, на дорогу, ведущую к Нардарану. Когда они въехали в поселок, навстречу им двинулась траурная процессия. С разрешения следователей прокуратуры убитого хоронили на местном кладбище. Слышались негромкие разговоры мужчин. По строгим правилам, женщины не провожали в последний путь покойного на кладбище. Мужчины шли молча и сурово. Машина остановилась.

— Ты иди к дому пешком, — предложил отец, — а я провожу покойного в последний путь. Заодно и послушаю, что говорят люди. В таких местах важно уметь слушать. Обычно во время похорон люди говорят очень глупые вещи, но иногда среди их рассуждений встречается рациональное зерно. И, как правило, все будут говорить об этом убийстве. Мне интересно послушать их версии.

— Ты сумеешь найти дом погибшего? — спросил Дронго. — Он в конце улицы.

— Найду, — махнул рукой отец, выходя из автомобиля.

Дронго вышел из машины и увидел Эльдара Касумова.

— Мои сотрудники в доме, — показал он в другую сторону, — может, пройдемся вместе? Вы, кажется, говорили, что приедете с отцом?

— Он решил проводить покойного в последний путь.

— Он его знал? — удивился Касумов.

— Нет, — ответил Дронго, — просто у старых людей свои привычки.

— Может быть, — вежливо согласился Касумов. Он тяжело вздохнул, — у нас ничего не выходит. Я сам понимаю, что это глупо, что не мог чужой сюда приехать ночью, но у нас нет ни одной зацепки.

— Может, проверить почтальонов или сотрудников местной власти?

— Каких сотрудников? — улыбнулся Касумов. — Вы верите, что здесь по домам ночью ходят почтальоны?

— Ну не обязательно почтальоны. Возможно, еще кто-нибудь сюда может прийти. Электрик или газовщик?

— Ночью не придет. Да ему покойный и дверь не стал бы открывать. Нет, не подходит, — уверенно сказал Касумов.

— Идемте к дому, — нахмурился Дронго, его доводы так легко разбивались собеседником. Он понимал, что Касумов прав, и от этого расстраивался еще больше.

У дома было довольно много людей. Здесь слышались всхлипывания женщин, крики сестры покойного, плач дочери. Во дворе готовили традиционный плов, полагающийся на поминках. Была разбита большая палатка для мужчин, дымился огромный самовар. Рядом стояли большие бидоны с привезенной водой.

Дронго задумчиво посмотрел на палатку. Вокруг суетились люди.

— Действительно глупо, — в сердцах сказал он, — сам чувствую, что разгадка должна быть рядом, на поверхности. Но не могу сообразить, как здесь появился убийца и почему другие соседи ничего не слышали. А зять покойного прилетел?

— Прилетел, конечно. Он солидный человек, мы проверяли, у него абсолютное алиби. Он не мог прилететь ночью первого числа в Баку. Никак не мог, мы проверили все рейсы.

Дронго молчал.

— Мы проверим еще раз, — примирительно сказал Касумов, — составим список всех, кто мог его посетить. Проверим всех местных браконьеров, всех его соседей, всех родных и близких. Если нужно будет, пойдем по третьему кругу.

— У нас нет времени, — напомнил Дронго.

— Знаю, но ничего другого предложить не могу.

С кладбища начали возвращаться мужчины. По обычаю они выстраивались у дома, чтобы молла мог прочитать поминальную молитву. К Дронго подошел отец.

— Познакомьтесь, — представил Дронго, — это Эльдар Касумов, руководитель отдела, который занимается этим неприятным делом. А это мой папа.

— Очень приятно, — мягко улыбнулся отец, — вы не сын Рауфа Касумова? Кажется, я знал вашего отца.

— Сын, — улыбнулся Эльдар.

— Вы на него похожи, — кивнул отец, — можно, я пока похожу по двору? Что там за палаткой?

— Сарай и бассейн.

— Сарай, где нашли убитую собаку?

— Да.

— Если разрешите, я пойду посмотрю, — попросил отец.

— Конечно, — удивился Эльдар, пожав плечами. Он с трудом скрывал улыбку, не решаясь обидеть пожилого человека и самого Дронго.

Отец, дождавшись, когда молла закончит читать молитву, вошел со всеми гостями во двор, но пока перед палаткой толпился народ, он прошел по двору, успел заглянуть в сарай, обошел бассейн, почему-то приподнявшись на цыпочки, чтобы заглянуть в него. Бассейны в пригородах Баку, на берегу моря, часто служили не для купания, а для сбора воды.

Отец вышел со двора. Дронго стоял у дверей, продолжая разговаривать с Касумовым, и краем глаза заинтересованно наблюдая за отцом. Тот прошел в соседний двор, поздоровавшись, попросил воды. Это был двор, находившийся на противоположной стороне улицы, недалеко от дома Нияза Байрамова. Соседский мальчишка вынес воды для пожилого человека. Отец перекинулся с мальчишкой парой фраз, потом вернулся к своему сыну.

— Ну и какой вывод ты сделал? — спросил он.

Дронго насторожился. Неужели отец мог что-то выяснить за полчаса, пока он находился в Нардаране? Касумов с некоторым сожалением смотрел на пожилого человека. «У каждого свои странности», — думал он.

— Они проверяют по второму разу всех родных и близких покойного, — пояснил Дронго, — а заодно составили список всех его соседей.

— Это, конечно, продуктивно, но малоэффективно, — возразил отец, — знаешь, я начинаю понимать, в чем твоя проблема. Ты действительно слишком часто проводишь время за рубежом. Там твои эффектные трюки на публику еще срабатывают, а здесь, когда нужно небольшое знание местных обычаев, ты теряешься. Это не очень хорошо, тебе не кажется, что ты несколько оторвался от своих родных мест?

— Кажется. Слава Богу, что мне нечасто приходится работать именно в Баку. Здесь бывает не так много по-настоящему сложных преступлений.

— Вот-вот. А это убийство ты считаешь очень сложным. Я тебя всегда учил мыслить нестандартно, уметь замечать мелочи, но всегда находить собственный путь. Кажется, я немного перестарался.

— Что ты хочешь этим сказать?

— Если бы ты был внимательнее, ты бы мог сам ответить на мой вопрос. Кто еще, кроме родных и близких, мог появиться здесь вечером или ночью, не вызывая подозрений у соседей?

— Не знаю, я думал, электрики или местные представители власти.

— Ночью, — фыркнул отец, — я же говорю, что твое умение мыслить нестандартно однажды приведет тебя к плачевным последствиям. Посмотри во двор, что ты там видишь?

— Дом, двор, палатку, сарай...

— Еще что? — требовательным голосом спросил отец.

Касумов, заинтересовавшись, подошел ближе.

— Бассейн...

— Какой бассейн?

— С водой... с питьевой водой... — Он замер, пораженный.

— Вот именно, — торжествующе сказал отец, — ты привык к тому, что на Западе, где ты так любишь бывать, бассейн — это место для плавания. И только для плавания. А в Нардаране живут по старинке. Здесь купаются не в бассейнах, а в море. А в бассейнах хранят питьевую воду, которую используют на нужды хозяйства. Но в бассейне погибшего воды нет.

— Как ты догадался?

— Посмотри на дымящийся самовар. Рядом стоят привезенные бидоны с водой. Я специально подошел к бассейну, посмотрел внутрь. Там почти нет воды. А ведь бассейн был единственным водным резервуаром для большого хозяйства погибшего. Он не купался в бассейне, а использовал воду на личные нужды. Я прошел к соседям и довольно быстро выяснил, что воду им привозили три дня назад вечером. Как раз в день убийства. У всех соседей бассейны стоят наполовину полные и только в доме убитого в бассейне нет воды. А ведь по местным правилам в нардаранские дома воду привозят обычно один раз в неделю.

Он достал платок, не спеша вытер лоб. Отец никогда не выходил из дома без элегантной шляпы, которую он умел носить с неподражаемым изяществом старых аристократов. В летние дни он иногда разрешал себе ходить в кепке, но любимым головным убором все равно оставались шляпы, немного похожие на цилиндры, в которых ходили в девятнадцатом веке. Отец убрал платок и продолжал говорить:

— Обратите внимание, что бассейн был пуст. Покойный вряд ли мог израсходовать целый бассейн воды после своей смерти. Значит, водовоз до него просто не доехал. Обычные водители водовозов — это местные жители из соседних сел, которые днем развозят воду на заказ, а вернувшись поздно вечером, сливают цистерны с водой своим соседям, чтобы не делать порожних рейсов. Кто мог подъехать к дому, не вызвав подозрений, шум какой машины любой сосед в Нардаране сочтет нормальным? Только водовоза. Только привезенной воды. Поэтому не лаяли и собаки. На воду собаки не лают, тем более если водитель знакомый и раньше тоже привозил сюда воду. Вот и вся твоя разгадка. Проверьте всех водовозов, которые могли быть здесь в ночь на первое апреля, и наверняка найдете если не убийцу, то хотя бы сообщника преступления.

Эльдар стоял в позе пораженного ударом человека. Он медленно повернул голову к Дронго и изумленно спросил:

— Это он говорил серьезно?

— Он всегда серьезен, — улыбнулся Дронго.

— А на будущее учти, — добавил отец, — что, кроме привычного анализа, нужно уметь правильно оценивать местные условия, обстановку, все, что тебя окружает. Убийство в Лондоне или в Нардаране — это совсем разные вещи. И даже в центре Баку ситуация совсем не та, что может сложиться в этом поселке. Надеюсь, на будущее ты это учтешь? Где наша машина?

— Вон там, — шепотом произнес Касумов.

Отец повернулся и пошел к машине. Дронго двинулся следом.

— Подождите, — схватил его за руку Касумов, — вам не говорили, что ваш отец — гений?

— А вот это совсем напрасно, — услышав его фразу, отец повернулся к нему лицом. — На самом деле я всего лишь внимательный наблюдатель. Зато он разбирается в таких вещах гораздо лучше меня. Просто иногда он торопится и не хочет обращать внимания на мелочи. А вообще-то я сделал выводы благодаря его обстоятельному рассказу. Мне оставалось только расставить акценты.

Дронго пожал плечами и шепотом сказал Касумову:

— Позвоните мне завтра. Надеюсь, теперь вам будет гораздо легче найти убийцу, — с этими словами он поспешил за отцом. Уже сидя в машине, он тихо признался: — По-моему, ты был сегодня в ударе.

— Нет, — ответил отец, — ты был совсем маленьким, когда умер твой дедушка. Вот это был человек. Он был настоящим гением. А мы всего лишь жалкие подражатели. Но у тебя еще есть шанс немного отличиться.

Дронго улыбнулся, и больше они не сказали друг другу ни слова, пока машина не въехала в город.

ЧАСТЬ ВТОРАЯ

ГОРОД НЕНАВИСТИ

Москва. 5 апреля 1997 года

Уже несколько дней полковник Мовсаев со своей группой пытался выяснить, какие грузы переправлял в Баку прибывший всего на один день в столицу России турецкий гражданин Натиг Кур. Проверка грузов на таможне аэропорта Домодедово подтвердила, что турецкий гражданин не привозил и не декларировал никакого дополнительного багажа во время прибытия в Домодедово. Следовательно, за одну ночь он сумел приготовить три ящика, которые проследовали с ним рано утром из Шереметьево-один.

В Баку был выслан срочный запрос на Сабирова, но ответа до сих пор не было. Мовсаев понимал, что любой ответ его не удовлетворит. Независимо от того, кем приходился заместитель председателя комитета турецкому гражданину, это была внутренняя проблема Азербайджана. А вот вывезенный груз был головной болью российских спецслужб, и нужно было максимально точно выяснить, какого рода грузы вышли из Москвы и, минуя таможенный досмотр, оказались в Баку и почему террористы, столь изощренные в выдумках, рискнули прислать своего человека всего на один день. Было ясно, что речь идет о чрезвычайном грузе, столь необходимом для террористов.

Они еще раз выехали в Шересметьево, чтобы допросить носильщиков, работавших в тот день на погрузке багажа в депутатской комнате, где были свои прикрепленные люди. Никитин проверил по спискам всех дежуривших в то утро сотрудников и распорядился, чтобы их вызвали в кабинет руководителя службы безопасности. Мовсаев приказал вызвать в первую очередь носильщиков багажа. В комнату вошли двое, один постарше, ему было лет пятьдесят, другой помоложе, ему было лет тридцать пять. Оба испуганно смотрели на сидевших в комнате людей.

— Может, вызывать их по одному? — шепотом предложил Никитин.

По правилам предусматривался допрос каждого свидетеля в отдельности, чтобы потом иметь возможность проверить их показания, но полковник покачал головой.

— Может, они помогут друг другу, — мрачно предположил он. — Садитесь, — показал он обоим на стулья. Носильщики осторожно сели. Присутствующий здесь же Тавроцкий нахмурился.

— Вам уже объяснили, зачем вы нам нужны? — спросил Мовсаев.

— Объяснили, — кивнул тот, что постарше, с несколько красноватым лицом. У него были бегающие глазки.

— Вы дежурили девятнадцатого утром? — уточнил полковник.

— Мы. Нас уже об этом спрашивали.

— Как вас зовут?

— Николай Константинович.

— Вспомните, Николай Константинович, рейс на Баку. Утром девятнадцатого. Это вы работали в тот день?

— Да, вроде наша смена была.

— Вроде или ваша?

— Наша, — кивнул свидетель, — мы проверяли по графику.

— Значит, вы отправляли грузы всех пассажиров, находящихся в тот день в зале для официальных делегаций. Верно?

— Выходит, что да.

— Теперь, Николай Константинович, постарайтесь вспомнить, какой груз вы отправляли в тот день в Баку. Много было багажа?

— Да у них всегда много багажа бывает, — хитро прищурив глаза, уклонился от ответа допрашиваемый.

— Ты дурака не валяй, — строго посоветовал Тавроцкий, — тебя по важному делу сюда вызвали. Рассказывай, что знаешь.

— Я и говорю, что много багажа бывает. И все мы аккуратно отправляем.

Мовсаев переглянулся с Никитиным, потом спросил:

— Интересующие нас люди вылетели в Баку утром девятнадцатого марта рейсом Аэрофлота. У них были не обычные чемоданы, а, судя по рассказу таможенников, три больших ящика, которые не досматривались. У вас ведь не каждый день грузятся на обычный пассажирский рейс большие деревянные ящики.

Он заметил, как дернулся молодой парень. Но промолчал. Николай Константинович снова хитро прищурился.

— Были, кажись, какие-то ящики. Все не упомнишь.

— А вот ваш молодой коллега о них помнит, — вдруг громко сказал Никитин.

Все сразу посмотрели на молодого человека. Тот испуганно дернулся еще раз, глянул на Николая Константиновича, опустил голову.

— Были ящики или нет? — повысил голос Тавроцкий.

— Чего уж там, — нерешительно произнес молодой носильщик, обращаясь к Николаю Константиновичу, — ты ведь помнишь про ящики. Видимо, важное дело, раз спрашивают.

— Очень ты умный, — разозлился тот, — у тебя память молодая, ты все им и рассказывай. А я не помню.

— Сколько было ящиков? — уточнил Мовсаев.

— Кажется, три, — ответил молодой человек, — но там были еще и чемоданы.

— Какие чемоданы?

— Не помню, два или три чемодана.

— Цвет какой? Вы ведь профессионалы, должны помнить.

— Два черных больших чемодана, кажется, фирмы «Делсей». Такие часто попадаются среди багажа. И один чемодан был коричневый, из мягкой кожи, такой обычный, простой, запирающийся на замок. Мы даже удивились, увидев этот чемодан.

— Сколько было пассажиров на Баку в тот день? — спросил Мовсаев у Тавроцкого.

— Мы все проверили, четверо. Одна семейная пара и двое наших гостей. У семейной пары в багаже отмечено два места, значит, эти чемоданы могли принадлежать им. А третий чемодан был наверняка того самого пассажира, который летел в паре с интересующим нас типом.

— Это еще нужно уточнить, — возразил полковник и снова посмотрел на носильщиков. — Зна-

чит, ничего так и не вспомнили, Николай Константинович?

— Были, — сказал тот не смущаясь, — были
три ящика.

— Кто их вез к самолету?

— Ну я и вез.

— Тяжелые были ящики?

— Очень тяжелые, — выдохнул Николай Константинович.

— А в багажной квитанции указано, что вес
груза обоих пассажиров был всего сто килограммов.
Значит, учитывая, что оба пассажира летели биз-
нес-классом и могли провезти бесплатно по тридцать килограммов, они заплатили всего за сорок.
Все правильно?

— Правильно, — кивнул носильщик.

— Получается, что каждый ящик весил всего
двадцать — двадцать пять килограммов, — продолжал полковник, — какого размера были ящики,
можете показать?

— Примерно сантиметров восемьдесят, —
вспомнил Николай Константинович, — а может,
и немного больше.

— Да нет, — уверенно сказал его молодой напарник, — больше метра были, мы еще принимать
не хотели.

Мовсаев с Никитиным переглянулись.

— А когда оформлялся груз, вы где были? —
спросил у молодого носильщика полковник.

— Рядом стоял, — тот взглянул на своего опыт-
ного товарища, но ничего больше не сказал.

«В чем дело? — подумал полковник. — Что они
скрывают?»

— Какой высоты были ящики? — уточнил он.

— Примерно такие, — показал рукой Николай Константинович, — около полуметра.

— А ширина?

— Да примерно столько же, — ответил носильщик, не подозревая, какую ловушку готовит ему полковник.

— Так вот, — подвел итог Мовсаев, — если ящики были из дерева и были набиты даже ватой, то и тогда они вряд ли могли весить двадцать килограммов. Все пятьдесят, не меньше.

Николай Константинович ошеломленно посмотрел по сторонам, потом на своего молодого товарища. Потом нерешительно спросил:

— Почему пятьдесят?

— Или больше? — напирал полковник. — Вы умышленно занизили вес груза, чтобы пассажиры не платили слишком большую пошлину. Правильно или нет?

Носильщик молчал. Полковник сказал что-то на ухо Тавроцкому, и тот, шумно поднявшись, вышел из комнаты.

— Послушайте, Николай Константинович, — четко произнес Мовсаев после ухода начальника службы безопасности, — я обещаю, что никто не станет вас упрекать за это маленькое надувательство. Это не наше дело. Мне нужно точно знать, какой тяжести были ящики и как они выглядели. Это очень важно. Ведь груз взвешивается прямо при входе в зал, внизу у лестницы, я там видел ваши весы. И вы сами отмечаете вес багажа, после чего вы передаете сведения наверх. Мне нужна правда.

— Говори, Николай Константинович, — попросил молодой, — видишь ведь, важное дело.

— Ну, были ящики немного тяжелее, — признался носильщик, — я о людях подумал, решил, зачем им платить так много.

— Вы прямо святой, — пошутил Мовсаев и резко спросил: — Сколько весили ящики? Только честно. Сколько? И не врите, я все равно узнаю.

— Ну немного завысили.

— Сколько весили ящики?

— Ну килограмм по пятьдесят.

— Сколько?

— Около двухсот, — наконец признался носильщик.

— Они вам заплатили, — кивнул Мовсаев, — все правильно, — сказал он, обращаясь к Никитину, — мы тут гадаем, какие были грузы, а нужно просто дать сто долларов носильщику, и он оформит вам любой вес, изменив его в багажной квитанции. Сколько они вам заплатили?

— Ничего не платили, — твердо сказал Николай Константинович, — может, я ошибся, немного сбавил вес, но мне ничего не платили.

— Ладно, — махнул рукой полковник, — это не так важно. Теперь подробно опишите ящики. Какого цвета они были?

— Да из дерева были. Из обычного дерева. Я думал, там книги. Мне пассажиры так и сказали, что книги.

— И поэтому они попросили вас сбросить лишний вес? — усмехнулся полковник.

— Нет, не поэтому. Многие просят об этом. А я из-за пяти-десяти килограммов уважаемых людей не заставляю в кассу бегать, лишний вес оплачивать. У депутатов груз вообще не взвешиваем.

— Пять-десять килограммов, — передразнил его Никитин, — ты на сто килограммов занизил общий вес.

— Ошибся, — упрямо повторил носильщик.

— Еще раз вспомните, Николай Константинович, — повторил полковник, — как выглядели ящики?

— Деревянные ящики, перевязанные железной лентой, — нахмурился носильщик.

— Какие-нибудь надписи были?

— Кажется, нет.

— Вспоминайте конкретнее.

— Не было. Хотя на одном ящике была какая-то надпись. Ах да, там указывалось, что в ящиках стекло. Их нельзя бросать и переворачивать. Обычный знак тары.

— И больше ничего?

— Точно. Больше ничего.

— Вы погрузили все в багажное отделение?

— Да, как обычно. Прикрепили таблички «VIP», как обычно делаем, когда груз идет через наш зал. И все погрузили в самолет.

— С пассажирами после этого виделись?

— Не помню.

— Виделись или нет?

— Кажется, да. Они стояли на трапе, и я крикнул, что все в порядке. Мы ящики с трудом подняли и в самолете укрепили.

— И они вам еще заплатили?

— Этого не было, — сказал Николай Константинович, — чего не было, того не было. Может, я ошибся с общим весом, но деньги я не брал. Это у нас запрещено.

— Ну да, вы грузили эти ящики просто так, из-за хорошего отношения к клиентам, — махнул рукой Мовсаев, — и еще один вопрос. Ящики привезли сами пассажиры?

— Да, конечно. Они и привезли.

— Сами несли ящики?

— Нет, двое ребят привезли. Они ящики по одному принесли и все у нас сложили.

— А какие ребята были?

— Нормальные, — удивился носильщик, — молодые ребята.

— Национальности какой? Темные, светлые?

— Да нет, темненькие были. Кажется, их земляки, говорили на своем языке, что-то все время спрашивали, я ничего не понимал.

— Если увидите, сможете их опознать?

— Пожалуй, нет. Они сразу ушли.

— А вы? — обратился к молодому Мовсаев.

— Нет. Я их почти не видел, только со спины. Они принесли ящики и ушли.

— И на какой машине приехали, вы не видели?

— Нет. Автомобили стоят на улице, а ящики несли к нам сами пассажиры. Эти двое, наверное, их водители были или помощники.

— Понятно, — подвел итог полковник. — Хорошо, — сказал он, — можете идти. Завтра за вами заедет наша машина, и вы постараетесь описать молодых людей, которые приносили ящики. Расскажете, что помните. И заодно опознаете по фотографиям пассажиров, если, конечно, вы их тоже вспомните. Можете идти.

Носильщики встали и по одному вышли из комнаты.

— Нужно узнать, что было в этих ящиках, — мрачно сказал Мовсаев. — Заодно срочно вышли запрос в Баку. Пусть пришлют фотографию этого Сабирова. Может, и его подменили в пути. Судя по всему, они готовят очень крупную акцию. Теперь я понимаю, почему так беспокоятся в МОССАД.

223

Террористы разыгрывают свою игру по заранее разработанному сценарию. И обрати внимание, пока у них не было ни одного прокола.

Баку. 5 апреля 1997 года

Установить, кто привозил воду в тот вечер в Нардаран, было совсем нетрудно. Выяснилось, что именно вечером первого апреля в поселок приезжали две машины с водой. Водитель одной из них был местный житель, пятидесятипятилетний Бейбала, отец двенадцати детей, который работал на своем автомобиле уже больше двадцати лет. Вторым был молодой парень из приезжих, имени которого многие соседи не знали. Лишь один вспомнил, что этот водитель работал раньше в аэропорту и его звали Шариф.

Теперь оставалось выяснить, на какой конкретно машине работает Шариф. Около десяти часов утра был установлен и номер машины молодого водителя. В одиннадцать часов утра через местную полицию удалось установить, где проживает Шариф, и в половине двенадцатого к нему выехала оперативная группа на двух автомобилях. Касумов решил сам возглавить группу. К полудню они приехали в другой бакинский поселок — Бузовны, где в общежитии, предоставленном для беженцев, жил и неизвестный Шариф.

Поиски парня ни к чему не привели. Соседи в один голос утверждали, что молодой водитель уехал сегодня рано утром и с тех пор не возвращался домой. Собственно, домом общежитие можно было назвать с очень большой натяжкой. Место проживания беженцев нельзя было назвать даже общежитием. За последние восемь лет после начала карабахской войны в Азербайджане было около миллиона беженцев, многие из них стремились осесть в Баку.

Вокруг города возникли палаточные городки беженцев, все общежития, дома отдыха, пионерские лагеря были отданы для беженцев, число которых непрерывно росло. В таких условиях размещать людей с комфортом невозможно, и многие были рады элементарной крыше над головой. Баку конца века был городом еще более разительных контрастов, чем в начале века. Здесь росло число миллионеров, строились офисы и банки, возводились элитарные дома, в казино проигрывались сотни тысяч долларов. И в этом же городе без работы и без средств влачили жалкое существование десятки, сотни тысяч людей, часто не имеющих даже крыши над головой.

Касумов распорядился сообщить в автоинспекцию о срочном задержании автомобиля Шарифа, где бы он ни находился. В условиях послераспадного периода самой стабильной структурой правоохранительных органов, работающей с неизменным рвением, были сотрудники ГАИ, мздоимство которых превосходило все мыслимые степени и принимало откровенно вымогательский характер. Но сама структура работала, несмотря на все сложности. И довольно скоро Касумову сообщили, что автомобиль задержан на проселочной дороге.

Их автомобиль немедленно рванулся в сторону поста ГАИ, где ожидала задержанная машина. От нетерпения Касумов постукивал пальцами по переднему сиденью. Он традиционно садился на заднее сиденье. Машина подъехала к предполагаемому месту через двадцать минут после полученного сообщения, но, кроме полицейского «жигуленка», других автомобилей здесь не было.

— Где водовоз? — закричал Касумов, выскакивая из машины. За ним вышли двое его сотрудников.

— Какой водовоз? — спросил, растягивая слова, старший лейтенант полиции, похожий на куклу: с круглым лицом, будто наклеенными усиками и круглыми, немного навыкате глазами.

— Где машина? — заорал Касумов.

— Где машина? — повернулся к своему сержанту офицер полиции. — Вы ее отпустили?

— Мы остановили машину, все проверили, как нам и приказывали, начальник, — доложил сержант, вытягиваясь перед офицером, — но все было в порядке.

— Вы его отпустили? — выдохнул Касумов.

— Мы проверили его документы, права. Все было в порядке, — начал повторяться сержант. Офицер полиции стоял, с жуликоватым видом глядя на сотрудников Министерства национальной безопасности.

— Как вы могли его отпустить? — разозлился Касумов, обращаясь к офицеру. — Вы же получили наш приказ.

— Я в это время разговаривал с другим клиентом, — начал объяснять офицер, — и не видел, как мой сержант его отпустил.

— С клиентом? — передразнил Касумов. — У вас все водители клиенты.

— Ах ты подлец, негодяй! — закричал нарочито громко офицер полиции на своего сержанта. — Ты почему его отпустил?!

— Оставьте этот спектакль, — поморщился Касумов, — можно подумать, вы отпустили его даром.

Наверное, в кармане у тебя, подлеца, все еще хрустят доллары, которые он тебе заплатил. В какую сторону он поехал?

— Не видел, — сделал еще более круглые глаза кукольнолицый.

— Сукин сын! — бросил ему Касумов, усаживаясь в машину. — Давайте, ребята, быстрее в сторону города. Может, успеем перехватить.

Когда их автомобиль отъехал, старший лейтенант, улыбаясь, сказал своему подчиненному:

— Я их хорошо знаю. Только ругаться могут. А сами деньги берут больше нашего. Просто вид делают, что честные.

— А где моя доля? — деловито спросил сержант.

— Потом отдам, — отмахнулся офицер, — смотри, какая машина едет. Кажется, «БМВ». Давай тормози.

— У нее государственный номер, — отмахнулся сержант.

Офицер немедленно вытянулся и отдал проезжающей машине честь. Его явно не смущало, что машина неслась на куда большей скорости, чем это было дозволено местными правилами. Офицер, улыбаясь приклеенными усами, проводил взглядом автомобиль.

— Опять передают, — сказал сержант, — опять эти психи из МНБ требуют у всех постов остановить водовоз.

— Дураки, — презрительно сказал старший лейтенант, — вот такие дураки там и работают. Я вчера встречался с одним таким дураком. Он журналист, но ничего не понимает в жизни. Мы с ним договорились, чтобы я ему заплатил за его комнату, а я начал умолять, что у меня денег нет. Вот этот дурак и поверил. Десять тысяч долларов просто так скостил, поверил мне на слово.

— Повезло, — восхищенно сказал сержант.

— Конечно, повезло, — кивнул офицер, — дураков всегда хватает.

— А если они на нас пожалуются? — опасливо спросил осторожный сержант.

— Ничего не будет. Машину мы задержали, все документы проверили. Он же не будет всем рассказывать, что дал нам двести долларов, даже если его поймают. А если они пожалуются, мы все объясним начальству. Не бойся, со мной не пропадешь.

С этими словами он сунул руку в карман и потрогал две сотенные бумажки, полученные от молодого водителя. «Какие наглые эти водовозы, — подумал он с умилением. — Когда их останавливаешь, даже одного ширвана[1] не допросишься. А у этого в кармане стодолларовые купюры были. Больше нужно с них денег брать. Им, наверное, дачники много платят. Вообще, в последнее время все эти водители так обнаглели, что уже и платить не хотят. Каждый, кого останавливают, называет имя какого-нибудь начальника и отказывается платить».

— Повезло, — снова услышал он голос сержанта.

— Ты про что? — спросил он, насторожившись.

— Я про журналиста, — напомнил сержант.

— Ах да, — облегченно вздохнул офицер, — смотри, вон идут «Жигули». Кажется, с грузом...

---

[1] Ширван — местная валюта. Десять тысяч манат, что равно примерно двум с половиной долларам.

— Он обычно арбузы перевозит со своей дачи. Я его знаю.

— Давай останови. Как раз сделаем деньги и для тебя.

— Он больше одного ширвана не даст, — лениво сказал толстый сержант, отходя от своей машины.

— Ничего! — крикнул офицер. — Мы не жадные. Это тоже деньги.

Москва. 6 апреля 1997 года

В это воскресенье полковник Мовсаев должен был встретиться с бывшим сотрудником четвертого отдела Первого главного разведывательного управления КГБ СССР. Он был одним из тех, кто обеспечивал связь между восточногерманской разведкой и разведкой бывшего СССР. Четвертый отдел ПГУ курировал вопросы, касающиеся обеих Германий и Австрии. Многие специалисты по восточногерманским отношениям ушли на пенсию или в отставку после развала Германской Демократической Республики. Сотрудники четвертого отдела ПГУ еще за два года до падения Берлинской стены предупреждали советское руководство о необходимости коренных реформ в ГДР, но их голос не был услышан ни в Москве, ни в Берлине. К тому же Горбачев и Шеварднадзе считали, что перестройка в ГДР должна развиваться по их собственному сценарию, и в результате сначала развалили восточный блок, а затем и собственную страну.

Мовсаев с Никитиным выехали за город, чтобы встретиться с бывшим сотрудником четвертого отдела, полковником в отставке Якимовым, который раньше занимался обеспечением связи через разведку ГДР с группой Ахмеда Мурсала. Они приехали на дачу в одиннадцатом часу утра и беседовали с хозяином дома около трех часов. Пока жена и невестка Якимова хлопотали на кухне, сам хозяин предложил пройти к беседке в саду, где их разговор никто не мог услышать. Это был еще полный сил пятидесятивосьмилетний мужчина с густой копной седых волос. Он внимательно выслушал сообщение Мовсаева о том, что их интересует личность Ахмеда Мурсала, и согласился ответить на все вопросы.

— Мы с ним познакомились еще в восемьдесят шестом, — начал рассказывать Якимов, — он тогда впервые приехал в Восточную Германию. В голове у него была каша. Такая своеобразная мешанина из социалистических, анархистских, леворадикальных и исламских воззрений. Он сам из Ирака, его родители уехали оттуда, когда он был ребенком. Меня поразило, что он довольно неплохо говорил по-немецки. Позже я узнал, что он хорошо владеет, кроме своего родного арабского, еще и английским, французским и фарси. Для обычного террориста это был очень приличный уровень. Наше руководство тогда считало, что из него может получиться неплохой арабский лидер с социалистическим уклоном. Первое время он действительно употреблял социалистическую риторику.

Но уже тогда стало ясно, что мы ошибаемся. В восемьдесят седьмом он жестоко расправился с двумя своими сторонниками, которых заподозрил в связях с противоборствующей группировкой. Уже тогда Маркус Вольф высказывался очень резко против сотрудничества с Ахмедом Мурсалом. От него террорист и получил свою кличку Мул. Знаете, почему у него такая кличка? — вдруг улыбнулся Якимов. — Ее предложил сам Вольф. Он считал, что мы пытаемся просчитать все варианты и создать из Ахмеда Мурсала нового союзника, как в знаменитой книге Азимова, когда основатели академии пытаются все просчитать, но неожиданно появляется такой неучтенный фактор, как Мул. Так вот, Вольф считал, что Ахмед Мурсал именно такой неучтенный фактор и ему нельзя доверять.

Уже тогда мы стали опасаться этого типа и окончательно отказались от сотрудничества с ним, когда узнали, что он в восемьдесят девятом году вышел на связь с пакистанской разведкой, а после нашего ухода из Афганистана стал появляться в этой стране, явно не испытывая симпатии к Наджибулле. Позже, по некоторым сведениям, он принял деятельное участие в подготовке специальной группы пакистанских наемников для расправы с бывшим лидером Афганистана. Но это уже для меня были слухи, так как я уже тогда не работал.

Я встречался с ним дважды. Он произвел на меня впечатление несколько неуравновешенного человека.

— В каком смысле? — уточнил Мовсаев.

— Он был нервный, легковозбудимый. Чувство опасности у него на уровне подсознания. Он чувствует чужого человека кожей, каким-то неведомым нам энергетическим полем. Неплохо продумывает варианты подготовки, которые отличаются масштабностью, особой дерзостью. Иметь такого союзника очень хлопотное дело. Иметь такого врага — самая сильная головная боль.

— Кроме вас, он с кем-нибудь встречался из сотрудников ПГУ? — спросил Мовсаев.

— Кажется, да. С полковником Гарри Крымовым. Но тот умер четыре года назад. А почему вы спрашиваете?

— Есть основания предполагать, что он имеет связи с кем-то в нашей стране. Или в нашем городе.

— Не исключено. У него был довольно большой круг общения. Но из нашего отдела с ним никто больше не встречался. Это абсолютно точно. В конце восьмидесятых мы начали «перестраиваться», — усмехнулся Якимов, — от нас требовали не выходить на прямые связи с представителями разного рода одиозных группировок. Мы знали, что группа Ахмеда Мурсала причастна к некоторым террористическим акциям в самом Израиле, а как раз в это время наше правительство начало налаживать дипломатические отношения с этой страной и мы должны были быть особенно осторожны. Нет, я убежден, что он ни с кем больше не встречался. Во всяком случае, из сотрудников нашего отдела, прошу прощения, бывшего отдела.

— А с кем еще он мог познакомиться?

— Не знаю. Нужно проверить, кто из бывших сотрудников восьмого и восемнадцатого отделов ПГУ мог с ним встречаться[1].

— Проверим, — кивнул Никитин, делая пометку в своем блокноте.

— Его сообщники получили какой-то важный груз в Москве и вывезли его через Баку в Сирию, — пояснил Мовсаев, — как вы думаете, что это могло быть?

---

[1] Восьмой отдел ПГУ курировал вопросы отношений с неарабскими странами Ближнего и Среднего Востока, включая Иран, Израиль, Афганистан, Турцию. Восемнадцатый отдел ПГУ занимался вопросами отношений с арабскими странами.

— Не представляю. Но, думаю, не оружие. Зачем ему вести отсюда оружие, когда его можно купить где угодно. Может, какие-нибудь документы или нечто другое. Нет, не представляю.

— Вы можете вспомнить кого-нибудь из его сообщников или наиболее видных союзников?

— Конечно, Красавчик. Это чудовище. Абсолютный садист, получающий удовольствие от мучений своих жертв. Мне до сих пор непонятно, что может связывать двух таких людей, но он предан своему хозяину. Кажется, его звали Фахри. Его досье должно быть в вашем архиве.

Никитин сделал еще одну пометку.

— Еще кого-нибудь можете вспомнить?

— Нет. Но знаю, кто может выдать вам еще более полное досье. Это МОССАД. Они наверняка ищут Мула по всему миру. Он им слишком «дорог» и, судя по тому, как они работали раньше, израильтяне не успокоятся до тех пор, пока не найдут и не уничтожат Ахмеда Мурсала.

Мовсаев взглянул на Никитина и незаметно кивнул ему.

— Простите, — вдруг спросил Якимов, — вы не родственник чеченца Мовсаева?

— Нет, — улыбнулся полковник, — я его однофамилец. Мне часто задают этот вопрос. Вы считаете, что у МОССАД с ним особые счеты?

— Безусловно, — кивнул Якимов, — и они наверняка знают, что он имел с нами контакты и попытаются выйти в том числе и на вашу службу.

Мовсаев снова взглянул на Никитина, и Якимов заметил этот взгляд. Он легко усмехнулся.

— Кажется, они уже это сделали, — произнес он, обращаясь к своим гостям. И в этот момент жена Якимова пригласила их к столу.

Все трое поднялись. Мовсаев обратился к хозяину дачи:

— И последний вопрос. Как его можно остановить?

— Кого? — повернулся Якимов. — Вы спрашиваете о Муле? Да никак. Я же сказал, что он упрямый и настойчивый тип. На него трудно подействовать методом убеждения. Единственное, что его по-настоящему может остановить, — это пуля между глаз.

— Убедили, — угрюмо кивнул Мовсаев, — я как раз подумал об этом.

Баку. 6 апреля 1997 года

В этот день Дронго улетал в Сирию. Вчера он так и не дождался звонка Касумова с сообщением о новых фактах в расследовании убийства в Нардаране. Звонок так и не последовал. Сегодня утром он встал пораньше, чтобы успеть съездить к родителям попрощаться перед вылетом в Сирию. Самолеты летали не в Дамаск, а в Алеппо, откуда нужно было добираться до столицы Сирии на автобусах.

Приехав к родителям, он успел позавтракать, ничего не говоря отцу о результатах расследования. Пока наконец тот сам не поинтересовался:

— Нашли убийцу?

— Они мне пока не звонили, — признался сын.

— Значит, еще не нашли, — кивнул отец. — Ты хоть помнишь, что завтра твой день рождения?

— Конечно, помню.

— Мог бы вылететь в Сирию и через неделю, — ворчливо заметил отец, понимая, что сын никогда не поступит таким образом.

— Мы отметим мой день рождения после возвращения, — пообещал Дронго.

— Только постарайся, чтобы там было немного поспокойнее, чем в Иране, — пожелал на прощание отец.

Мать уже приготовила кружку воды, которую выливали на дорогу, по традиции желая доброго пути. Дронго вышел из дома, чувствуя легкое недоумение: все-таки Касумов должен был сообщить хоть о каком-нибудь результате, пусть даже отрицательном. Он взял у водителя мобильный телефон и набрал номер Эльдара Касумова. Тот ответил почти сразу.

— Доброе утро, — сказал Касумов, — я собирался как раз вам звонить.

— Нашли кого-нибудь?

— Нашли. Шариф Ахмедов, водитель водовоза, проживает в общежитии в Бузовнах. Из беженцев. Только недавно стал работать на водовозе. Вчера мы передали сообщение по всему городу задержать его машину в случае обнаружения.

— Ушел?

— Хуже. Его задержали сотрудники ГАИ и отпустили, очевидно, взяв крупную взятку. Теперь он наверняка знает, что мы его ищем. И где-нибудь прячется.

— У него есть семья?

— В том-то все и дело, что нет. Тетя и двоюродные братья не в счет.

— Тогда он может не вернуться в общежитие, — подвел неутешительный итог Дронго.

— Вот-вот, поэтому мы и пытаемся выйти на него. Проверяем его прежние места работы. Раньше он работал водителем в аэропорту.

— Где?

— В аэропорту.

Дронго молчал. Очевидно, Касумов сам начал что-то прикидывать.

— Я понял, — сказал он, — вы думаете, кто-то был связан с аэропортом?

— Обязательно связан, — убежденно сказал Дронго. — Сначала придумали эту аферу с паспортами, потом провели груз в Москве через депутатскую, приняли его здесь. И возможный убийца или сообщник убийцы работал в аэропорту. Все сходится, Касумов. Тебе нужно серьезно проверить именно аэропорт. Вполне возможно, что комбинацию с паспортами мог придумать человек, имеющий отношение к проверке документов на границе.

— Да-да, обязательно, — согласился Касумов, — мы все проверим.

— И еще одно обстоятельство, — напомнил Дронго перед тем, как положить трубку, — если он беженец, то вряд ли захочет так просто расстаться со своей машиной. Ты же знаешь, что они платят за автомобиль большие деньги. Значит, он либо будет искать покупателя, либо спрячет его где-нибудь. Думаю, он сам не убивал. Он бы не рискнул оставить машину без присмотра рядом с домом убитого, чтобы потом его могли опознать. Скорее всего он привез убийцу и встал у соседей, решив не подъезжать к тому дому и даже не наполнять его бассейн водой, чтобы иметь своеобразное алиби. Да, он надеялся таким образом обеспечить свое алиби, а получилось, что это улика против него.

— Сейчас мы все проверяем, — ответил Касумов, — думаю, к вашему возвращению все выясним.

— А я постараюсь приехать раньше. Чего мне там делать целую неделю. Прилечу через Тегеран.

— Успехов вам, — пожелал на прощание Касумов.

— До свидания.

Он положил трубку и, подумав немного, набрал уже другой номер. Это был телефон израильского посольства в Азербайджане.

— Доброе утро, — поздоровался Дронго, — мне нужен Павел Гурвич.

— Кто? — не понял дежурный.

— Песах Гурвич, — вспомнив о новом имени своего друга, сказал Дронго.

— Оставьте свой телефон, он вам перезвонит, — пообещал дежурный. Они не давали телефоны сотрудников посольства и командированных из Израиля людей. Лишь проверив, кто именно звонил, разрешали своим сотрудникам перезванивать. На визитных карточках сотрудников посольства всегда стоял только дежурный телефон.

Гурвич действительно перезвонил через десять минут.

— Я улетаю в Дамаск, — сообщил Дронго, — собираюсь все выяснить на месте.

— Жаль, что не могу лететь с тобой, — вздохнул Гурвич, — в следующий раз выбери такую страну, чтобы мы могли полететь вместе. А Иран или Сирия слишком неподходящие для меня места.

— Обязательно, — засмеялся Дронго.

— Ты собираешься там оставаться неделю?

— Почему неделю?

— Следующий самолет из Алеппо прилетит только через неделю.

— Нет, — сказал Дронго, — я собираюсь вернуться через несколько дней. Из Стамбула, — добавил он торопливо, твердо помня, что назвал Касумову Тегеран.

— Удачи тебе, — пробормотал Гурвич, — буду тебя ждать. И куда ты летишь, там тебя тоже будут ждать.

— Спасибо. Где именно?

— Завтра утром у места; о котором я тебе говорил. В десять.

— Я понял, — быстро ответил Дронго. — Если у тебя появятся какие-нибудь важные новости, можешь передать все моему отцу. Он в курсе моих дел.

— Я помню, — засмеялся Гурвич, — ты еще студентом дружил со своим отцом, рассказывал ему о своих похождениях.

— Скорее о своих трудностях, — отшутился Дронго и закрыл телефон.

Он вспомнил, о чем именно говорил ему Павел Гурвич. Летом восемьдесят первого их курс проходил военную подготовку где-то за городом, в палаточном лагере, откуда почти все будущие офицеры каждый вечер ходили в самоволку. По субботам и воскресеньям они вообще не приезжали в лагерь, разумеется, если не были назначены на дежурство или дневальными, а попросту сторожами пустых и часто изорванных палаток, стоявших без кроватей, печек, матрацев и одеял.

Военное руководство такой порядок более чем устраивал. Еду на четыреста человек и всю материальную часть на их снабжение офицеры клали в свой карман, закрывая глаза на отсутствие будущих офицеров запаса в лагере. Именно тогда Дронго, Гурвич и еще двое ребят решили отправиться на несколько дней в Ленинград. Тогда город еще так назывался. Они прибыли туда, поселились в одной из лучших тогда гостиниц, расположенной напротив Александро-Невской лавры, и на три дня устроили себе подлинный отдых, не отказывая ни в чем, в том числе и во встречах с представительницами прекрасного пола. Отец был тогда в командировке в Москве и, когда друзья полетели в Баку, Дронго приехал в Москву, поселился рядом с отцом, в соседнем номере. По привычке он в первый же вечер нашел девушку — это была обычная проститутка, работавшая в гостинице, — готовую утешить его молодую плоть за пятьдесят рублей. Для Дронго образца восемьдесят первого года это были огромные деньги, которых у него не было.

Он с трудом расплатился, поднял девушку к себе и пошел к отцу за деньгами. Отец открыл дверь, молча выслушал сына, попросившего сто рублей. Деловито спросил, словно не замечая состояния парня:

— За ужин ты расплатился?

— Конечно, — икнул сын.

— Зачем тебе сто рублей?

— На женщину.

Нужно себе представить степень наглости, если сын просит на «такое» деньги у отца. Любой другой отец из Баку, независимо от национальности, но впитавший в себя восточные, кавказские устои, испепелил бы его взглядом. По традиции в присутствии отца нельзя было даже доставать сигареты из кармана, а уже тем более говорить о таких вещах. Но отец только улыбнулся, достал из кармана пятьдесят рублей, протянул их сыну и сказал:

— Надеюсь, у тебя всего одна гостья. А для нее достаточно будет и пятидесяти.

Утром за завтраком в буфете сын не смел взглянуть в глаза отцу, пока тот первый не заговорил об этом:

— Ну как вчера было, неплохо?

— Ничего, — вздохнул сын, — могло быть и лучше.

— Это суррогат, — строго сказал отец, — я вчера специально ничего не стал говорить, даже не возражал, чтобы ты сам все понял. Это как механическая кукла, готовая исполнить любое твое желание. Выйдя от тебя, она через секунду готова отдаться другому клиенту! Никакого удовольствия от этого получить нельзя.

Сын молчал, опустив голову.

— Много лет назад, — продолжал отец, — я работал прокурором одного из районов. И ко мне приехали гости. Несколько парней и девушек. Среди них была одна, которая мне очень нравилась. У меня была маленькая двухкомнатная квартира, и я был тогда еще холостой. Мы весело провели время, достаточно невинно по сегодняшним меркам, рассказывая друг другу анекдоты за чаем и бутылкой вина. После отъезда гостей я нашел у себя в спальне под подушкой розу.

Сын поднял голову, посмотрел на отца.

— Воспоминание об этой розе, — продолжал отец, — греет меня до сих пор. Я до сих пор не знаю, кто ее оставил. Мне тогда очень хотелось надеяться, что это сделала именно та девушка, которая мне нравилась. Но в любом случае это было прекрасно. Надеюсь, ты меня понимаешь?

Вернувшись на сборы, Дронго рассказал об этой истории Гурвичу и теперь тот напомнил о событиях шестнадцатилетней давности. Дронго усмехнулся, вспоминая, какой простой казалась жизнь в двадцать два года и какой сложной она кажется ему теперь, с каждым прожитым днем. Он поднял трубку, еще раз набрал номер телефона. На этот раз это был телефон его родителей. Трубку поднял отец.

— Папа, — сказал Дронго, — я забыл поблагодарить тебя за поездку в Нардаран. Большое спасибо, ты нам очень помог.

— По-моему, несколько запоздалая благодарность, — иронически заметил отец, — но в любом случае, пожалуйста. И позвони нам сразу, как только приедешь, — добавил он на прощание.

Баку. 7 апреля 1997 года

Понедельник — всегда день тяжелый, и Касумов с самого утра ждал неприятных известий. Но к полудню стало ясно, что пока никаких известий нет, а это само по себе было самым неприятным известием. В два часа дня он выехал в аэропорт, чтобы проверить все на месте. Выяснилось, что Шариф Ахмедов работал обычным водителем на грузовой машине, прикрепленной к таможне. Работал недолго, около пяти месяцев, затем был уволен по собственному желанию. Касумов был местным жителем и понимал, как трудно устроиться беженцу на работу в таможню даже обычным водителем.

Таможенная служба и налоговая полиция были пределом мечтаний многих молодых и не только молодых людей, которые стремились попасть в эти организации на любые должности. Чтобы устроиться туда, человек должен был выплачивать невероятные деньги. Сумма взятки в зависимости от должности варьировалась до пределов в несколько сот тысяч долларов — самая высшая такса за назначение на руководящую должность.

Касумову было интересно, во-первых, как мог попасть в таможенную службу даже рядовым водителем бывший беженец, не имеющий бакинской прописки, и почему он ушел со столь «хлебного» места. Несмотря на все расспросы бывших руководителей Ахмедова, ничего выяснить не удавалось, пока наконец он не решил побеседовать с начальником смены, который работал в аэропорту несколько лет. Это был уже немолодой грузный мужчина, страдающий одышкой. Касумов беседовал с людьми в кабинете начальника службы безопасности аэропорта, и многие приходили с некоторым опозданием из-за плотного графика работы.

Ради справедливости стоит сказать, что у таможенников была исключительно тяжелая работа, за которую они получали даже не нищенское, а смешное вознаграждение, которого не хватало на пропитание семьи. И после повышения зарплаты сотрудники таможни не получали больше пятидесяти долларов, а это было очень мало при бешеных ценах на продукты питания.

Начальник смены явился с получасовым опозданием, не извинившись, прошел к столу, тяжело усаживаясь напротив Касумова.

— Вызывали? — коротко спросил он. — Я пришел. Моя фамилия Гулиев.

— Вы знали Шарифа Ахмедова, который работал на грузовой машине? — спросил Касумов, видя, в каком состоянии находится уставший начальник смены и решив не мучить его предварительными расспросами.

— Знал, кажется, — кивнул Гулиев, — но он уволился давно. Почему вы спрашиваете?

— Он работал в вашу смену?

— Обычно да. Нам бывает нужна грузовая машина, чтобы вывезти конфискованные грузы, разного рода контрабанду. Раньше мы оставляли все в аэропорту, но потом, когда начали пропадать грузы, мы решили складировать их в собственных хранилищах.

— Что вы можете о нем сказать?

— Парень как парень, — пожал плечами Гулиев.

— А почему он подал заявление?

— Не знаю, — коротко буркнул Гулиев, явно не собираясь развивать эту тему.

— Вы что-нибудь о нем сказать можете?

— Нет.

— Как он работал?

— Нормально, — односложно отвечал начальник смены.

— Ну хоть что-то вы можете сказать? — разозлился Касумов.

— Послушайте, — поднял на него глаза Гулиев, — у меня еще пять рейсов, полторы тысячи пассажиров. Почему вы думаете, что меня должен интересовать какой-то водитель грузовика?

— Но он работал в вашу смену.

— Я не был тогда начальником смены, — с раздражением заявил Гулиев, — я всегда был только заместителем.

— А кто был вашим начальником?

— Он уволился. Это не имеет никакого отношения к делу.

— Давно?

— Достаточно давно.

— И вы больше ничего не можете сказать об Ахмедове?

— Больше ничего. Я могу идти? — попытался подняться начальник смены.

— Нет, — отрезал Касумов. — На его заявлении вы поставили свою визу, что не возражаете против ухода. Почему вы решили его уволить?

— Он сам захотел. Вы же читали его заявление.

— Как вы думаете, он способен на убийство?

— Нет, конечно, — усмехнулся Гулиев, — абсолютно точно не способен. Он, по-моему, был еще и дезертиром, хотя все время это скрывал.

— У него были друзья?

— Меня мало волнуют личные проблемы наших водителей, — холодно парировал Гулиев.

— Но почему он ушел? — настаивал Касумов. — Он ведь был беженец, наверное, с большим трудом к вам устроился, взятку давал, чтобы работать. И через полгода ушел. Почему?

— Вы сами ответили на вопрос, — загадочно улыбнулся Гулиев, — раз взятку давал, откуда у него деньги? Значит, был покровитель, который за него поручился или заплатил. А когда покровитель ушел, то и водитель должен уходить.

— Вы знали имя этого «покровителя»?

— Может, и знал, — пожал плечами начальник смены.

— Не нужно так говорить, Гулиев, — поморщился Касумов, — у меня не меньше работы, чем у вас. Мне нужно поскорее найти этого парня, пока его не убили и пока его сообщники не натворили других бед.

— У нас свои порядки, — угрюмо признался Гулиев, — мы не любим, когда МНБ лезет в наши дела.

— Мы не собираемся лезть в ваши дела, — примирительно произнес Касумов, — но нам нужно знать некоторые подробности. Кто помогал Шарифу Ахмедову устроиться на работу в таможню? Вы помните?

— Помню, наверное, — мрачно кивнул Гулиев.

— Кто?

— Кажется, Ильяс Мансимов, но он уже у нас не работает.

— Когда он уволен?

— Тогда и уволился. Когда ушел Ахмедов.

— Они ушли вместе? — понял наконец Касумов.

— Практически, да.

— Он был его «покровителем»?

— Отчасти.

— Это он помогал устроиться Ахмедову на работу в таможню?

— Думаю, что да.

— И водитель уволился сразу после увольнения Мансимова?

— Не помню точно, но, по-моему, на следующий день.

Касумов достал носовой платок, вытер лицо. Он впервые за день почувствовал, что удача забрезжила на горизонте.

— Они были друзьями?

— Они были земляками, — усмехнулся Гулиев, — оба были «еразы».

Эта отвратительная кличка была придумана для беженцев, в Баку их называли «еразами», или ереванскими азербайджанцами. Разумеется, интеллигентные люди не позволяли себе применение подобных выражений, но остальные с удовольствием их употребляли.

— Почему они ушли?

— Мансимов был не совсем чист на руку и поэтому было решено его убрать.

— А Шариф Ахмедов ушел сразу вслед за ним? — еще раз уточнил Касумов.

— Да, на следующий день. Сам пришел и написал заявление. Вообще-то он правильно сделал. В городе каждый старается в первую очередь помочь своему родственнику или земляку. Ахмедов не мог здесь оставаться после ухода Мансимова. Вот он и решил уйти с работы.

— А Мансимов работал начальником смены, — подвел итог Касумов. «Неужели Дронго был прав и в этом случае?» — с непонятным для себя изумлением, смешанным с испугом, подумал он. Его начинала пугать эта семья, в которой отец и сын словно соревновались друг с другом в скорости аналитического мышления.

— Где мне можно найти адрес Мансимова, — поднял трубку Касумов, — может, он сохранился в вашем управлении кадров?

— Может быть, — осторожно ответил Гулиев, — я точно не знаю.

— Найдите мне адрес бывшего руководителя смены Ильяса Мансимова. Он работал на таможне и был уволен примерно полгода назад, — потребовал у своих сотрудников Касумов, набрав номер отдела. — Он уволился только потому, что пришел новый председатель? — уточнил на всякий случай Касумов.

— Нет, конечно. Нельзя говорить плохо за спиной человека, но он был не очень порядочным сотрудником. Мы все, конечно, не ангелы и у всех есть семьи, но Ильяс мог обмануть своих товарищей, а это очень некрасиво. Он, например, просил нас принять груз из Москвы, пропустив его без досмотра. Клялся, что там вещи для его фирмы. А потом мы узнали, что уже вечером он привез ящики, чтобы оформить их в Германию.

— Куда? — охрипшим голосом спросил Касумов.

— В Германию. Оставил у нас три ящика. И ночью приехал, чтобы их вскрыть. Мне потом ребята рассказывали. Разве можно делать такие вещи? Ему люди груз доверили, а он его сначала оформляет, а потом приезжает, чтобы вскрыть. Так порядочные люди не поступают. Наши все его не очень любили, и он это, видимо, чувствовал. Вообще-то он все равно должен был уйти. Он ведь устроился на работу в таможню еще в девяносто третьем, когда у власти был Народный фронт. Он был их человеком, а у нас такие долго не задерживались.

— Что с ящиками? — поднялся Касумов. — Где они?

— Оформлены для отправки в Германию у нас на таможне, — удивился Гулиев, — лежат на нашем складе, если, конечно, еще не улетели в Германию.

— Что там было?

— Откуда я знаю? — удивленно спросил Гулиев, тоже поднимаясь.

— Быстрее за мной! — крикнул Касумов, выбегая из кабинета. — Нам нужно вскрыть ящики.

Гулиев бросился следом.

— Машину, — кричал Касумов, делая знаки своим сотрудникам.

Подъехав к грузовому терминалу, они ворвались на склад, где работали несколько человек.

— Они еще здесь! — радостно крикнул Гулиев,

показав на стоявшие в стороне три больших ящика.

Ему передалось волнение Касумова. Он подозвал двух рабочих и распорядился, чтобы они вскрыли ящики. Рабочие стали сбивать металлические ленты. Один из ящиков был немного поврежден, и Касумов, приказав отнести его в сторону, начал снимать крышку. Рабочие и несколько таможенников в это время вскрывали крышки других ящиков. Касумов наклонился, разгреб руками вату, нащупал коробки, достал одну из них. Это была коробка с обычным детским питанием. Он достал еще одну коробку. Это были ванильные сухари. Третья коробка была с галетами. Он просунул руку дальше, пытаясь обнаружить, что может быть глубже, лихорадочно вынимая все, что лежало в ящике. Товары были разнообразными, словно кто-то специально свалил все, что можно было закупить в магазинах. В магазинах? Касумов достал одну пачку и, перевернув, обнаружил, что это бакинское печенье. На обертке даже стояла дата... Или террорист вылетел в Москву, чтобы купить бакинское печенье, а потом, запаковав его в ящик, приготовить для отправки в Германию и даже не попытаться увезти его с собой? Бакинское печенье... Дата... Он вдруг бросил пачку в сторону и закричал:

— Уходите! Уходите все! Уходите!

В этот момент один из рабочих наконец оторвал крышку ящика и улыбнулся, довольный своей работой. И тогда прогремел взрыв. Касумов, инстинктивно готовый к подобному, не устоял на ногах, сгруппировавшись, он отлетел в сторону, больно ударившись о другие ящики. Двое рабочих, стоявших рядом с ящиком, были разорваны на месте, несколько таможенников, в том числе и Гулиев, тяжело ранены. Гулиев лежал на полу с разорванными внутренностями и тяжело дышал, словно решая для себя дилемму: остаться в живых или умереть. Весь перепачканный кровью и грязью, к нему медленно подошел Касумов.

— Вот видишь, что получилось, — сказал через силу Гулиев, — не нужно трогать... чужие вещи. — Он закрыл глаза, собираясь с силами. — Я как будто чувствовал... что от разговора с тобой у нас ничего хорошего не выйдет. И вот видишь... А нас еще всех жуликами считают...

— Врача! — закричал Касумов. — Быстрее врача...

Рядом стонали другие раненые.

Алеппо. 7 апреля 1997 года

В этот день ему исполнилось тридцать восемь лет. Последние годы он всегда отмечал свое рождение где-то в других местах, в других странах, на других континентах. И каждый такой день рождения, отмечаемый вдалеке от родного дома, оставлял в душе сознание некой незавершенности, словно он сам лишал себя радости общения с родными.

Прилетев вчера в Алеппо, он довольно быстро разместился в гостинице. Сытно поужинав, оделся и вышел, чтобы увидеть город, в котором никогда не бывал и история которого всегда волновала его воображение. Да, Дронго знал величественную историю этого города, ставшего одним из символов Ближнего Востока, символом перемен и бурь, так обильно проносившихся над этой землей. Город насчитывал не менее четырех тысяч лет. Тогда он был величественной столицей государства Ямхад и назывался Халпа. Через триста лет государство было завоевано хеттами, которые владели городом с некоторым перерывом около пятисот лет, затем городу удалось завоевать независимость и даже создать небольшое халебское царство. Но вскоре город вошел в империю Ахеменидов, затем Селевкидов, пока наконец в середине первого века он не был завоеван легионерами Рима и наречен новым именем. Отныне город назывался Беройя, и больше семисот лет им владели римляне и византийцы. Только в середине седьмого века он был отвоеван арабами, которые провели в городе еще около шестисот лет. Затем его захватывали монголы и мамелюки, пока наконец в начале шестнадцатого века он не был включен в состав Османской империи. В начале двадцатого века, после окончания первой мировой войны в городе на четверть века воцарились французы и только с середины двадцатого века арабы наконец отвоевали право на независимость и самостоятельное управление городом. Поистине в мире не так много городов, имеющих столь славную четырехтысячелетнюю историю. И хотя на европейских картах город упрямо именовался Алеппо, арабы вернули городу его истинное название Халеб.

В этом городе причудливо соседствовали древние хеттские сооружения и античные постройки, мусульманские мечети и византийские соборы, современные европейские дома и турецкие лавки, арабские кварталы, в которых, казалось, ничего не менялось несколько сот лет. Это был один из тех городов мира, которые с полным правом могли считать историю своего развития историей всего человечества.

Дронго не бывал раньше в Алеппо и поэтому с

удовольствием разглядывал величественные сооружения. Особенно поражала расположенная на горе цитадель двенадцатого века, в которой укрывался правитель Халеба Нур-ад-дин, впервые рискнувший бросить вызов крестоносцам, он передал бразды правления своему преемнику Салах-ад-дину, который стал подлинным кошмаром для государства крестоносцев, отвоевав у них Иерусалим и вытеснив их из Антиохийского княжества.

Мечеть Омейядов, строительство которой началось еще в восьмом веке и было завершено лишь в тринадцатом, привлекала внимание не только необычной архитектурой, но и внутренними постройками, расположенными во дворе.

Дронго любил бродить по улицам незнакомых городов. Алеппо был не просто изумительно красивым. В нем чувствовалась та энергетика пластов, которая может быть только в очень старом городе, где энергетические поля, казалось, утрамбованы собственной историей, зачастую кровавой и беспощадной, но всегда интересной и яркой.

В гостиницу он вернулся в полночь. Он подумал о том, что день его рождения наступает в прекрасном городе. Проснувшись на следующее утро, он поздравил себя с днем рождения, легко, как обычно, позавтракал и вышел из гостиницы. Он знал, что свидание состоится в десять часов утра у здания мечети-медресе, где всегда было много людей, в том числе и студентов, желавших обучаться исламским канонам.

Он не знал, как его найдет агент МОССАД, но понимал, что без помощи любое его продвижение по Сирии будет не просто потраченным временем, но и опасным занятием, которое могло закончиться для него еще печальнее, чем в Тегеране. В десять часов он прогуливался возле медресе, ожидая, когда к нему наконец подойдет нужный человек. Прошло десять минут, двадцать, тридцать, никого не было. Дронго нервничал, оглядывался, пытаясь понять, что происходит, но к нему явно никто не спешил. В одиннадцать, прождав целый час, он вернулся в гостиницу, поднялся в номер и обнаружил лежавший на столе автобусный билет в Дамаск. Ему не нужно было ничего объяснять. Он все понял без слов. Конечно, деятельность любого секретного агента МОССАД в Сирии была не просто засекреченной. При любой неосторожности агент рисковал нарваться не просто на крупные неприятности. Ему не будет пощады. А если агент был еще и мусульманином, то его ждала мучительная смерть. Очевидно, именно из-за этого никто не встретился с Дронго в Халебе, и лишь билет на столе указывал на дальнейший его маршрут.

Он довольно быстро собрал свою сумку, сложил вещи и вышел из гостиницы, направляясь к автобусной станции, которая была в двух кварталах от его места жительства. Это он выяснил еще вчера во время прогулки. До Дамаска было около пяти часов езды, и он с удовольствием заметил, как небо над ним потемнело. Поездка в сухую безветренную погоду на автобусе в Сирии — подобный подарок ко дню рождения может вывести из равновесия кого угодно. Когда он подошел к станции, уже слышались первые раскаты грома.

Потом был долгий и мучительный переезд из Алеппо в Дамаск. Небольшая остановка в Хомсе, расположенном так близко к ливанской границе, что в городе было достаточно много вооруженных солдат, и это сразу бросалось в глаза. Наконец к пяти часам вечера измученные пассажиры прибыли в Дамаск, и Дронго, взяв такси, поехал в «Шератон», где он должен был остановиться. Ему были даны именно эти два ориентира: мечеть в Алеппо и отель в Дамаске для встречи с представителями МОССАД. Было несколько непривычно находиться в подобной роли, словно он сам был сотрудником израильской разведки. Но найти в одиночку Ахмеда Мурсала было невозможно. А у агентов МОССАД вряд ли могла быть такая свобода передвижений по Ирану и Сирии, какая была у самого Дронго.

Американская гостиница была выстроена в восточном стиле, немного напоминая раскрытую книгу, на берегу озера. В самом отеле насчитывалось двести восемьдесят шесть искусно отделанных номеров, в которых жили гости столицы Сирии. Для особо богатых существовал и «Шератон тауэр», в котором было восемьдесят шесть номеров «люкс». Дронго выбрал себе номер «люкс» в башне. Он с удовольствием принял горячий душ и почувствовал себя значительно лучше. Ему всегда нравилась восточная кухня, и он с удовольствием заказал себе в номер обильный обед, состоящий из одного первого, двух вторых, четырех салатов и бутылки ливанского вина.

И только утолив голод и почувствовав привычную тяжесть в желудке, он разделся и подошел к зеркалу. Когда-то, много лет назад, он мог драться даже с великим Миурой, пытаясь защитить свою жизнь. Тогда он, конечно, ему проиграл, чудом избежав смерти, но сам факт поединка много значил. В тридцать восемь лет он вряд ли сумел бы продержаться против Миуры даже одну минуту. Он сильно располнел, полысел, под глазами появились мешки, вырос второй подбородок. Он менее всего был похож на супермена, каким никогда себя не считал.

Долгие путешествия, лучшие рестораны мира, в которых он обедал, частые гастрономические излишества, не очень здоровый образ жизни, перегрузки — все это отрицательно сказывалось на его здоровье. Он долго стоял абсолютно голый, глядя на себя в зеркало. Привыкший к беспощадному анализу, он не отводил глаз от своего тела, еще молодого, сильного, но уже потерявшего былую привлекательность. Он смотрел на свой живот, на свои плечи, на руки, на ноги, и ему не нравилось то, что он там видел. «Отец прав, — со вздохом подумал Дронго. — Кажется, я навсегда так и останусь закоренелым холостяком. Придуманным героям обычно бывало легче. Джеймс Бонд с удовольствием менял женщин, Шерлок Холмс был немного наркоманом и не выносил женщин, впрочем, как и Эркюль Пуаро. Правда, комиссар Мегрэ был женат, но у него не было детей. Да и собственная жена не вмешивалась в его расследования. И никто никогда не комплексовал, словно эта часть жизни их совсем не волновала. Может, я становлюсь циником? Или просто постарел?»

В дверь постучали. Он накинул халат и пошел открывать. На пороге стоял улыбающийся молодой человек в форме сотрудника отеля.

— Можно у вас убрать? — по-английски спросил он. — Вы просили зайти через час.

— Да, — кивнул Дронго, проходя в ванную комнату. Он почистил зубы и вышел как раз в тот момент, когда за пришедшим убирать молодым человеком захлопнулась дверь. Дронго с интересом посмотрел на стол. Там лежал конверт.

«Кажется, я начинаю понимать, почему

МОССАД считается лучшей разведкой в мире, — улыбнувшись, подумал Дронго, — нужно отдать им должное, они сработали достаточно оперативно».

Он вскрыл конверт и прочитал всего несколько строк, написанных строгим, изящным, очевидно, женским почерком. «Почему женским? — подсознательно подумал он, вчитываясь в записку. — Женским. Наверное, молодого человека попросила передать записку именно молодая женщина. Все правильно. Портье должен решить, что это обычная дешевая интрижка. И, конечно, он получил деньги, чтобы никому и ничего не рассказывать. Но он с удовольствием расскажет всем об очередных выкрутасах заезжих гостей в их отеле».

В записке было всего несколько фраз явно невинного характера. Какая-то женщина назначала ему свидание в семь часов вечера в холле отеля. Не может быть, чтобы она назначила свидание именно в холле. Это противоречило всем правилам безопасности. Тогда в чем дело? Почему она так написала? Он поднял конверт и увидел помещенную на нем фотографию мавзолея Салах-ад-дина. Он улыбнулся. Теперь он точно знал, где именно состоится встреча. Записка была для молодого дуралея, если он вдруг решит вскрыть конверт. А сам конверт и указанное время — для Дронго, который должен поторопиться.

«Если они так хорошо работают, зачем им услуги такого эксперта, как я», — с некоторой ревностью подумал Дронго, взглянув на часы.

В семь часов вечера он уже спешил к мавзолею, находившемуся рядом с Национальной библиотекой Сирии, называемой Медресе Захирия, и с

Арабской академией, которая, в свою очередь, называлась Медресе Адилия.

На этот раз он увидел молодую женщину еще издали. Она сразу подошла к нему, кивнув как своему знакомому.

— Здравствуйте, — сказала она, — я рада, что вы все поняли.

— Вы довольно быстро меня находите, — заметил Дронго. — Неужели так же быстро вы нашли и Мула?

Женщина была одета в голубое платье. На голове был голубой платок. Лицо несколько вытянутое, удлиненное, нижняя челюсть несколько массивна. Но глаза красивые, миндалевидной формы. Она была довольно высокого роста.

— Как вас зовут? — тихо спросил Дронго.

— Алиса Линхарт.

— Вы немка?

— Нет, я гражданка Канады.

— Почему это ваши люди так часто бывают гражданами Канады? — еще тише спросил Дронго.

Она вскинула на него удивленные глаза.

— Я действительно из Канады. Живу в Монреале и прилетела в Сирию несколько дней назад.

— Ага. А я прилетел из Ирана.

Она посмотрела на его чисто выбритое лицо, костюм с галстуком и улыбнулась.

— Вы меня пригласите куда-нибудь? — спросила она. — Здесь еще хранят традиции французских кафе.

— Идемте. Только учтите, я не очень люблю кофе.

— Вам не говорили, что вы не очень учтивы?

— Наверное, — согласился он, — просто я действительно не люблю кофе.

— Никогда не работала с русскими агентами, — усмехнулась Алиса, когда он взял ее под руку.

— Я такой же русский агент, как сотрудник МОССАД, — строго сказал он, чуть сжимая ей локоть. — Разве вам не говорили, что я международный эксперт?

— Вы думаете, я могу поверить, что вы независимый эксперт?

— Я сам иногда в это не верю, — кивнул Дронго. — Кажется, на углу той площади я вижу кафе. Пока мы дойдем до этого места, вы должны мне сообщить все самое важное.

— Мул прилетел в Сирию. Он ни с кем не контактирует, очень осторожен. И, судя по всему, привез очень важный груз в ящиках. Его переправили сюда из Алеппо. Это нам удалось выяснить. Видимо, он собирается переправить его в Бейрут. Больше мы ничего не знаем.

— Сейчас он в Дамаске?

— Да. Но мы не знаем, где он находится.

— А какой груз?

— Мы ничего не можем узнать. Рассчитываем, что это сможете сделать вы.

— Почему считаете, что груз очень важный?

— Он не доверяет его охрану никому.

— Бейрут, — задумчиво сказал Дронго, — почему Бейрут? Почему он так рискует? Вы ведь можете его там перехватить.

— У нас равные шансы, — возразила Алиса.

Они дошли до кафе и сели за свободный столик. Женщина сняла платок. У нее были красивые каштановые волосы. Подскочившего официанта Дронго попросил принести два кофе.

— Вы же его не пьете? — удивилась женщина.

— Ничего, — мрачно сказал Дронго.

Он довольно долго просидел молча, размышляя над словами Алисы Линхарт.

— Вам не кажется, что ваше молчание неприлично затянулось? — вдруг спросила женщина.

— Не мешайте, — строго ответил Дронго, — может быть, я что-нибудь придумаю.

— Надеюсь, вы не ученик Давида Копперфилда. Или вам нравится демонстрировать подобные фокусы?

— Так, — сказал Дронго, — вашему ведомству придется оплатить мне довольно интенсивные международные разговоры. Долларов на пятьсот. Надеюсь, вы не будете возражать?

— Что вы придумали? — изумленно спросила она.

— А может, я его родственник, — улыбнулся Дронго.

— Кого? — не поняла она.

— Фокусника. Говорят, он из Одессы, а это ведь город бывшего Советского Союза.

— Вы понимаете, что говорите? — Она начала нервничать. — Как можно найти человека в полуторамиллионном городе? Это же фантастика.

— Именно поэтому я и попытаюсь что-нибудь придумать, — очень серьезно ответил Дронго. — Для начала мне понадобится только телефон.

Она отодвинула свою чашку, огляделась и потом сказала:

— Я просто восхищаюсь вашей самоуверенностью. Вы действительно считаете, что сумеете что-нибудь придумать?

— Я уже придумал, — очень серьезно ответил Дронго.

Баку. 8 апреля 1997 года

Взрыв на складе вызвал панику в городе. Утверждали, что погибли десятки людей, говорили об очередной террористической акции, о происках внутренних и внешних врагов. Истина, как обычно, была весьма далека от слухов и сплетен. Во время взрыва погибли три человека и были ранены пятеро. Сам Касумов сильно не пострадал, но считал себя виноватым в случившемся. Всю ночь пожарные тушили возникший пожар, таможенники подсчитывали суммы ущерба, представители прокуратуры, Министерства национальной безопасности и полиции оперативно проводили опросы свидетелей и оставшихся в живых участников этого происшествия.

Утром восьмого апреля Касумова вызвали к министру. Когда он вошел в кабинет, там уже находился курирующий его отдел заместитель министра. Несмотря на шок, причиной которого послужили взрыв, собственная ошибка и гибель людей, Касумов успел побриться и переодеться. Министр был явно не в настроении. Ему уже успели доложить подробности, и он понимал, что невольным виновником трагедии, случившейся на складе, оказался один из лучших его сотрудников. Именно поэтому он встретил Касумова мрачным вопросом, даже не предложив ему сесть:

— Как это могло произойти?

— Террористы, очевидно, просчитали такой вариант действий, — угрюмо сказал Касумов. — Расчет был на элементарную жадность бывшего сотрудника таможни, который помогал им в переправке грузов. По нашим данным, груз прибыл из Москвы, а затем был помещен в грузовой терминал. Но, очевидно, террористы не доверяли своему сообщнику. Они успели подменить груз, и вместо ящиков, прибывших из Москвы, подложили совсем другие, установив в них взрыватели. Расчет террористов не оправдался. Каким-то чудом первый ящик не взорвался, когда его открывали. Но во втором бомба сработала. Считаю, что в происшедшем виноват только я лично и готов нести любое наказание за гибель людей.

Наступило молчание. Министр нахмурился.

— Сядьте, — разрешил он, — наши сотрудники утверждают, что за секунду до взрыва вы кричали об опасности, просили всех уходить и этим спасли несколько человек. Почему вы не предупредили о бомбе раньше? И почему не вызвали саперов?

— Я не знал, что в ящиках установлены взрыватели, — выдохнул Касумов, — только когда стал проверять первый ящик и обнаружил там пакеты с бакинским печеньем, сразу понял, что это не те ящики, которые прибыли из Москвы.

— Надо было раньше соображать, — посоветовал министр. Потом спросил: — Установили хотя бы, кто помогал террористам на таможне?

— Бывший работник таможни, руководитель смены Ильяс Мансимов. Судя по всему, он привел на работу водителя водовоза, который исчез два дня назад.

— Думаете, они связаны?

— Убежден в этом. Водитель водовоза Ахмедов раньше работал в таможне на грузовой машине. Он беженец, и устроил его на работу в таможню именно Мансимов. После увольнения последнего почти сразу уволился и Ахмедов. Именно его машина приезжала вечером первого апреля в Нардаран. Все сходится, мы уверены, что они связаны друг с другом. Мансимов раньше работал на таможне аэропорта и мог придумать подлог с паспортами террористов.

— Сколько вам нужно времени, чтобы найти Мансимова?

— Я постараюсь арестовать его сегодня, — твердо сказал Касумов, — если мне разрешат еще один день руководить этим расследованием.

— А кто еще будет руководить? — недовольно спросил министр. — Видали, он готов нести наказание, — передразнил хозяин кабинета своего сотрудника. — Это легче всего. А нам нужно найти пособников террористов в нашем городе, узнать, наконец, почему к нам прилетел такой опасный террорист, как Ахмед Мурсал. Может, следующая бомба взорвется у нас в метро? Или в автобусе? Ты можешь дать гарантию, что этого не случится? И я не могу. Поэтому нужно найти и арестовать и Мансимова, и этого водителя водовоза.

От волнения министр перешел на «ты». Он сжал руку в кулак и тихо пристукнул по своему столу. Долгие годы работы в бывшем КГБ научили его выдержке. Но теперь он менее всего думал и о собственной выдержке, и о хороших манерах.

— Я все сделаю, — пообещал Касумов.

— Это очень важное дело, — сказал министр, — если угодно, дело нашей чести. И МОССАД, и российская разведка знают, что мы ищем на своей территории террористов и тех, кто им помогал. Если мы ничего не обнаружим, если выяснится, что мы просто всех упустили да еще устроили взрыв в собственном аэропорту, над нами будут смеяться все спецслужбы мира. Ты меня понимаешь?

— Я их найду, — упрямо повторил Касумов, сжимая зубы.

— Что передает этот любитель-доброволец? — спросил министр.

— Кто? — не понял Касумов.

— Ну этот самый Дронго. — Министр как профессионал не любил дилетантов, к которым он относил и Дронго. Во-первых, его раздражала самостоятельность эксперта, во-вторых, его упрямое нежелание становиться сотрудником государственной службы, а в-третьих, просто невероятная популярность самого имени Дронго, которое давно стало нарицательным, и не только в странах СНГ.

— Он сейчас в Сирии, — доложил Касумов, — мне передали, что он звонил сегодня из Дамаска. Остановился в отеле «Шератон тауэр».

— Он разъезжает по всему миру, делает, что хочет, работает, на кого хочет, — вставил заместитель министра, решив, что пришло его время, — он, конечно, имеет какие-то навыки, но очень недисциплинированный человек. Такой частный детектив.

— Нам такие не нужны, — отрезал министр. — Мы должны использовать свои возможности, чтобы продемонстрировать, как мы умеем работать.

Касумов молчал, терпеливо ожидая, чем кончится этот затянувшийся разговор.

— У тебя есть один день, — закончил министр, — сегодня до вечера ты должен арестовать Ильяса Мансимова. Если не сумеешь его найти, то завтра можешь принести мне заявление о своей отставке.

Заместитель министра кивнул. Он не проронил ни слова, за исключением реплики о Дронго, но его взгляды красноречивее всего свидетельствовали о его собственных чувствах. Если Касумов был виноват и его должен наказать министр, то курировавшего работу их отдела заместителя министра немедленно снимет с работы сам президент. И поэтому он сидел мрачный и злой, понимая, что сегодняшний день может решить во многом и его собственную судьбу.

Дамаск. 8 апреля 1997 года

Утром за завтраком Дронго встретил Алису Линхарт. Она кивнула ему, усаживаясь за соседний столик. Он взял газету, положил на тарелку одну булочку и, попросив официанта принести ему чай с молоком, уселся за столик. После завтрака он вышел в холл, где случайно оказалась и мисс Линхарт. Они вместе вошли в лифт, и только когда кабина тронулась, Дронго негромко произнес:

— Пока все идет по плану.

— Может, вы объясните мне ваш план? — нервно спросила она.

— Долго объяснять, — сказал он, — мне понадобится оружие.

— Что? — удивилась она.

— Мне нужен пистолет, — негромко сказал он.

Она смотрела на него, пока лифт не остановился на его этаже, и только тогда сказала:

— Хорошо, когда он вам нужен?

— Сегодня. И чем быстрее, тем лучше, — с этими словами он вышел из кабины лифта, и створки двери за ним мягко закрылись. Женщина покачала головой. Ее раздражал этот непонятный тип, кажется, искренне считающий себя гениальным аналитиком. «И с такими самоуверенными нахалами приходится работать, — разочарованно подумала она. — О нем столько говорят. А на самом деле ничего нет. Немного наглости, самоуверенность, напыщенный вид и загадочные фразы. Как можно найти в огромном городе нужного человека, если не знаешь языка, первый раз сюда приехал и вообще не представляешь, как нужно искать. Не говоря уже о том, что Ахмеда Мурсала не может найти даже такая организация, как МОССАД. Неужели он считает себя умнее и способнее всей агентуры МОССАД в Сирии? Слишком самоуверенный человек, думает, что добьется успеха там, где не смогли ничего сделать сотрудники МОССАД».

Она вышла из лифта и направилась к своему номеру. В это время Дронго в своем номере задумчиво смотрел на лежавшую перед ним бумагу. «Три разведки, — думал он. — Три разведки. Кажется, был такой мультфильм «Три банана». А сейчас три разведки. Или, может, четыре?» Нет, ему нужны пока именно три, чтобы проверить свои предположения. И заодно выяснить свои подозрения. Он включил телевизор. В отелях компании «Шератон» можно было принимать всемирную сеть Си-эн-эн, которую он с удовольствием смотрел, где бы ни находился. Многих дикторов он знал в лицо, отмечая их манеру вести репортаж, умение подавать себя. В компании Тернера работали выдающиеся профессионалы.

Он немного убавил звук и взглянул на часы. Половина одиннадцатого. Если все будет правильно, то сегодня к вечеру или завтра утром он должен ждать гостей. Вся проблема лишь в том, что он знает, что к нему пожалуют гости. А они даже не догадываются о его знании.

«Нужно немного пройтись по городу», — подумал Дронго. Потом два дня ему придется сидеть в номере. Он оделся и вышел на улицу, стараясь не отходить далеко от отеля. Повсюду висели портреты президента Сирии Хафеза Асада. Он как заботливый отец смотрел с них, то улыбаясь, то пристально вглядываясь в прохожих. «Как странно, — подумал Дронго, — практически единственное демократическое государство в этом регионе — это Израиль. Ну, может быть, относительно и Ливан. Все остальные демократическими вряд ли можно назвать. Это либо монархии по типу Саудовской Аравии, Кувейта, Иордании, Арабских Эмиратов, либо режимы с несменяемыми президентами по типу Египта, Сирии, Ирака. Кажется, на их фоне есть еще одно демократическое, где граждане все-таки имеют право выбора, — подумал Дронго. — И это исламский Иран. Вот тебе и религиозные страны. Иудейский Израиль и исламский Иран демонстрируют региону демократичность выборов, тогда как другие страны с умеренными теологическими воззрениями выказывают откровенное неприятие любой демократизации собственных режимов.

Почему Мул так рискует? — в который раз подумал Дронго. — Почему он решил сунуться в Ливан, который нашпигован израильской разведкой и проиранскими группами? И те, и другие готовы растерзать его на месте, едва только обнаружив. Но он решился переправить груз в Дамаск, а отсюда в Бейрут. Почему? Может, у него здесь самый безопасный канал переправки грузов в Европу? И что было в этих проклятых ящиках, из-за которых он прилетел в Баку, а его сообщник даже вылетел на один день в Москву? Что они могли привезти из России? Что могло быть в этих ящиках? Узнав это, можно будет примерно вычислить, где собирается нанести удар Мул и его группа».

Он пообедал в городе и, вернувшись к отелю в четвертом часу, заметил здесь Алису Линхарт. На этот раз она была в темном костюме. Несмотря на ветреную погоду, в апреле в Сирии бывает достаточно тепло.

— Где вы пропадаете? — рассерженно спросила она. — Я гуляю около отеля уже третий час.

— Я обедал, — улыбнулся Дронго.

— Оно лежит в сейфе вашего номера, — гневно сообщила женщина, — код четыре тройки. Там есть глушитель, на всякий случай, чтобы не будить всю гостиницу. Для чего вам пистолет?

— Здесь нельзя разговаривать, — оглянулся по сторонам Дронго, — давайте поднимемся в ресторан на последний этаж. Там очень красивая перспектива. Но учтите, что после этого вы не должны со мной даже разговаривать.

«Что он из себя строит?» — поморщилась она, но не стала возражать.

Они поднялись в ресторан, заказали бутылку вина и легкие закуски. Когда официант отошел, Дронго наклонился к женщине.

— На меня было покушение в Тегеране, — сообщил он.

— Нам об этом известно, — саркастически сказала она, — его организовала иранская разведка. Которая наверняка негласно поддерживает Мула.

— Нет, — убежденно возразил Дронго, — это не они. И я собираюсь это доказать.

— Я не совсем понимаю, чьи интересы вы представляете в Сирии. Их или наши?

— Свои собственные, — мрачно ответил Дронго, — не перебивайте меня, лучше выслушайте. Покушение в Тегеране было организовано самим Мулом, который заранее знал о моем визите в Тегеран, о чем не могла знать иранская разведка. Поэтому я решил поставить маленький эксперимент. Вчера ночью я поочередно сообщил МОС-САД, Службе внешней разведки России и Министерству национальной безопасности Азербайджана о том, что нахожусь в Дамаске, в отеле «Шератон тауэр». Сообщил всем свой номер, попросив информировать меня о возможных новых фактах.

— Ну и что? — не поняла женщина.

Официант принес вино, откупорил бутылку, налил немного в высокий бокал и протянул его Дронго. Тот согласно кивнул и попробовал. Вино было терпким и сладким. Разрешив разливать его в бокалы, Дронго подождал, пока официант закончит и отойдет от их столика.

— Я попытаюсь, во-первых, доказать, что иранцы не будут поддерживать Ахмеда Мурсала. А во-вторых, еще раз убедиться в том, что кто-то сообщает Мулу о моих передвижениях, пытаясь помешать расследованию. И наконец, самое важное. Я сделал это специально, чтобы вызвать огонь на себя. Известная мусульманская пословица гласит: «Если гора не идет к Магомеду, то Магомед идет к горе». Если мы не можем найти в огромном городе Мула, значит, нужно сделать так, чтобы он прислал своего убийцу ко мне в номер. Узнав о том, где я нахожусь, он обязательно решит со мной посчитаться. Хотя бы за убийцу в Тегеране, который уже никогда к нему не вернется. Мне остается только ждать. Ваше здоровье! — Он поднял бокал.

Она ошеломленно взяла бокал, взглянула на него. Потом сделала глоток и закашляла. После чего поставила бокал и тихо сказала:

— Но они придут убивать вас.

— Конечно. И это единственный способ вытащить зверя из логова. Ненависть — самое действенное оружие. А судя по личному досье, с которым я ознакомился, Ахмед Мурсал часто мыслит чувствами, а не разумом. Но если даже он захочет применить свой разум, то и тогда не поверит, что я сам решился на такой безумный шаг — сообщил о своем местонахождении. Вы бы поверили в такое безумство?

— Но почему вы решили, что кто-то сообщает ему о ваших планах?

— Я не решил, я в этом уверен. У него есть сообщник, который докладывает ему о моих передвижениях.

— Тогда это скорее русские, — убежденно сказала Алиса Линхарт, — они и раньше были его союзниками.

— Может быть. Но я не мог рисковать, проверяя по очереди, кто именно поставляет информацию Мулу. Я мог исключить только иранцев, так как абсолютно убежден, что они никогда не простят Ахмеду Мурсалу убийство хаджи Карима.

— Вы решили стать приманкой? — сокрушенно покачала она головой.

— По-русски в таких случаях говорят, что он вызвал огонь на себя, — пошутил Дронго.

— Но это очень опасно, очень! Неужели вы не понимаете, что вы наделали?

— У нас нет времени. Это единственный вариант. И потом, вы сами сказали, что шансы у нас равные. Пятьдесят на пятьдесят.

Он снова поднял бокал, сделал еще один глоток. Она машинально подняла свой, тоже сделала глоток и вдруг, улыбнувшись, сказала:

— Нет, Дронго, кажется, я ошибалась. Извините, что я сомневалась в ваших способностях.

Боюсь, что я неверно просчитала наши шансы. На самом деле у нас пятьдесят один шанс против сорока девяти. И это благодаря вам, Дронго. Я начинаю верить в те сказки, которые мне про вас рассказывали. Но Боже мой, как сильно вы рискуете! Я бы сейчас не поставила на вас и десяти центов.

Баку. 8 апреля 1997 года

Все три адреса Мансимова, которые ему удалось получить в Управлении кадров таможенного комитета, были у него в кармане. На трех автомобилях с помощниками он выехал на розыск бывшего сотрудника таможни. Все имели фотографии Мансимова и Ахмедова. Чтобы Мансимов не смог скрыться и чтобы его не успели предупредить родственники, важно было провести обыск сразу в трех местах. На даче, на квартире родителей и на собственной квартире Мансимова. По последнему адресу отправился сам Касумов.

Операцию следовало проводить как можно быстрее — слухи о взрывах в аэропорту могли насторожить преступников.

Они скоординировали свои действия по телефону. В тот момент, когда Эльдар Касумов с группой сотрудников таможни подъезжал к дому Мансимова, другие группы одновременно уже начали обыски на квартире родителей и на даче. После неоднократных звонков в дверь квартиры Касумов прислушался. За дверью раздавались шорохи, какие-то звуки. Судя по всему, там кто-то был и этот кто-то не собирался открывать.

— Вызывайте людей, — приказал Касумов, — будем ломать дверь. Лучше вызовите слесаря, пусть автогеном вырежет замок. И следите за балконами, чтобы предотвратить возможное бегство хозяина квартиры, если он находится дома.

Он постучал еще раз, потом позвонил. И громко сказал:

— Мансимов, мы сотрудники Министерства национальной безопасности. Все равно не уйдем отсюда до тех пор, пока вы не откроете двери.

Находившийся за дверью человек явно затаился.

— В последний раз предлагаем открыть дверь, или мы начнем ее вскрывать.

— Что вам нужно? — наконец послышалось из-за двери.

Касумов удовлетворенно кивнул и, посмотрев на своих людей, показал на дверь.

— Он там. — И еще раз громко предложил: — Откройте!

— У меня нет ключей, — ответили из-за двери. — Я не Мансимов, я его друг.

— Открой дверь, — потребовал Касумов.

— Иди ты... — раздалось из-за двери.

— Принесли автоген, — сказал один из сотрудников.

— Все, — громко сказал Касумов, — сейчас будем вскрывать.

Он повернулся к сотруднику технического отдела, приехавшему с автогеном, и приказал:

— Начинай.

Сотрудник поднес аппарат к двери. Послышалось ровное гудение. Очевидно, его услышал и стоявший за дверью незнакомец. Через минуту Касумову сообщили по рации, что неизвестный вышел на балкон и пытается дотянуться до балкона соседней квартиры. Касумов приказал двоим сотрудникам приготовить оружие и ждать, когда будет вырезан замок в железной двери. А сам поспешил спуститься вниз.

На улице стояли один из его сотрудников и водитель машины. Они показывали наверх: там, на шестом этаже, уже перелезший через перила «своего» балкона мужчина в темной одежде пытался дотянуться до соседнего. Он попытался ухватиться за перила. Рука сорвалась. Он еще раз попытался ухватиться за перила, и на этот раз попытка оказалась более удачной. Ухватившись, он отпустил вторую руку и перебросил тело к бордюру соседнего балкона. Схватился второй рукой за перила и уже начал подтягиваться, чтобы перелезть через бордюр. Один раз нога чуть не соскользнула с нижней кромки балкона, но он успел ухватиться крепче и удержался. Казалось, все закончится благополучно, но перила старого балкона не выдержали тяжести человека. Внезапно они подались, начали выходить из бетонного основания. Незнакомец инстинктивно дернулся. У него соскользнула правая рука, тело повисло в воздухе. Он держался одной левой, пытаясь подтянуться.

«Ну давай, — подбадривал его мысленно Касумов, — давай, родной, постарайся».

Незнакомец начал подниматься, подтягиваясь на левой руке и уже пытаясь дотянуться правой, когда один из металлических штырей, удерживающих перила, снова подался. Незнакомец испуганно поднял голову. Он попытался ухватиться другой рукой и чисто механически разжал левую руку.

Падение вниз было стремительным. Он даже не кричал. Незнакомец ударился об асфальт и замер неподвижно. Касумов медленно подошел к нему. У несчастного шла кровь изо рта, в открытых глазах застыл ужас.

— Готов, — презрительно сказал сотрудник.

Касумов наклонился над погибшим, все еще опасаясь увидеть лицо Мансимова. Но это был не он. Сомнений не оставалось — это был Шариф Ахмедов, тот самый водитель водовоза, который так счастливо избежал ареста два дня назад, сунув взятку в двести долларов сотруднику ГАИ.

— Передай в отдел, что у нас труп неизвестного, — распорядился Касумов, потом, подумав немного, поправился: — Передай, что при попытке ареста погиб Шариф Ахмедов.

Он взглянул на часы. Было два часа дня. У него оставалось время до вечера.

Дамаск. 9 апреля 1997 года

Вечер прошел в томительном ожидании. Он вытащил из сейфа пистолет, проверил оружие, не забыв надеть глушитель. Теперь оставалось ждать реакции Мула. Если он все рассчитал правильно, то убийца должен появиться девятого апреля. Один день нужен на прохождение информации, второй — для решения Мула нанести удар. Он не сомневался, что все рассчитал правильно. Террорист, взбешенный смертью своего сообщника и неудачей в Тегеране, обязательно попытается взять реванш в Дамаске. Если он знал о визите Дронго в Тегеран, значит, знает и о том, что тому удалось просчитать его вариант с тремя паспортами. Поэтому он наверняка захочет избавиться от столь проницательного эксперта.

Опасность могла прийти откуда угодно, и Дронго это сознавал. Он закрыл плотные занавески на окне — по нему могут выстрелить из гранатомета. С другой стороны, Мул вряд ли решится на такое покушение, опасаясь, что самого Дронго не будет в номере. Скорее всего он пришлет своего убийцу, нужно только дождаться, когда он появится. Ровно в двенадцать часов ночи несколько неожиданно позвонила Алиса Линхарт.

— Я волнуюсь, — произнесла она.

— Нам нужно подождать, — сухо ответил Дронго, и она сразу повесила трубку.

В половине второго ночи раздался еще один звонок. Он поднял трубку.

— Можно, я приду к вам? — услышал он знакомый женский голос.

— Нет, — жестко ответил Дронго, — это кроме всего прочего еще и глупо.

Она снова бросила трубку. Он прошел в ванную комнату, умылся горячей водой. Пистолет он все время держал рядом с собой. Дверь не была заперта. Если ее откроют, то убийце нужно пройти небольшой коридор, прежде чем он окажется в первой комнате. Спальня находится дальше. Но из коридора есть дверь, которая ведет в ванную комнату и в спальню с другой стороны. Значит, нужно прежде всего блокировать именно эту дверь. Он подошел к замку и, достав универсальную отмычку, с которой почти никогда не расставался, стал ковыряться в замке, пока наконец тот громко не щелкнул. Дронго закрыл дверь, проверил. Теперь с помощью ручки она не открывалась, чтобы попасть в спальню, нужно было пройти через первую комнату и коридор.

Он лег на кровать, включив телевизор, стоявший в спальне. «Может, не Тегеран, а Москва ведет двойную игру? — подумал он. — Может, они решили вспомнить о старых связях и тайно помогают Ахмеду Мурсалу?» В его личном деле есть упоминания о том, что он встречался с представителями штази и КГБ. Что если Москва решила восстановить свое прежнее влияние в регионе с помощью радикальных арабских группировок, многие из которых раньше получали довольно действенную помощь именно из Советского Союза для противостояния Израилю и США в этом регионе.

Но возможен и другой вариант. В Баку решили начать собственную игру, получив в свое распоряжение мощную группировку Ахмеда Мурсала. Они могли наладить с ним связи и даже вызвать его к себе. Так легко объясняется, почему он прилетел именно в Баку. А ящики из Москвы могли быть грузом, на транспортировку которого дала согласие азербайджанская разведка. В таком случае они ведут собственную отчаянную игру против Израиля и Ирана одновременно.

Если не они, то остается канал связи с МОССАД. Но это, кажется, единственный случай, который ни практически, ни теоретически невозможен. Поверить в то, что кто-то в МОССАД может работать на такого террориста, как Ахмед Мурсал, это значит поверить в чудо. Скорее реки Израиля потекут вспять, чем агенты израильских спецслужб станут сотрудничать с таким человеком. А если это тоже игра? Но тогда зачем они обратились за помощью к нему? Зачем так глупо подставляются, объявляя о розыске на весь мир? Нет, ничего не сходится.

От нетерпения он сел на кровати. Кто может сообщить Мулу и кто раньше сообщал ему о визите Дронго в Тегеран? Кто? А если израильтяне правы в своих подозрениях и нападение в лифте в тегеранском отеле «Истиглалият» было всего лишь инсценировкой иранской разведки? Тогда он будет выглядеть настоящим дураком. В этом случае убийцы, конечно, здесь не появятся, а мисс Линхарт убедится в том, что все сказки о Дронго действительно лишь сказки.

Он задумчиво посмотрел в потолок. Сегодня нельзя спать. И, конечно, нельзя звонить в ресторан, чтобы сделать заказ кофе или чая. Давать лишний шанс своим убийцам не нужно. Они вполне могут убрать официанта по дороге в номер и войти к нему, доставив вместо кофе порцию свинца.

Он поднялся, достал из мини-бара бутылочку томатного сока. Потом раздраженно вспомнил, что у него нет лимона. Взяв пакетики перца и соли, он высыпал все в стакан, налил туда полстакана томатного сока, добавил несколько капель водки. Сегодня у него не должны дрожать руки. Вернулся на свою кровать. «Нужно было взять какую-нибудь книгу», — раздраженно подумал Дронго.

И в этот момент в дверь постучали. Он взглянул на часы. Половина третьего ночи. Значит, он не ошибся. Приготовив пистолет, он встал у входа в первую комнату, не решаясь подойти к двери. Снова раздался осторожный стук.

— Это я, — услышал он негромкий голос мисс Линхарт.

«Черт возьми», — гневно подумал Дронго и уже шагнул к двери, чтобы открыть ее, но затем передумал. Он наклонился, положил карточку, служившую ключом, на ковролин. И резко толкнул ее в сторону двери. Карточка влетела в щель между дверью и ковролином. Обычно под дверь в американских гостиницах просовывали газеты и конверты со счетами.

— Откройте двери сами, — попросил Дронго, сжимая в руках оружие.

Она открыла дверь. Он терпеливо ждал. Она вошла в коридор, закрыла дверь, щелкнул замок. В руках у нее была сумочка.

— Теперь три шага вперед и не делайте резких движений, — попросил Дронго.

— Вы и меня подозреваете? — улыбнулась женщина.

Она была в легких белых брюках и в белом джемпере. Но сумочка казалась на взгляд тяжелее обычного.

— Что у вас в сумочке? — спросил Дронго, не опуская оружия.

— Пистолет, — призналась женщина, — но это совсем не то, что вы думаете. Мне поручили вас охранять. Я сообщила о вашем замысле в Центр, и мне приказали лично вас охранять.

— Очень мило со стороны вашего руководства, — спокойно сказал Дронго, — теперь медленно, очень медленно положите сумочку на пол и начните раздеваться.

— Вы сумасшедший, — гневно топнула она ногой.

— Делайте, что вам говорят, Алиса, у меня нет времени вас обыскивать. У секретных агентов бывают свои неприятности. Кроме того, мы все бесполые существа, даже обладая какими-то определенными признаками пола.

— Вы ненормальный. — Теперь она улыбалась.

Подняв сумочку, бросила ее на диван. Потом сняла туфли, начала расстегивать пуговицы на брюках, медленно спуская их вниз. Ноги у нее были длинные и красивые. Она отбросила брюки в сторону и снова надела туфли.

— Вы убедились, что у меня нет оружия?

— Снимите джемпер, — он не менял выражения своего лица.

— Однако, — усмехнулась она, — вы заходите слишком далеко.

Двумя руками она стащила через голову джемпер. Он понял, почему она несколько смутилась. Под джемпером не было ничего. Но, похоже, сама женщина не очень комплексовала. Она даже не стала закрывать обнаженную грудь.

— Бесполые существа? — улыбнулась она. — Или мне раздеться до конца, чтобы вы убедились в том, что я пришла вас охранять, а не убивать?

— Извините, — сказал Дронго, — теперь можете одеться.

Она наклонилась за джемпером, потом выпрямилась, надевая его. И негромко произнесла:

— Я не знаю, какое ваше предложение более хамское. Когда вы предложили мне раздеться или когда предложили после этого одеться. А вы как думаете?

— Я думаю, оба, — честно сказал Дронго, — но сегодня ночью мы все-таки бесполые существа.

Она наклонилась за брюками.

— Ладно, — сказала, — будем считать, что я вам поверила. Вы разрешите мне взять мою сумочку? Или действительно считаете, что я пришла вас убить?

— Простите, — он наконец убрал пистолет, — просто я всегда работаю один. И единственная возможность остаться в живых — это иметь за спиной стену. Единственная возможность.

— Я понимаю, — она взяла брюки, — может, вы отвернетесь?

Он взял ее сумочку с дивана и вышел в спальню. Через минуту она вошла уже одетая, села в кресло.

— Вы так и не вернули мне сумочку.

— Да, конечно. Только не доставайте пистолет. Я вообще не люблю, когда кто-то сидит напротив меня с оружием в руках.

— У вас фобия, — убежденно сказала она.

— Я не доверяю никому, — жестко произнес он, — никому, мисс Линхарт. И вы напрасно пришли. Теперь мне будет труднее действовать в этом номере. Я привык всегда работать один, — упрямо повторил он.

Женщина прикусила губу.

— У меня приказ, — сказала она. — Я не уйду отсюда, пока вы не уедете из Дамаска. Нравится вам это или нет.

— Тогда останемся вдвоем, — согласился Дронго, бросив сумочку женщине и взглянув на часы. Было уже около четырех часов утра.

Баку. 9 апреля 1997 года

До двенадцати часов ночи восьмого апреля Касумов безуспешно пытался найти исчезнувшего Ильяса Мансимова. Все время звонил заместитель министра, отчаянно переживавший за успех розысков. К полуночи стало ясно: поиски не увенчались успехом. Уставшие сотрудники собрались в отделе. Ждали еще двоих, Касумов уже от отчаяния послал их в аэропорт, поручив еще раз порасспрашивать сотрудников таможни, среди которых могли быть и знакомые Мансимова. В половине первого ночи еще раз позвонил заместитель министра.

— Не нашли? — спросил он с тайной надеждой.

— Нет, — ответил Касумов, — его нигде нет. Труп Ахмедова уже идентифицировали, провели опознание. Но Мансимова нигде нет. Ни дома, ни у родителей, ни на даче. Мы его ищем.

— Поздно, — гневно заявил заместитель министра, — завтра утром положишь заявление ко мне на стол. Уже девятое апреля.

— До утра еще дожить нужно, — пробормотал Касумов.

— Это уже не твое дело, — не понял заместитель министра, — я отстраняю тебя от расследования. Можете ехать по домам.

— Мы ждем еще двух сотрудников, — устало сообщил Касумов.

— Хватит играть в прятки, — злился заместитель. — Ты провалил операцию, и завтра тебя выгонят с работы. Погоны оставишь и под суд пойдешь...

Касумов положил трубку. Дальше слушать не хотелось. Он закрыл глаза и откинулся на спинку кресла. Кажется, завтра он действительно вылетит с работы. Придется искать себе новое место. Он так устал, что не хотел ни о чем думать. Неожиданно он вспомнил про Дронго. «Хоть бы он добился успеха в Сирии», — обреченно подумал Касумов. Сидевшие в кабинете сотрудники выжидательно смотрели на него.

— Вот и все, ребята, — сказал он, открывая глаза. — Мы все равно сегодня уже ничего не сделаем. Давайте по домам. Уже час ночи. А завтра попытаемся что-нибудь придумать.

Его помощники знали, что завтрашней попытки просто не будет, видя, что министр дал Касумову срок до завтра и завтра их начальник отдела должен будет подать рапорт о собственной отставке.

Но никто не проронил ни слова. Коротко прощаясь с Касумовым, словно с обреченным больным, они выходили из кабинета. Он остался в комнате один. И снова закрыл глаза. «Может, это и к лучшему, — подумал он, — ведь я обязан был предотвратить взрыв в аэропорту. Обязан был предусмотреть все возможные варианты при проверке этих ящиков. А я даже не догадывался. Наверное, все правильно. Кто-то должен ответить за гибель людей». Скрипнула дверь, и в кабинет вошли те, кого он посылал в аэропорт.

— И там ничего нет? — ровным голосом спросил он.

Ребята переглянулись. Потом один из них нерешительно сказал:

— С ним никто не дружил особенно.

— Да, конечно. Можете идти по домам, ребята, — он в очередной раз закрыл глаза, словно давая понять, что все кончено.

— Нет, — сказал его сотрудник. Это был молодой, но честолюбивый лейтенант. — У него не было друзей. Но один из сотрудников таможни вспомнил, что у Мансимова была любовница. Стюардесса Галина Шугина.

— Что? — открыл глаза Касумов.

— Шугина, — повторил лейтенант, — у нас есть ее адрес. Она живет в третьем микрорайоне. Мы могли бы проверить. Говорили, что он был с ней очень близок.

Касумов решительно поднялся, взглянул на часы. Может, это его последний шанс. Он достал из сейфа пистолет.

— Адрес, говорите, у вас?

— Да.

— Оружие?

— Да, — переглянулись сотрудники.

— Тогда поедем, — сказал Касумов, — прямо сейчас поедем, на моей машине.

«Может, в последний раз спускаюсь по этим лестницам», — мелькнула в голове предательская мысль, но он отогнал ее. Сели в его автомобиль и выехали со стоянки. Он выжимал из машины все, что можно, словно от скорости зависел сейчас сам успех их экспедиции.

Они подъехали к дому с нужным адресом. Это его обрадовало. В микрорайонах обычно дома ставились как попало и нумерация не всегда совпадала с общепринятой. Один дом мог стоять боком, а другой вообще спрятаться между своими собратьями. Оставив автомобиль, они поднялись на третий этаж. Лифт не работал. Один из сотрудников позвонил.

— Кто там? — раздался молодой женский голос.

— Вам срочная телеграмма, — сказал лейтенант и, когда дверь чуть приоткрылась, резко толкнул ее.

Послышался вскрик. В прихожей стояла молодая красивая женщина в желтом халате. Она испуганно смотрела на незнакомцев. Не говоря ни слова, Касумов шагнул вперед, быстро осмотрел столовую, поспешил в спальную комнату. Там на кровати лежал полуодетый человек. Даже если бы Касумов только один раз видел его фотографию, то он и тогда узнал бы этот дикий взгляд, эти упрямо сжатые губы.

— Вы арестованы, Ильяс Мансимов, — сказал он. — Встаньте и оденьтесь.

Мансимов метнулся к пиджаку, но его опередил один из сотрудников, он толкнул стул, на котором висела одежда, в сторону, выхватил свое оружие. Мансимов испуганно замер. Касумов испугался еще больше. Не хватало только застрелить последнего важного свидетеля во время ареста! Он подошел к стулу, поднял упавший с него пиджак, достал из его кармана пистолет. Покачал головой.

— Глупо, Мансимов. Тебе еще добавят вооруженное сопротивление представителям власти. Нас здесь много. Всех не перестреляешь. Одевайся.

Стоявшая в дверях Шугина с ужасом смотрела то на своего друга, то на Касумова.

— Что случилось? — спросила она. — Что он натворил?

Касумов не чувствовал удовлетворения. Как будто ничего не произошло. Он с разочарованием следил за человеком, за которым гонялся столько дней. Все было кончено. И все было грустно.

— Отвернитесь, — хрипло сказал Мансимов, — я оденусь.

— Нас стесняться не стоит, — поморщился Касумов, — а ее тем более, — показал на хозяйку квартиры.

Мансимов протянул руку за брюками, стал натягивать их.

— Что произошло, Ильяс? — испуганно спросила Шугина.

— Ничего страшного, — ответил тот, — видишь, они разбираются.

— А откуда у тебя пистолет? Зачем он тебе?

— Не будь дурой, — грубо оборвал Мансимов.

Один из сотрудников Касумова надел на него наручники.

— Личные вещи в доме есть? — спросил Касумов.

— Нет, — ответил Мансимов, метнув на молодую женщину быстрый взгляд. Но Касумов перехватил этот взгляд.

— Советую сдать все личные вещи, чтобы мы не устраивали обыск в доме хозяйки, — предложил он задержанному.

— У меня нет личных вещей, — повторил Мансимов и отвел глаза. Касумов обернулся к Шугиной, встретился с ее раскрытыми от ужаса глазами.

— Спустите арестованного вниз, — приказал он помощникам.

— Ты им не верь, Гала, — уходя, крикнул Мансимов.

Когда за ним закрылась дверь и Касумов остался вдвоем с хозяйкой квартиры, он мягко сказал ей:

— Я понимаю ваши чувства, Галина, но речь идет не о моей прихоти. В одном из ящиков, которые ваш друг оставил на складе таможни вчера ночью, мы обнаружили бомбу. Ее не успели вытащить, и она взорвалась. Это сделали друзья вашего Ильяса. Вы, наверное, слышали о взрыве в аэропорту?

— Я не работала этой ночью.

«Ну и слава Богу, — подумал Касумов, — иначе она бы предупредила своего друга».

— Вы можете позвонить и все узнать у кого-нибудь из своих подруг, — предложил он.

Шугина колебалась.

— Звоните, — настойчиво сказал Касумов, — я ведь не мог такое придумать. Тем более узнать заранее, к кому вы сейчас позвоните. Позвоните и убедитесь, что я говорю правду.

— Я вам не верю, — сказала Галина.

— Тогда тем более позвоните и убедитесь.

Она подошла к телефону, немного подумала и,

быстро подняв трубку, набрала чей-то номер. Глухо спросила:

— Сима, это ты? Здравствуй, это Гала говорит. Да, это я. Ты не знаешь, что вчера ночью случилось в аэропорту?

Видимо, ей сказали что-то страшное. Она взглянула на Касумова и побледнела. Потом тихо сказала в трубку:

— Спасибо, Сима, да, спасибо, я все поняла. А ты не знаешь, чьи это были ящики? Да, спасибо.

Она положила трубку и застыла в молчании.

— Вы убедились в том, что я говорил вам правду? — спросил Эльдар.

— Да, — шепотом ответила молодая женщина.

— Поэтому я прошу меня понять. Речь идет в том числе и о вашей собственной безопасности. После нашего ухода здесь тоже может произойти взрыв, и тогда вам некого будет винить, кроме самой себя.

Шугина явно колебалась.

— Я не уйду без его вещей, — заявил Касумов, — сейчас я вызову сюда еще двадцать человек и мы перевернем весь дом, но найдем то, что он у вас спрятал. Хотя бы для вашей личной безопасности. И для его тоже.

Это решило исход дела. Женщина шагнула к стенному шкафу, достала из него «дипломат».

— Вот, — сказала она, — это его вещи. Больше здесь ничего нет.

Касумов взглянул на чемоданчик. Открыть его или подождать? Искушение было слишком большим, но он помнил о том, что случилось в аэропорту. Рисковать нельзя.

— Дайте его мне, — попросил он, — и старайтесь не делать резких движений.

Она испуганно протянула ему «дипломат». Он принял, автоматически отметив довольно внушительный вес. Посмотрел ей в глаза. Они были полны слез.

— Извините, — сказал он на прощание, — но вы поступили правильно.

— Что будет с Ильясом? — спросила она напоследок.

— Не знаю, — ответил Касумов, — но думаю, что лет десять-пятнадцать вы его не увидите. И это в самом лучшем случае.

Она охнула, оперлась о стену.

Осторожно неся «дипломат», Касумов открыл замок двери, вышел и мягко закрыл за собой дверь. Спустился вниз по лестнице, положил «дипломат» в багажник. Увидев его с чемоданчиком, Ильяс, сидевший на заднем сиденье между сотрудниками МНБ, стал громко ругаться. От бешенства у него побелели глаза, он брызгал слюной.

— Дешевка! Подстилка вонючая! Дрянь... — неслось из машины.

Он прибавлял еще массу нецензурных выражений, но Касумов его уже не слушал. Он сел за руль и выехал со двора. Обратно он ехал с еще большей скоростью, словно действительно опасался, что в чемоданчике могла лежать бомба и вставленные в нее часы отсчитывали последние минуты перед взрывом. На одном из перекрестков стоявший у машины полиции офицер ГАИ поднял руку. Касумов резко затормозил. Они действительно проехали на красный свет.

— Извини, друг, — сказал он и тут же узнал того самого инспектора полиции, который отпустил несколько дней назад Ахмедова. Старший лейтенант его тоже узнал.

— Здравствуй, дорогой, — обрадовался он, — можешь проезжать, ничего страшного.

Ему было очень приятно, что мог сделать поблажку офицеру МНБ, который поймал его несколько дней назад на взятке.

— Ах ты, стервец! — громко сказал Касумов. — Ну почему вы никак не хотите исправляться?

— У тебя, видимо, хорошее настроение, начальник, — ответил инспектор ГАИ.

— Да, — кивнул Касумов, — теперь действительно хорошее. А когда тебя выгонят из ГАИ, будет совсем хорошее.

И оставив ничего не понимающего инспектора, он рванул машину с прежней скоростью. У него теперь действительно было хорошее настроение. Часы показывали половину четвертого утра.

Дамаск. 9 апреля 1997 года

Было уже восемь часов утра, когда Дронго дотронулся до плеча задремавшей женщины. Она сразу открыла глаза.

— Что случилось? — спросила, оглядываясь по сторонам. Вспомнив, где находится, смущенно улыбнулась. — Кажется, я заснула.

— Ничего страшного, мы вместе смотрели телевизор, а потом вы задремали. Будем считать, что мы просто дежурили по очереди.

— Из меня не получится охранник, — улыбнулась она, — я «жаворонок», и мне очень трудно сохранять нормальную форму в пять часов утра.

— Вы довольно точно определили время, когда заснули. Где-то около половины пятого, — сказал Дронго.

Она сбросила с себя одеяло, которым он накрыл ее ночью, и поднялась.

— Если разрешите, я умоюсь.

— Да, разумеется, можете пройти в ванную, — показал он на дверь в глубине спальной.

Она взяла свою сумочку и прошла к ванной, обернулась к нему.

— Спасибо за одеяло!

— У меня их было два.

— Вы неисправимы, — пожала она плечами и вошла в ванную.

Он вышел в другую комнату. Подошел к столику с телефоном. Все-таки нужно будет заказать завтрак в номер. Подняв трубку, вызвал ресторан, попросил принести завтрак через полчаса. «Если вдвоем будем контролировать дверь, возможно, не оставим шансов убийце», — отметил он для себя.

Она вернулась из ванной комнаты через десять минут. Он сообщил ей о том, что заказал завтрак. Еще через двадцать минут в дверь постучали.

— Оставайтесь в спальне, — почти приказала она ему, — если это убийца, он не начнет сразу стрелять.

Мисс Линхарт прошла к двери и осторожно посмотрела в глазок. За дверью стоял официант с сервированным столиком. Она открыла дверь, сжимая в руках пистолет, на который было накинуто полотенце.

— Проходите, — улыбнулась женщина, приглашая официанта войти.

Тот вкатил столик. Наклонился, чтобы достать заказанные омлеты с сыром. И в этот момент Дронго поднял свой пистолет, готовый немедленно выстрелить, если пришедший сделает хоть одно лишнее движение. Но молодой человек улыбнулся и поставил тарелки на стол, сервируя его мягкими, плавными движениями. Дронго стоял у него за спиной, готовый к любой неожиданности. Официант закончил сервировку стола, поставил серебряный чайник и спросил:

— Где владелец номера? Он должен подписать счет.

Дронго спрятал руку с пистолетом за спину и громко сказал:

— Дайте мне счет, я его подпишу.

Официант обернулся. Он был немного испуган, обнаружив, что кто-то стоит за его спиной. Он протянул ручку и полез за блокнотом, когда оказавшаяся теперь у него за спиной Алиса Линхарт убрала полотенце, готовая выстрелить. Официант достал счет, протянул его Дронго. Тот убрал левую руку за спину, переложил в нее пистолет и, прислонившись к дверям, протянул правую руку за ручкой. Подписал счет. Алиса кивнула и убрала пистолет. Официант улыбнулся и повернулся, чтобы уходить. Дронго переложил пистолет в правую руку, готовый выстрелить.

Молодой человек дошел до дверей и снова обернулся. Алиса дернулась, но успела усилием воли сдержаться, не подняла руку с пистолетом.

— Приятного аппетита, — пожелал официант, выкатывая свой столик.

Когда он открыл дверь, Дронго снова поднял пистолет, но официант уже закрыл за собой дверь. Оставшиеся в номере посмотрели друг на друга, неслышно перевели дух.

— Мы становимся параноиками, — заметила женщина.

— Это был единственный шанс, — упрямо возразил Дронго.

— Уже половина девятого, — взглянула на часы Алиса, — если сегодня никого не будет, значит, вы просто ошиблись. И нам нужно срочно выезжать в Бейрут.

— Согласен. Но впереди еще целый день. Все может случиться.

— По-моему, вам просто нравятся неприятности.

— Нет. Мне нравится моя работа. Я убежден в правильности своих выводов. Даже если ничего не случится, то и тогда это не будет означать, что я ошибся. Возможно, не сработал какой-то неучтенный фактор, о котором мы не догадывались.

— Вы готовите пути к отступлению? — скривила она губы.

— Нет. Просто объясняю возможные причины, — ответил Дронго. — Давайте завтракать.

Он первым сел за столик, лицом к двери. Он всегда садился лицом к дверям. Женщина села напротив него. Они начали завтрак.

— Мул мог разгадать ваш маневр, — заметила мисс Линхарт, — или просто не отреагировать на ваше появление в Дамаске.

— Все может быть, — кивнул Дронго, — но не торопите время. У нас впереди еще целый день.

Они уже закончили завтрак, когда раздался телефонный звонок. Дронго поднял трубку.

— Простите, что вас беспокою, — любезно сказал портье, — но вы не сказали, какие газеты доставить вам сегодня в номер.

— Никакие, — он не хотел давать никому лишних шансов, — мне газеты сегодня не нужны.

Он положил трубку и взглянул на женщину.

— Вы будете сидеть со мной весь день?

— Разумеется. У меня приказ.

— В таком случае я попрошу заказать мне какие-нибудь книги на английском. Что вы читаете?

— Не знаю. Может, какие-нибудь детективы. Гришэм, Ла Карре, Клэнси. Мне все равно.

Дронго поднял трубку. Попросил портье дать ему номер ближайшего книжного магазина.

— У нас есть магазин в отеле. Какие книги вы хотите? — спросил портье.

— Детективы и фантастику, — сказал он, взглянув на свою гостью.

— Почему фантастику? — спросила она, когда он положил трубку.

— Это мои любимые книги, — признался Дронго, — особенно люблю американских фантастов послевоенной волны. Я не читаю детективов. Их вполне хватает в жизни.

— Вы меня поражаете, — улыбнулась женщина.

— Нам придется еще раз открыть дверь, чтобы забрать книги, — напомнил он.

— Придется, — улыбнулась она. — Но будет лучше, если я спущусь вниз, чтобы их купить. А заодно зайду на минуту к себе в номер, чтобы переодеться. Надеюсь, вы не станете делать глупостей, пока меня не будет?

— Нет, — усмехнулся он, — обещаю вам.

Она ушла, предварительно выкатив столик с остатками завтрака из номера. Дронго подошел к окну. Внизу, у первого этажа суетились рабочие, готовившиеся чистить окна отеля. Он вернулся в спальню и лег на кровать. Пистолет постоянно лежал рядом. Он едва не задремал, когда раздался звук открываемой двери. Дронго схватил пистолет, но сразу успокоился.

— Я принесла вам книги, — сказала она. — Кажется, Роберт Шекли.

— Прекрасно, — обрадовался Дронго, — это один из самых любимых моих писателей.

— Никогда не читала, — призналась женщина.

— Верю, — улыбнулся Дронго, — я вообще мало встречал женщин, которым нравилась фантастика.

— Что вы этим хотите сказать?

— Ничего. Просто женщины слишком рациональные существа.

Она пожала плечами, усаживаясь на диван. За время своего отсутствия женщина успела побывать в своем номере и переодеться. На этот раз на ней была темная обтягивающая юбка и темная шелковая рубашка с длинными рукавами. Лишь сумочка осталась прежней, очевидно, в другую просто не влезал ее пистолет.

В два часа дня они заказали в номер обед. Прежний официант появился через двадцать минут, и все повторилось. Только на этот раз нервы были на пределе. Каждую секунду они ждали подвоха, и, кажется, официант даже испугался, видя их мрачные лица.

Дронго сел обедать лицом к двери, как обычно. Женщина села напротив него. Они заказали бутылку вина, но почти не притронулись к спиртному, таково было напряжение этого дня.

Они уже заканчивали обедать, когда женщина сказала, взглянув куда-то за спину Дронго:

— Кажется, чистят ваше стекло.

— Они чистят не только мое, — кивнул Дронго, — начали с самого утра и постепенно поднимаются вверх. Если бы они чистили только мое стекло, то я мог бы еще что-то подозревать. Но они так тщательно чистят и все другие стекла отеля.

— По-моему, они помешаны на чистоте, — пожала плечами женщина, — я была здесь пять дней назад. Они и тогда чистили.

Она не успела договорить, как Дронго толкнул столик в ее сторону, сбивая ее с ног.

— Падайте на пол!

Сам он успел упасть в последнюю секунду, когда двое рабочих, отбросив свои щетки, выхватили из ведра автоматы. Громкие очереди и треск разбитого стекла наполнили комнату. В телевизор попала первая очередь, и он взорвался, наполнив комнату дымом и гарью. Воспользовавшись секундной паузой, когда оба нападавших меняли рожки автоматов, Дронго поднял руку и выстрелил. Один из нападавших со страшным криком отлетел к канату, но упал, ухватившись за него двумя руками. Поднявшаяся в полный рост Алиса Линхарт выстрелила во второго. Три выстрела попали в цель, и этот тоже отлетел к канатам, перевернув ведро с водой, которое с грохотом рухнуло вниз. Лишь когда женщина выстрелила в мужчину в четвертый раз, он полетел вниз с диким криком.

Дронго, видя, что первый нападавший только тяжело ранен, отбросил пистолет и, не обращая внимания на торчавшие из рамы куски разбитого стекла, рванулся к окну. Притянув качающуюся люльку к себе, он схватил за руку раненого убийцу и дернул его на себя в тот момент, когда тот едва не упал вниз.

— Где Ахмед Мурсал? — громко спросил Дронго.

— Израильские собаки, — на ломаном английском прохрипел умирающий, — будьте вы прокляты.

— Аллах акбар, — строго сказал Дронго, — я не израильтянин. Тебя обманули.

Мужчина закрыл глаза.

— Вы способны на все, — сказал он, — все равно вы будете гореть в аду.

— Где Ахмед Мурсал?

Убийца покачал головой.

— Вы можете отпустить его, — гневно крикнула Алиса. Она поняла все проклятия нападавшего.

— Подождите, — отмахнулся Дронго. Он перегнулся и, сильно порезав левую руку, втянул мужчину внутрь. Упал при этом вместе с ним на пол. От сильной боли раненый застонал.

— Тебя обманули, — убежденно произнес Дронго, поднимаясь. — Человек, пославший тебя сюда, не правоверный мусульманин. Он обагрил свои руки кровью хаджи Карима, кровью своего единоверца. Это он будет гореть в аду.

— Я ничего не знаю, — прошептал мужчина.

— Нам нужно уходить, — торопила Алиса, — бросайте все и уходим! Иначе нас арестует сирийская полиция.

— Где? Где находится Ахмед Мурсал? — настойчиво тряс Дронго мужчину.

За дверью уже слышались голоса, топот. Алиса Линхарт подскочила к двери и щелкнула замком.

— Опоздали! — сказала она. — Они нас арестуют.

Дронго похлопал по карманам раненого. В одном из них лежал ключ с биркой. «Отель «Диван», — прочитал он, забирая находку. В дверь уже ломились.

— Нужно бежать, — Алиса озиралась по сторонам. Она понимала, что будет с ней, если попадет в руки сирийских спецслужб. Но не видела выхода из создавшейся ситуации. — Будем прорываться! — решительно крикнула она.

— Идем, — кивнул Дронго. И перелез через стекло в люльку.

— Вы ненормальный, — в ужасе отшатнулась женщина, — мы разобьемся.

— У нас нет времени, — отрезал Дронго.

Он схватил ее и притянул к себе, пронеся над зубьями разбитого стекла. Дверь открылась, в комнату ворвались сразу несколько сирийских полицейских. Алиса была уже рядом с ним на опасно качающейся люльке. Он посмотрел на женщину, они поняли друг друга без слов. Подняв пистолеты, они разрядили свои обоймы над головами полицейских. Те испуганно попадали на пол.

— Вниз! — крикнул Дронго, запуская механизм. И люлька стремительно полетела вниз.

Они упали, больно стукнулись, когда люлька замерла в нескольких сантиметрах от земли. Сверху уже высовывались головы полицейских, некоторые начали стрелять.

— Бежим! — скомандовал Дронго, подтолкнув женщину.

Они вскочили и побежали под выстрелами полицейских. Внезапно женщина вскрикнула.

— Что с вами? — обернулся Дронго. — Вы ранены?

— Кажется, подвернула ногу, — виновато ответила она.

Он наклонился, поднял ее на руки и побежал в сторону старого города. Позади слышались крики случайных прохожих, выстрелы полицейских, испуганные вопли женщин.

ЧАСТЬ ТРЕТЬЯ

ГОРОД МИЛЛИОНЕРОВ

Баку. 9 апреля 1997 года

Касумов привез Мансимова в изолятор Министерства национальной безопасности. После громкого побега отсюда бывшего министра обороны и еще нескольких арестантов огромное здание обнесли высокой оградой, повсюду расставили охрану, усилили охрану в самом изоляторе. Сбежать теперь отсюда не было никакой возможности.

Касумов не стал дожидаться утра, сразу вызвал из дома сотрудника технического отдела, с которым они вместе осторожно открыли «дипломат». Предосторожности, как, впрочем, и полагал Касумов, оказались излишними, чемоданчик был набит деньгами и документами. Выяснилось, что у Мансимова имелось несколько паспортов, среди которых был и на имя турецкого гражданина с фотографией Ильяса Мансимова.

Только после того, как все было задокументировано, Касумов позволил себе поспать у себя в кабинете два часа и уже в девять утра встречал своих сотрудников чисто выбритым и в свежей сорочке. Никто не понимал причин радостного блеска в его глазах. Все приходившие на работу сотрудники считали, что видятся со своим начальником в последний раз, он же, наоборот, собрал совещание и даже давал задания на перспективу.

Ровно в десять часов утра министр вызвал к себе Эльдара Касумова. В кабинете находился и мрачный заместитель министра. Ему уже сообщили о недовольстве самого президента происшедшим в аэропорту взрывом. И теперь заместитель министра готов был обрушить весь свой гнев на голову Касумова, требуя не только его увольнения из органов, но и отдачи под суд.

Когда Касумов вошел в кабинет, министр, не приглашая его сесть, мрачно спросил:

— Где заявление?

— Разрешите доложить? — попросил Касумов.

— Не разрешаю. Почему нет заявления?

— Я считал, что вы уже знаете, — улыбнулся Касумов.

Это улыбка выбила из равновесия заместителя министра. Он взорвался.

— Ты чего улыбаешься? — закричал он гневно. — Ты почему улыбаешься? Что смешного в твоих проколах?

Более догадливый министр поднял со стола сводку вчерашних происшествий, которую еще не успел прочесть. И изумленно посмотрел на Касумова.

— Ты его нашел?

— Так точно, — еще шире улыбнулся Касумов.

— Где он?

— В следственном изоляторе, — махнул рукой Эльдар, — мы привезли его сегодня утром.

Заместитель министра внезапно понял, что произошло чудо. Он замолк, недоуменно глядя на лежавшую перед министром сводку.

— Так вы его нашли? — тихо спросил он.

Касумов кивнул.

— Молодец, — громко сказал министр, — я в тебе никогда не сомневался. Молодец, — радостно повторил он. — Мы утерли нос и МОССАД, и СВР.

Он посмотрел на своего притихшего заместителя и громко повторил:

— Какой молодец!

Заместитель нехотя кивнул. Он уже понял: ситуация кардинально изменилась.

— Что думаешь делать? — спросил министр.

— Будем работать, — улыбка все еще не сходила с лица Эльдара. Несмотря на свою должность, он был еще так молод, ему не было и сорока лет. — Мы уже вызвали следователя, — сообщил он, — но сначала я хочу сам с ним поговорить.

— Правильно, — одобрил министр, — сначала выжми из него все, а потом передавай его следователю. Нам нужно знать все, — подчеркнул он уже радостным голосом.

Касумов вышел из кабинета, чувствуя страшную усталость. Он не спал почти двое суток. Вернувшись к себе, он приказал доставить Ильяса Мансимова. Тот вошел угрюмый, агрессивный.

— Почему меня арестовали? — сразу перешел в атаку.

— У тебя целый букет обвинений, — махнул рукой Касумов, не забыв включить магнитофон. — Начать перечислять или ты сам знаешь?

— Ничего я не знаю, — огрызнулся Мансимов.

— Знаешь, — уверенно сказал Касумов, — начнем с самого начала. Ты разработал и помог международному террористу Ахмеду Мурсалу провести аферу с тремя паспортами, в результате подменяющие друг друга люди обеспечивали террористу беспрепятственный переход границы.

— Я не понимаю, о чем вы говорите, — пожал плечами Мансимов.

— Затем ты помог организовать прием багажа Натига Кура, который тот привез из Москвы. Есть показания бывшего начальника смены Гулиева о том, как ты встречал Натига Кура в аэропорту Баку.

— Это не преступление.

— И наконец, ты вместе со своим сообщником Шарифом Ахмедовым убил жителя Нардарана Акрама Велиева, который попросил своего соседа, чтобы его родственник оказал услугу твоему турецкому другу. По-моему, целый букет. Вполне достаточно. Нами точно установлено, что в ту ночь машина Шарифа была у дома убитого. Твои отпечатки пальцев найдены в доме. Ты ведь понимаешь, что это смертный приговор. Ты опытный человек, Ильяс, и должен все сознавать. Очевидно, ночью вы приехали к своей жертве. Видимо, ты познакомился с ним через Шарифа, который возил туда воду. Но в эту ночь он сделал ошибку. Решив перестраховаться и создать себе алиби, он невольно выдал себя. Он не стал заполнять бассейн именно убитого, тогда как все другие бассейны были полны воды. А все соседи видели, как водовоз Шарифа стоял у дома убитого. Вы ошиблись, и эта ошибка стоила жизни твоему напарнику.

— Вы его убили? — встрепенулся Ильяс.

— Нет. Он сорвался с балкона твоего дома и разбился.

Мансимов нервно отвернулся. Потом сказал:

— Убивал Шариф, а не я, у вас нет доказательств.

— Есть, — возразил Касумов, — его отпечатки не обнаружены в доме. Только твои. Значит, это ты сначала распил с хозяином водку, а потом отравил его. Вернее, сначала твой сообщник отравил собаку, попробовав на ней яд. А уже потом ты отравил хозяина.

Арестованный молчал, не желая ничего комментировать.

— С тобой будут работать следователи прокуратуры, — продолжал Касумов, — ты с ними будешь разбираться. Но меня интересует не это убийство. Меня волнует груз, который привез Натиг Кур из Москвы, и террорист, который улетел в Сирию.

— Я ничего не знаю, — крикнул Мансимов, — вы должны дать мне адвоката. Я ничего не буду говорить.

— А теперь послушай, что я тебе скажу, — остановил его Касумов, — вчера ночью в аэропорту был сильный взрыв, погибли несколько человек. Это взорвался один из ящиков, которые тебе приказал подготовить к отправке в Германию Натиг Кур. Они обманули тебя, Ильяс. Зная твое любопытство и жадность, они тебя обманули. Из Москвы пришли совсем другие ящики. Они их подменили. Настоящие ящики ушли в Сирию. А тебе подсунули бомбу.

— Какую бомбу? — не понял Мансимов.

— Чтобы ты взорвался и погиб, — пояснил Касумов, — они подготовили три ящика. По счастливой случайности, когда ты начал вскрывать один из них, он не взорвался. Просто ты не успел его вскрыть до конца. Тебе тогда помешали твои бывшие коллеги. И, наверное, тем самым спасли тебе жизнь. Вот сегодняшние газеты. А вот фотографии, можешь убедиться, что я тебя не обманываю.

Мансимов схватил фотографии. С ужасом убедился, что ящики те самые, которые он готовил для отправки в Германию. Он отбросил фотографии и долго сидел молча, глядя перед собой.

— Они тебя обманули, — подвел неутешительный итог Касумов, — они хотели тебя подставить и убить. Ты по-прежнему хочешь их выгораживать? Или тебе этого мало?

— Что вы хотите?

— Всю информацию об Ахмеде Мурсале, — быстро сказал Эльдар, — мне нужна вся информация.

— Я его почти не знал.

— Ты должен понимать, что происходит, Ильяс. Если он устроит террористический акт в Баку, то вина будет лежать на тебе.

— Не устроит, — тихо произнес Мансимов.

— Почему не устроит?

— Ему нужны были только его ящики. Только ящики, за которыми он приехал из Голландии. А Натиг Кур привез их для него из Москвы.

— Что было в ящиках?

— Не знаю. Я тоже хотел узнать, но ничего не получилось. Я не думал, что они меня обманут. Я считал, что им нужен этот груз для отправки в Германию.

— Они увезли настоящие ящики, подсунув вместо них барахло, — сказал Эльдар. — А внутри были бомбы.

— Может, вы их сами туда положили, — все еще пытался защититься Мансимов.

— Зачем нам убивать людей? — пожал плечами

Касумов. — Только для того, чтобы убедить тебя? Ты не считаешь, что это слишком высокая цена?

— Негодяи! — Мансимов сжал кулаки. — Они меня обманули.

— Рассказывай, — потребовал Эльдар.

— Мы встретили его в аэропорту, повезли на квартиру. Потом он жил там несколько дней. Я встретил Натига Кура, когда он привез ящики. Этот ублюдок сказал мне, что он должен все проверить и вечером привезет их для таможенного оформления. Я не думал, что он их подменит. Все оформил и спрятал ящики в нашем терминале. А через несколько дней позвонил Натиг Кур и сказал, что нужно убрать Велиева, который может рассказать о том, кто просил его устроить проводы и встречи в аэропорту. Шариф дружил с погибшим, вот мы и поехали. Но я не убивал. Это все сделал Шариф. А меня они так подло подставили.

— Куда они улетели?

— Один в Сирию, другой в Турцию. Третий, кажется, должен был улетать в Германию, но его арестовали на границе.

— А для чего им эти ящики?

— Не знаю. Они ничего не говорили. Просто все время намекали, что груз очень ценный. Проклятые ублюдки! Они меня обманули.

— Кто еще знал про ящики?

— Кроме меня, никто.

— Ты знаешь турецкий адрес Натига Кура?

— Стамбульский знаю. У него есть еще дом в Измире, но я там не был.

— А второго?

— Нет. Я его первый раз в жизни видел. И ничего про него не знал.

— Твоя жадность и подлость тебя погубили, —

махнул рукой Касумов. — Представь, до какой степени ты подлец, что даже они решили так тебя подставить. Видимо, и они довольно быстро тебя раскусили.

Мансимов кусал губы от бешенства.

— Я их найду и убью.

— Не найдешь, — печально сказал Касумов, — тебе еще повезло, что тебя не убили. Тот, который прилетел из Голландии, очень опасный террорист. Он убил людей больше, чем ты можешь себе представить. Считай, тебе вообще повезло, если, конечно, к тебе можно отнести это слово.

— Что со мной будет? — выдохнул Мансимов.

— Не знаю, — честно признался Касумов, — наверное, будет суд. Вообще-то мы подали заявку на вступление в европейское сообщество. У нас запрещена смертная казнь. Но лет десять или пятнадцать тебе дадут. Все зависит от того, как ты будешь с нами сотрудничать. И как быстро мы найдем этого террориста.

— Он улетел, — вздохнул Мансимов, — вы его теперь не найдете.

— Найдем, — уверенно сказал Касумов. — Будем искать его по всему миру. И не только мы одни.

— Он говорил, что за ним охотится МОССАД.

— Что-нибудь еще он говорил?

— Нет. Они вообще в моем присутствии мало разговаривали. Хотя один раз я слышал, как Натиг Кур говорил с кем-то по телефону и спрашивал о другом человеке.

— Что он спрашивал?

— Знает ли он французский язык, — вспомнил Мансимов, — да, точно так. Именно французский язык.

— И больше ничего?

— Нет. Я убью их своими руками! — сорвался Ильяс на крик. — Я их уничтожу! Я их найду!

Он начал плакать и кричать. Касумов поднял трубку.

— Вызовите врача, — попросил он, с жалостью глядя на сидевшего перед ним человека.

Дамаск. 10 апреля 1997 года

Им удалось выбраться из центра города каким-то чудом. Сначала они уехали на такси на северо-восточную окраину города. Затем Алиса позвонила кому-то из местных жителей, который приехал и, ни слова не говоря, отвез в заброшенный дом, провел в подвал, где было достаточно светло, тепло и даже была еда.

Они понимали, что нужно переждать здесь несколько дней, пока сирийские полицейские не решат, что сумасшедшие туристы, оказавшие такое яростное сопротивление убийцам, по непонятным причинам сбежали из города и успели скрыться.

Но, с другой стороны, у них не было времени и они не имели права просто так отсиживаться в этом подвале. Положение, в которое они попали, оказалось весьма сложным. Паспорта, личные вещи, даже деньги остались в отеле. Правда, паспорта были на чужие имена, а деньги можно было легко вернуть, но это мало что меняло.

Уже когда они несколько пришли в себя, Алиса спросила:

— Как вы смогли так быстро все просчитать? Они так хорошо маскировались, действительно чистили стекла номеров на каждом этаже, постепенно поднимаясь к нам.

— Американский стандарт, — усмехнулся Дронго. — В «Шератоне» жесткие правила, которые устанавливаются по всему миру. Окна чистят один раз в месяц. И уж никак не через пять дней. Когда вы мне сказали, что несколько дней назад чистили окна, я понял, что это подставка. И успел вас толкнуть.

— И довольно больно толкнули, — пожаловалась женщина.

— А вы хотели остаться за столом и превратиться в мишень для убийц? — поинтересовался Дронго.

— Кажется, нет, — призналась она.

— Вы хорошо стреляете, — похвалил он, — правда, слишком быстро и слишком хорошо.

Она покраснела.

— Я не могу, как вы, все предвидеть, — заметила она, — это у вас вместо головы компьютер и вы можете даже в такой момент ранить убийцу, чтобы потом вытащить из него какие-нибудь сведения. Я в этот момент просто испугалась.

— Убитый вами нападающий вряд ли согласился бы с этим утверждением, — усмехнулся Дронго.

— Наверное, — засмеялась она, вытягивая ногу и морщась от боли, — у меня там, по-моему, синяк, — сообщила она.

— Снимите юбку и посмотрите, — спокойно предложил он ей.

Она удивленно посмотрела на него.

— Вы иногда меня поражаете, — призналась она, — но, может, вы действительно правы. В конце концов, вы уже видели мои ноги. Только отвернитесь, когда я буду раздеваться. Мне все-таки неудобно.

— Конечно, — он отвернулся.

— Так и есть, — сказала она через минуту, — я сильно ударилась, когда падала в люльке, а потом сразу не почувствовала. Есть кровь. Здесь где-то была аптечка.

— Давайте, я вам помогу, — предложил Дронго.

Она взглянула на него, хотела что-то сказать, но ничего не произнесла, только кивнула, прикусив губу. Он достал йод из аптечки и, когда начал осторожно смазывать рану, она вскрикнула.

— У них нет ничего более щадящего?

— Это не «Шератон», — напомнил он, — только не одевайтесь сразу, а то испачкаете одежду.

— Сидеть в таком виде?

— Я могу дать вам свой пиджак, чтобы вы прикрылись, — пожал он плечами и действительно подал пиджак.

Она села на грязноватый стул и, закинув ногу на ногу, прикрыла их пиджаком. Потом сказала:

— Кажется, вы были правы. Ваша теория полностью подтвердилась. Кто-то из вашего окружения сообщает о ваших передвижениях Мулу.

— Я на это и рассчитывал, — кивнул Дронго, — завтра я выйду отсюда и постараюсь найти отель «Диван», в котором жили убийцы. Возможно, что найду там и следы Мула.

— Нет, — решительно возразила она, — это невозможно. Вас наверняка убьют. Туда поедет кто-нибудь из местной резидентуры. Я вас не пущу.

— Я же вам много раз говорил, что люблю все делать сам, — напомнил Дронго, — это моя работа.

— Сколько вам лет? — вдруг спросила она.

— Тридцать восемь. Почему вы спрашиваете?

— А мне тридцать два.

— Значит, я старше вас на шесть лет, — улыбнулся Дронго.

— И вы всегда так живете?

— Последние десять лет да.

— И вам не надоело?

— Не знаю. Иногда кажется, что да. Но я ничего другого не умею делать. И мои гонорары за расследование — единственный источник существования. Я же не могу в сорок лет начать заниматься бизнесом или торговлей. Для этого нужны таланты, которых у меня, очевидно, нет.

— У вас есть другие достоинства.

— Которые нужны только для расследования преступлений. Я же сказал, что ничего другого делать просто не умею.

— Вы женаты?

— Неужели вы думаете, что я могу жениться при такой невероятной жизни?

— Это справедливо, — согласилась она.

— А вы замужем?

— Нет. Я развелась три года назад. Мы были слишком разными людьми.

— А люди всегда разные, — вздохнул Дронго, — вот поэтому я и не женюсь. Когда люди расходятся, они оправдываются стандартной формулировкой о несхожести характеров. Получается, что каждый индивидуум должен жениться на своем клонированном двойнике, для полного сходства характеров.

Она засмеялась.

— Как вы думаете, в этом подвале бывают мыши? — вдруг спросила она.

— Если вы скажете, что боитесь мышей, я сойду с ума, — улыбнулся Дронго. — Если бы я сам не видел, как вы стреляете.

— Это разные вещи. Как вы думаете, я уже могу надеть свои брюки?

— Думаю, уже можете.

Она подняла его пиджак, протянув руку к своей юбке. Потом убрала и негромко произнесла:

— Черт возьми, мне так неудобно это говорить.

— Что случилось? — не понял он.

— Вы мне нравитесь, — вдруг сказала она, — в вас есть какая-то надежность. И в то же время какой-то кураж. Неестественное сочетание мозга-компьютера и души клоуна. Вам никто этого не говорил?

— Нет, — улыбнулся он, — это впервые.

— Вот видите. У вас есть неясные мне грани. Трудно понять, когда вы серьезны, а когда шутите.

Он молчал. Молчание грозило затянуться. Вдруг она шепотом произнесла:

— Иди ко мне.

И он понял, что должен встать и сделать шаг. Он встал. Поднялась и она. Отсутствие одежды ее, кажется, больше не смущало.

— Надеюсь, ты знаешь, как целуют женщину? — с вызовом спросила она. — Или ты видишь во мне только партнера по прыжкам в высоту?

— Нет, — сказал он, наклоняясь к ней, — скорее по пятиборью. Ты ведь так хорошо стреляешь и так быстро бегаешь.

Последнее слово он скомкал. Она притянула его к себе. И был долгий поцелуй.

— Надеюсь, раздевать ты меня будешь в этот раз сам? — спросила она. — Или мне снова раздеться самой?

Уже несколько дней полковник Мовсаев и его группа занимались поиском следов исчезнувших ящиков. Несмотря на все усилия сотрудников, ничего обнаружить не удавалось. Ящики словно возникли из небытия, неожиданно появившись в Москве, и так же неожиданно исчезли. Десятого утром Мовсаев докладывал генералу Светлицкому о безуспешных поисках.

Генерал мрачно выслушал его. Потом сообщил:

— Дронго объявился. Он находится в Сирии. Но, видимо, пока ему не удалось выйти на Мула.

— Все, что я узнал за последние несколько недель об этом террористе, убеждает меня, что он самый опасный тип, который когда-либо попадался нашей службе, — признался Мовсаев. — Я на Ближнем Востоке много лет работал, но такого патологического садиста еще не встречал. И обратите внимание, его ненавидят все, от бывших союзников до вечных врагов.

— Он все равно обречен, — сказал Светлицкий, — просто дело в том, когда это случится.

— Рано или поздно его убьют, — убежденно сказал Мовсаев. — Если наши сведения точны и его приговорили к смерти сразу две разведки — израильская и иранская, — у него нет шансов. Это самые мстительные разведки. Они не успокоятся, пока не найдут его.

— В том-то все и дело, что «рано или поздно», — вздохнул Светлицкий, — может быть поздно, очень поздно. Наш совместный проект с французами, который мы готовы начать в Иране, один из самых крупных проектов века. Представляете, с каким удовольствием наши конкуренты сорвут его, подставив иранцев под удар общественного мнения. Да и мы пострадаем больше всех. Наша Государственная дума сразу примет специальное заявление о борьбе с терроризмом и наложит вето на контракт.

— Понимаю, — нахмурился Мовсаев, — наши сотрудники работают день и ночь. Но пока мы ничего не знаем о характере груза, который вывезли из Москвы. Не можем найти даже зацепки.

— Зацепки, — задумчиво сказал Светлицкий, — щепки-зацепки. А вы точно знаете, когда груз отбыл в Баку?

— Конечно. Мы даже нашли носильщиков, которые грузили ящики. Судя по всему, груз был тяжелый, килограммов сто — сто пятьдесят.

— Я сейчас вспомнил одну интересную историю, — вдруг сказал генерал, — это было тридцать шесть лет назад. О ней мне рассказывал мой отец, который тогда работал в Министерстве обороны СССР, в военной контрразведке. — Он помолчал, словно собираясь с мыслями, потом продолжил: — Это было во времена Карибского кризиса. Обе стороны усиленно шпионили друг за другом, не жалея денег на любую информацию о действиях другой стороны. И вот тогда нам удалось получить очень интересную информацию по линии военной контрразведки. Выяснилось, что американцы довольно быстро просчитали все наши действия и отмечают каждый корабль, каждое грузовое судно, идущее к берегам Кубы. Как мы ни прятали наши самолеты и ракеты, как ни укрывали в трюмах наших солдат и оборудование, американцы всегда точно знали, откуда идет судно и какой на нем груз. Наша военная контрразведка терялась в догадках, каким образом американцам удается так быстро все выяснять. Во Втором главном управлении КГБ была разработана целая программа по выявлению иностранных агентов, но все было тщетно. Едва судно оказывалось в море, американцы уже знали, из какого порта оно вышло. Даже если мы меняли название судна и порт приписки.

Светлицкий снова помолчал и вдруг улыбнулся:

— Разгадка оказалась элементарной. Оказывается, американцы просто научились выяснять все по характеру наших ящиков. Вы меня понимаете? В каждом порту под оборудование использовали только местную тару. То есть каждый раз состав древесины и ящики были разные. Можно было сколько угодно прятать сами грузы, но по характеру древесины, по структуре дерева, по самим ящикам они легко просчитывали, откуда именно вышло судно. Вы ведь понимаете, что ящики из Мурманска и Одессы не могли быть похожими друг на друга.

Мовсаев удивленно кивнул. Он уже начал понимать, к чему клонит генерал. Но тот более четко сформулировал уже зревшие в голове полковника мысли.

— Если мы точно знаем, в грузовой отсек какого самолета грузили несколько дней назад эти ящики, если мы точно знаем, какие именно носильщики их перевозили и на каких тележках, если точно знаем, что груз прибыл в Баку и его выгружали там, то нам нужно проверить все места, где раньше лежали эти ящики. В том числе и в депутатской Шереметьево-один. Структура древесины всегда разная. Я понимаю, что, кроме этих ящиков, там могли быть десятки других, но если мы обнаружим повторяющиеся закономерности в микрочастицах грузового отсека самолета, на тележках носильщиков, на их одежде или на рукавицах, на лестнице, еще на других местах, где могли остаться частицы древесины, то мы сможем вычислить, какое именно дерево использовалось для этих ящиков, — победно закончил генерал.

Полковник шумно выдохнул воздух. О таком методе он даже не подозревал.

— И тогда мы сумеем выяснить, откуда пришли эти ящики, — закончил свою мысль генерал. — Судя по тяжести, груз вряд ли перекладывали из собственной тары. Значит, мы можем почти наверняка установить, откуда он прибыл. А это уже почти решение проблемы. И тогда нам удастся установить, какой именно груз был в этих ящиках.

— Я понял, — обрадовался Мовсаев, — нам такой способ даже не приходил в голову.

— Конец двадцатого века, — усмехнулся Светлицкий. — Пожалуй, мы уже стары для нового века. Мой сын на компьютере работает, так я часто не понимаю, что именно он делает и как может общаться, например, с другим абонентом в Америке или в Англии.

— Все сделаем, — кивнул Мовсаев.

— Я попрошу нашу экспериментальную лабораторию, чтобы они выделили вам сотрудников в помощь, — предложил генерал, — и не нужно торопиться. Как бы нас ни поджимало время, мы должны все точно выяснить. Думаю, в течение нескольких дней будем иметь конкретный результат. И если узнаем характер груза, то нам будет легче искать террориста, который действительно может принести нам всем массу неприятностей.

— Спасибо за подсказку, — улыбнулся Мовсаев, — такое направление мне бы и в голову не пришло.

— Мне тоже, — ответил Светлицкий, — просто вы употребили слово «зацепки», и я вспомнил историю, которую мне рассказывал отец. Иногда нужно оглядываться и назад, — заключил он. — Оказывается, опыт ветеранов — вещь совсем неплохая.

Дамаск. 11 апреля 1997 года

Подвал, в котором они сидели, оказался не только теплым, но и счастливым. Когда радость первой встречи переходит в длительное узнавание, не приедающееся от постоянных перерывов, ослабляющих первоначальное чувство и в конце концов разрушающих чувства обоих. Им казалось, время просто остановилось и нет ничего, кроме этого подвала, в котором в этот день и сосредоточилась вся Вселенная.

Но оставаться в подвале навечно они не могли. Вечером десятого числа пришел связной, сообщивший, что по всему городу их ищут многочисленные отряды полицейских, проверяются все отели, постоялые дворы, подозрительные дома в городе и пригородах. Их фотографии как израильских шпионов расклеены и розданы повсюду. Дронго скрепя сердце попросил связного выяснить, кто скрывался в отеле «Диван», расположенном в пригороде Бейт-Сахама. Их подвал находился совсем в другой стороне, на северо-востоке, в районе Барзах. Но посланник настаивал на том, чтобы они немедленно покинули не только этот подвал, не только Дамаск, но и вообще Сирию.

Выживший после ранения убийца, которого

спас Дронго, дал показания. Связной настаивал на немедленном бегстве из города.

— Я должен получить информацию на Мула, — стоял на своем Дронго. — Пока у меня не будет точной информации, где он находится в данный момент, я не уйду из города.

— Вы подвергаете риску женщину, которая находится здесь вместе с вами, — укоризненно сказал связной.

Это был пожилой араб с потухшими серыми глазами и таким же цветом лица, словно он всю жизнь провел под землей.

— Пусть она уходит сегодня, — предложил Дронго, стараясь не смотреть в глаза Алисы.

— Нет, — решительно сказала она, — у меня есть приказ обеспечить его безопасность. Поэтому я не уйду отсюда без него.

— Значит, мы останемся еще на один день, — подвел итог Дронго, — до тех пор, пока мне не сообщат, где находится Мул и его люди. Для меня это важнее всего на свете.

— Да, — услышал он голос Алисы Линхарт за спиной, — важнее всего на свете.

Дронго резко обернулся.

— Извините, — прошептал он, — я не хотел вас обидеть.

— Нет, — сказала она, — вы меня не обидели. Все правильно. Я изначально знала ваши приоритеты.

— Мы остаемся, — объявила она связному. — Нам нужно знать, кто проживает в отеле «Диван» и где находится Мул.

— Вы безумцы, — убежденно сказал связной, — ваша жизнь в Дамаске не стоит и ржавой монеты. Неужели вы этого не понимаете?

— Спасибо, старик, — сказал Дронго, — но нам поручили важное дело, и мы должны его выполнить. Мы не можем отсюда уехать; пока Мул в городе, в нем останемся и мы.

Старик пожал плечами и, бормоча что-то себе под нос, стал выбираться из подвала.

— Будьте осторожны, — сказал он, — я уберу лестницу, чтобы вас не смогли найти, даже если обнаружат подвал. Прыгнуть вниз никто не рискнет. За водопроводом есть второй выход, но он забит землей. Если вам все равно нечего делать, вы можете его прорыть, чтобы у вас был запасной выход. Лопаты я вам брошу сверху.

— Спасибо. Это как раз то занятие, которое нам необходимо, — улыбнулся Дронго.

Когда старик ушел, он сел на стул, стараясь не смотреть в сторону женщины. Она села рядом.

— Вам действительно здесь скучно?

После случившегося они снова перешли на «вы». И хотя в любом случае это была английская форма обращения — «you», тем не менее он подсознательно считал, что всегда обращался к ней только на «вы». В этом был его собственный выбор, он всегда обращался на «вы» к женщинам, с которыми был близок.

— Я этого не говорил.

— Но вы так обрадовались лопатам.

— Просто я считаю важным, чтобы у нас был второй выход.

— А я подумала иначе. Может, вам неприятно оставаться здесь со мной?

— Кажется, у нас уже семейные сцены, — пробормотал Дронго. И они рассмеялись.

— Простите, — сказала она, — у меня тоже нервы.

— Понимаю, — кивнул Дронго, — длительное сидение в подвале да еще наша неподвижность угнетают нас обоих. Мы ведь слишком деятельные люди.

— Вы действительно думаете, что Мул все еще в Дамаске? По нашим сведениям, он должен был выехать в Бейрут.

— Не знаю. Но я хочу точно знать, почему он приехал в Дамаск, что ему здесь нужно. Он ведь мог выехать в Бейрут из Алеппо. Зачем ему нужно было лезть в этот муравейник?

Она молча смотрела на него.

— Кроме того, — продолжал Дронго, — мы еще не знаем, благодаря кому к нам прислали таких опытных мойщиков окон, как наши убийцы. По-моему, мы должны узнать и это.

— Иногда я думаю, что вам при рождении повредили голову, — восхищенно сказала женщина, — или вы никогда не ошибаетесь?

— Сколько угодно, — пробормотал Дронго, — на самом деле ошибок у меня гораздо больше. Просто люди по-прежнему хотят верить в сказки.

— Может быть, — согласилась она, подняв руку и дотрагиваясь до его щетины на лице.

— Черт возьми, — пробормотал Дронго, — я так не люблю ходить небритым. В следующий раз попрошу старика принести мне бритву.

— Вы же знаете, что он этого не сделает. У вас должна быть борода, когда мы отсюда выйдем. Ваше бритое лицо будет сразу бросаться в глаза.

— Знаю, — невесело сказал Дронго, — поэтому и терплю.

Она дотронулась до его глаз, опуская палец ниже, к губам.

— Простите меня, — несколько сконфуженно

сказал Дронго, — я не хотел вас сегодня обидеть. Просто не считаю себя секс-символом и поэтому бываю несколько скован в обращении с красивыми женщинами.

— Какая глупость, — сказала Алиса Линхарт, — по-настоящему сексуальным мужчину делает его ум. Неужели вы действительно считаете, что высокий рост или мускулы более важны для женщины, чем голова ее избранника? Самая сексуальная часть мужского тела — это его мозг. Боюсь, что вы еще не поняли этой простой истины.

— Спасибо. Я буду считать это утешением для себя, — кивнул он, глядя ей в глаза. В подвале был не слишком яркий свет, но они видели глаза друг друга. Она вдруг сказала:

— У вас седая борода. Совсем седая. Вам никто этого не говорил?

— Нет. Но иногда мне кажется, что эта борода отражает состояние моей души.

— Не надо. — Она снова дотронулась пальцами до его губ. — Мне бывает страшно, когда вы впадаете в меланхолию.

Ночью неожиданно над головой послышался шум, и они бросились доставать оружие. Но это был тот самый старик. Он принес лестницу, осторожно спустился вниз, подсвечивая себе фонариком. Закрыл за собой люк. Сказал, обращаясь к Дронго:

— Вы были правы. В отеле действительно живут несколько боевиков Мула. Но его самого там нет.

— Что они там делают?

— Не знаю. Но, похоже, кого-то ждут. Их человек пять-шесть. От безделья не знают, чем себя занять.

— Чего они ждут? — нетерпеливо спросил Дронго.

— Этого мы не знаем.

— Может, они готовят какую-то акцию? — нерешительно предположила Алиса Линхарт.

— В Дамаске? — повернулся к ней Дронго. — И поэтому их привезли сюда и держат в отеле? Нет, на обычные действия террористов это не похоже. Ни один мало-мальски подготовленный террорист не станет так рисковать группой своих сторонников и тем более так выставляться. Они действительно чего-то ждут. И явно не сигнала к террористическим действиям. Черт возьми, я должен выйти на поверхность.

— Нет, — твердо сказал старик, — тебя сразу опознают. С таким ростом, как у тебя, трудно остаться незамеченным.

— Послушайте, — обратился к нему Дронго, — постарайтесь запомнить мои вопросы и завтра дать мне на них ответ. Вы запомните?

— Я запомню, — кивнул старик.

— Первый вопрос: когда они приехали? Второй вопрос: сколько их человек? Мне нужно точное число. Третий вопрос: как они живут? В одном номере или в разных? Четвертый вопрос: они все остаются в отеле или иногда кто-то уходит, и если уходит, то на какое время? И наконец, пятый вопрос: как они общаются между собой?

— Я не понял твой пятый вопрос, — спокойно ответил старик, — они говорят по-арабски. Это тебя интересует?

— Нет. Я понимаю, что по-арабски. Мне нужно знать, как они разговаривают, обращаясь друг к другу. Может, к кому-то с большим почтением, к кому-то с меньшим. Если можете, сделайте их снимки, я хочу посмотреть их фотографии. Может, у них в группе кто-то старший, кто-то, наоборот, не вызывает никакого уважения. Вы меня понимаете?

— Хорошо, — кивнул старик, — мы все узнаем. — Он тяжело поднялся и вдруг, посмотрев на Дронго, сказал: — В наших местах про тебя разное говорят. Некоторые считают, что ты продал душу дьяволу, который поэтому дал тебе такую голову. Другие говорят, что ты не человек, а робот. Третьи уверяют, что ты предсказатель судеб и поэтому умеешь увидеть все заранее. Четвертые считают, что тебе сделали операцию и ты можешь чувствовать других людей так, как не чувствует никто на свете.

Дронго видел, как замерла за спиной старика женщина, вслушиваясь в его слова. Он видел лицо старика, который произносил эти слова, глядя перед собой полуприкрытыми, туманными глазами. И Дронго молчал, ожидая, какой вывод сделает сам старик.

— Но я понял, — сказал тот, — ты просто необыкновенный человек. И силу тебе дает не дьявол, а Бог. По рождению я араб и, значит, должен быть мусульманином, по своей вере я христианин, а служу, как ты сам видишь, иудеям. И знаешь почему? Потому что Бог един. Он един у мусульман, у христиан, у иудеев. И если человек верит в Бога, в истинного Бога, значит, он не верит в дьявола. А если поклоняется дьяволу, то неважно, какого он вероисповедания. И я знаю, кто такой Ахмед Мурсал. Он сын дьявола и слуга дьявола. И он будет проклят.

Дронго слушал внимательно. Он не хотел улыбаться, чтобы не обидеть старика, но он видел глаза стоявшей за ним женщины и понимал, что этот разговор нечто гораздо большее, чем схоластические рассуждения о Боге и дьяволе. И гораздо большее, чем все слова старика, сказанные до сих пор. Поэтому он поднялся и молча стоял перед стариком, который продолжал говорить своим мерным, ровным голосом, словно читая молитву.

— Мне говорили, что ты безбожник, — продолжал старик, — говорили, что ты пришел из той страны, в которой нет Бога и в которой люди разрушили храмы. Но я знаю, что это неправда. Потому что в тот страшный час, когда дьявол соберет под свои знамена всю нечисть земную, чтобы стереть нас с лица Земли, истинный Бог призовет под свои знамена всех посвященных. И ты будешь одним из них.

Дронго взглянул на женщину. В ее глазах что-то блеснуло.

— Ты сам не знаешь, кому ты служишь, — сказал старик, — ты явился в этот мир по Его воле и служишь истинному Богу. Ты противостоишь слугам дьявола и поэтому ты всегда будешь побеждать.

Он повернулся и молча пошел к лестнице. Дронго остался на месте, глядя в глаза Алисы Линхарт. И она смотрела ему в глаза, словно впервые его видела. Старик, подсвечивая себе фонариком, поднимался по лестнице наверх, а они стояли и смотрели в глаза друг другу, словно продолжая уже начатый разговор.

Тель-Авив. 12 апреля 1997 года

— Мы установили с ними постоянную связь, — докладывал офицер, — в настоящее время непосредственной угрозы их жизни не существует, хотя обстановка вокруг них весьма тревожная. Мы делаем все, чтобы вытащить их оттуда как можно быстрее. — Он закончил доклад и сел. Это был невысокий полноватый офицер с веснушками на лице и рыжей шевелюрой.

— Спасибо, Гринберг, — кивнул сидевший во главе стола генерал Райский, — держите и дальше ситуацию под контролем. — Что у вас? — спросил он у другого офицера. Этот был высокого роста, черноволосый, со смуглым лицом, почти индийским разрезом глаз и вообще походил на кого угодно, но только не на представителя страны обетованной.

— Мы пока не имеем точно проверенных данных о Муле. Но часть его группы базируется в Дамаске, в отеле «Диван». Сейчас мы готовим специальную акцию по уничтожению террористов. Однако мы до сих пор не знаем ни возможного места нанесения удара, ни состава группы. Есть мнение, что Европа может быть только отвлекающим маневром, а главный удар они нанесут в Израиле. Тогда выбор Дамаска вполне логично вписывается в эту схему.

— А вы как считаете? — нахмурился генерал.

— Я думаю, что мы должны иметь в виду оба варианта, — твердо сказал второй офицер, — и не рассчитывать только на везение Дронго или его спутницы.

— Да, — согласился генерал, — передайте в Дамаск, чтобы они оттуда уходили. Сообщите Линхарт, что это приказ. Пусть немедленно уходят. Что у вас еще?

— Наша группа проанализировала действия Дронго в Дамаске. Мы считаем, что его опасный эксперимент полностью подтвердил наши худшие опасения о возможном предательстве. Согласно полученной нами информации, Дронго намеренно исключил из числа информаторов иранскую разведку, подтвердив свой первоначальный вывод о том, что иранцы никогда не простят Мулу убийства шиитского лидера хаджи Карима.

— Конкретнее, — сухо попросил Райский. Ему была явно неприятна именно эта часть разговора.

— Дронго передал сообщение в Баку, в Москву и к нам, если считать, что Гурвич сразу переправил эту информацию в наш Центр. Из этого мы можем сделать абсолютно определенный вывод о том, что в одном из центров находится информатор Мула, который снабжает его нужными сведениями.

— Нашу службу вы тоже занесли в разряд потенциальных союзников Мула? — уточнил генерал.

— Мы не можем дать гарантию, что кого-то из наших людей просто не купили, — пояснил офицер.

— Вы с ума сошли, Лернер, — крикнул сидевший рядом с генералом полный грузный человек в штатском. Он неприязненно смотрел на офицера.

— Простите меня, — возразил Лернер, — но моя группа настаивает именно на таком выводе. Однако приоритеты в подозрении на контакты с Мулом расставлены следующим образом. На первом месте Служба внешней разведки России, на втором Министерство национальной безопасности Азербайджана и на третьем МОССАД.

— Я бы очень удивился, если бы вы подозревали сами себя в работе на террористов, — зло пошутил сосед генерала. — Не знаю, что буду докладывать премьер-министру, пока вы не дадите мне конкретные факты.

— Для этого мы должны по меньшей мере арестовать Мула. Или уничтожить его.

— Делайте, что хотите, — прохрипел посланец премьера, — но учтите, что мы с огромным трудом снова наладили контакты с палестинцами. Ясир Арафат пошел на переговоры, и нам удалось затормозить эскалацию насилия. Если по вашей вине этот процесс сорвется и все пойдет прахом, то вы конкретно будете отвечать за провал мирных переговоров.

Лернер нахмурился, оглянулся на генерала.

— Мы примем к сведению заявление нашего правительства, — примирительно согласился генерал, — но я прошу учесть и такой фактор, как возможные контакты Мула с представителями других спецслужб. Исходя из этого, я приказываю с этой минуты полностью заморозить информацию, исходящую из нашего Центра, строго ограничив ее получение конкретными должностными лицами. Полностью прервать все контакты с Москвой и Баку до окончательного выяснения ситуации с Мулом. Мы обязаны все время держать ситуацию под контролем. Гринберг, что вы хотите у меня спросить?

— В целях конспирации дамасский центр не указал нам местонахождение Дронго и его спутницы. Вы не считаете, что мы должны разрабатывать ситуацию с учетом конкретного местонахождения эксперта и нашего агента?

— Безусловно, — согласился генерал, — но сейчас самое главное — выйти на Мула. Что касается Дронго и его спутницы, то передайте в Дамаск, в нашу резидентуру, мой категорический приказ: немедленно покинуть обоим пределы Сирии. Если даже Дронго не подчинится, наш агент обязан выехать из Дамаска немедленно по получении нашего приказа.

— Он провел такую опасную акцию, — напомнил Лернер, — фактически выступив в роли приманки.

— Мы его об этом не просили, — сухо оборвал Райский. — Давайте следующие вопросы, иначе мы никогда не закончим с этим Дронго.

Дамаск. 12 апреля 1997 года

Затхлый воздух подвала уже тяготил обоих. Утром двенадцатого апреля у них снова появился связной. Он довольно долго налаживал свою лестницу, как всегда неторопливо готовясь спускаться. Дронго и его спутница, у которых нервы были напряжены до предела, были готовы к любой неожиданности именно в такой момент, понимая возможность выхода ситуации из-под контроля. Тем, кто их искал, лучше всего было бы проследить, куда идет связной, чтобы затем ликвидировать всех вместе.

Дронго только сейчас понял, почему в каждый свой приход так изматывающе медленно старик готовится к спуску вниз. Он проверяет, нет ли за ним наблюдения, можно ли спокойно спуститься в подвал. Вот и теперь, наладив наконец лестницу, он медленно начал спускаться, подсвечивая себе фонариком. За последние двое суток они открыли запасной выход, но выйти из него можно было, только с трудом протискиваясь между камнями и трубами. Особенно трудно пришлось бы Дронго — с его мощным разворотом плеч он с трудом бы одолел подобный лаз.

От поверхности земли до их уровня было не

меньше четырех метров, которые старик преодолевал на выдвижной узкой лестнице.

Спустившись, старик устало сел на стул. В подвале было несколько стульев, стол, один большой диван, кровать, кресла, в общем, все, что можно было снести сюда понемногу отовсюду, не вызывая особых подозрений.

— Сначала я отвечу на твои вопросы, — сказал старик, глядя на Дронго. — Они приехали в Дамаск третьего апреля. Их было шесть человек, но двое ушли из отеля несколько дней назад. Они приезжали каждый в отдельности, но иногда в коридоре общаются друг с другом или здороваются. Оставшиеся четверо вчера переехали в другой отель. В газетах появилось сообщение, что один из нападавших в «Шератоне» остался в живых, и все четверо боевиков переехали в другой отель. Мы следим за ними. Среди них выделяется один человек, его фотографию и фотографии других я принес. Остальные его явно боятся, но это не Ахмед Мурсал, которого я однажды видел и узнаю, как бы он ни пытался изменить свое лицо.

Старик протянул фотографии. Дронго долго их рассматривал, не спрашивая, о ком именно говорил связной. Потом поднял решительно одну фотографию.

— Вот этот главный, — сказал он уверенно.

— Да, — не удивляясь, кивнул старик, — почему ты так решил?

— Я знаю, кто это. Это Красавчик Фахри. Он ближайший подручный Ахмеда Мурсала.

— Мы следим за ними. Они готовят какую-то акцию. Но мы не можем понять, какую именно.

— Может, акция Мула состоится в Дамаске? —

предположила женщина. — Это по-своему была бы изощренная месть террориста.

— Цель? — быстро спросил Дронго. — Убедить, что это делают иранцы? Пусть даже ему это удается. Чего он этим добьется? Поссорит иранцев с сирийцами? У них и без того не очень хорошие отношения, но это не та глобальная цель, которую может поставить Мул. Он все-таки террорист масштабный. О взрыве в Дамаске никто даже не узнает, это мало кого будет интересовать. Нет, они готовят нечто другое. Как глупо, что я все время здесь сижу, — вдруг раздраженно заявил он. — Мне нужно быть там, а не здесь.

— Что вы еще можете сделать?

— Завтра я думаю выйти в город.

— Нет, — решительно сказала женщина.

Старик покачал головой.

— Ты неисправим, — сказал он ровным голосом. — Но ты напрасно считаешь, что все должен делать только сам. Если все пройдет нормально, то завтра вечером этой четверки уже не будет в Дамаске. И вообще нигде не будет.

— В каком смысле?

— Они будут в аду, — так же спокойно ответил старик.

Дронго посмотрел на женщину. «Акция возмездия, — понял он, — специальная программа МОССАД по уничтожению террористов».

— Да, — ответил за нее старик, — их нельзя оставлять в живых.

— Нет, — решительно возразил Дронго, — убить легче всего. На их место придут другие, о которых вы уже не будете знать. Нужно попытаться выяснить, почему они сидят в Дамаске, что они замышляют, где находится Мул? А уже потом сводить счеты.

— Это не сведение счетов, — возразил старик, — это оплата счетов.

— Вы упускаете свой шанс, — раздраженно сказал Дронго, — дайте мне хотя бы один день. Мне нужно на них посмотреть, нужно понять, почему они здесь. Чего они ждут.

— Вы должны отсюда уехать, — сказал старик.

— Об этом не может быть и речи, — возразил Дронго, — я обязательно должен остаться, надо хотя бы попытаться выяснить, что они замышляют.

— Тогда остаюсь и я, — кивнула Алиса Линхарт.

— Нет, — строго сказал старик, — вы не можете остаться. Мне поручено передать вам, что это приказ. Ты можешь делать все, что хочешь, — добавил он, обращаясь к Дронго, — но она должна немедленно уехать. Уйти со мной прямо сейчас.

Алиса Линхарт взглянула на Дронго. Потом посмотрела на старика.

— Прямо сейчас? — спросила растерянно.

— Немедленно, — подтвердил старик, — я не уйду отсюда без вас.

Дронго развел руками.

— Они правы, — кивнул он, — вам нельзя больше здесь оставаться. Вы и так подвергли себя невероятному риску. Если я попадусь, у меня еще будут шансы отсюда выбраться. Если арестуют вас, мне даже страшно подумать, что с вами сделают. Уходите.

— А вы?

— Я должен остаться в Дамаске. Представляете, как им важен этот город, если даже после смерти двух своих боевиков они не уезжают отсюда, а лишь меняют место проживания? Мне интересно, чего они ждут и почему вообще приехали в Дамаск. Пока не узнаю этого, я отсюда не уеду.

— Вы останетесь здесь один, — это был не вопрос, это была печальная констатация факта.

— Конечно. В конце концов, я ничем не рискую. Просто сижу в подвале и ожидаю новых известий. Я ведь не выхожу в город.

— Вы здесь долго не усидите, — возразила она. — Я знаю ваш характер.

— Возможно, — согласился он, — борода у меня уже выросла. Вполне достаточная для моих пробежек по городу. Что-нибудь придумаем.

Она повернулась к старику.

— Мне идти прямо сейчас?

— Да, — кивнул он и встал.

Она подошла к Дронго и легонько коснулась его лица.

— Удачи, — чуть улыбнулась, мучительно сдерживая свои чувства.

— Спасибо, — он улыбался в ответ.

Она вдруг порывисто схватила его за плечи, быстро поцеловала и, ничего больше не сказав, резко повернулась, первой шагнула к лестнице.

— Идемте, — позвала связного и начала подниматься вверх, уже не оглядываясь на оставшегося в подвале Дронго. Когда старик вытянул лестницу, Дронго остался совсем один. Он прошел к дивану, все еще хранившему тепло ее тела, устало опустился, словно почувствовал некий груз своих лет. И замер, глядя перед собой.

— Дамаск, — прошептал он, — город ненависти Мула. Неужели он хочет нанести свой удар именно здесь?

Он растянулся на диване, закрыв глаза.Пистолет лежал рядом. «Завтра, — подумал он, — завтра тринадцатое апреля. Как быстро проходят дни, даже в этом подвале. Завтра мне нужно увидеть их самому».

Дамаск. 13 апреля 1997 года

Рано утром, когда снова раздался характерный скрежет над головой, Дронго уже сидел в ожидании. В эту ночь, впервые оставшись здесь один, он спал плохо: волновал предстоящий выход в город, словно самая главная и самая решающая экспедиция в его жизни. Старик медленно спустился вниз и протянул ему сумку.

— Здесь арабская одежда, — сказал он. — В ней ты, может быть, не будешь так бросаться в глаза. Наверху нас ждет друг, который будет все время с тобой. Постарайся от него не отходить.

— Конечно, — Дронго спрятал пистолет в кармане брюк, надел традиционную арабскую рубашку, доходящую до ног.

— Нет, — улыбнулся он, доставая пистолет, — так я его быстро достать не смогу.

— Убери оружие, — посоветовал старик, — у тебя будет охрана.

— Я не уверен, что это правильно, — сказал Дронго, снова убирая оружие под рубашку.

Одевшись, он пошел к лестнице. Пропустил вперед старика.

— Я думал, что уже навсегда остался в этом подвале, — пробормотал, поднимаясь следом.

— Все время молчи, — посоветовал старик, — за тебя будет говорить твой напарник. Ты ведь не знаешь арабского языка.

Их разговор традиционно велся на английском.

Дронго почти не знал арабского языка, лишь несколько слов.

— Да, — подтвердил он, — я не говорю по-арабски.

— Тогда все время молчи, — опять посоветовал старик.

Дневной свет больно ударил по глазам. Привыкший к полутьме подвала, Дронго зажмурился, покачнулся, едва не упав.

— С вами все в порядке? — услышал он тревожный голос старика.

— Да, да, все в порядке, — кивнул Дронго, — мне уже гораздо лучше.

Они вышли из разрушенного здания. Около старенького «Пежо» их ждал будущий напарник Дронго. Он был еще выше ростом, чем сам Дронго, и имел гораздо более мощные плечи.

— Хабиб, — сказал он, улыбаясь и кивая. У арабов не принято обмениваться рукопожатием. Дронго кивнул ему в ответ. В арабской одежде, с уже густой седой бородкой, он был похож на настоящего пожилого араба. Сев в машину, он спросил у старика: — Как добралась женщина?

— Все хорошо. Она уже в Израиле.

— Тогда действительно все хорошо, — вздохнул Дронго. — Надеюсь, они меня не узнают. Который сейчас час?

— Половина девятого. Через полчаса у них в отеле будет завтрак, к нему спускаются все четверо. Ты можешь увидеть их всех вместе. Если ты их не сумеешь вспомнить, наш человек может их тебе показать. Он возьмет фисташки и будет поочередно останавливаться у столика каждого из них.

— Не нужно, — отказался Дронго, — у меня хорошая память, я их всех запомнил.

— Ты думаешь, что, посмотрев на них, сумеешь прочитать их мысли? — поинтересовался старик. — Даже твой разум имеет пределы. Это очень опасная поездка. Полиция до сих пор ищет вас по всему городу. Твои фотографии есть у каждого осведомителя.

— Но не в таком виде, — возразил Дронго, — они ищут европейца в костюме и галстуке, а не седого араба с такой бородкой, как у меня. И потом, я не собираюсь разгуливать по городу.

Старик ничего не сказал. Сидевший за рулем Хабиб улыбнулся, но тоже не стал комментировать слова Дронго. Он плохо знал английский язык и говорил на нем с чудовищным арабским акцентом. Через двадцать минут, лавируя среди машин, они подъехали к небольшой гостинице.

— Там немного гостей, — предупредил старик, — человек тридцать-сорок. Будьте осторожны.

Хабиб оставил машину, и они с Дронго направились к отелю. Войдя в здание, они прошли к лестнице, ведущей вниз, в ресторан, и спустились в небольшой зал, где уже завтракали гости отеля. Это была маленькая обшарпанная гостиница третьего сорта. За столиками в основном сидели только мужчины, но за двумя разместились и женщины в традиционных белых платках, покрывающих голову. В Сирии не было столь строгих правил, как в Иране или Афганистане, регламентирующих обязательную чадру для женщины, предписывающих одеваться в темные, закрывающие до ног покрывала. В арабских странах вообще женщины пользовались гораздо большей свободой. Можно было встретить и откровенные наряды, и мини-юбки, и европейские платья. Но большинство женщин одевались довольно скромно и прикрывали головы платком. Европейские одежды носили в основном жены высших чиновников, части интеллигенции и служащих. И хотя учеба была по-прежнему в большинстве своем раздельна, а строгие каноны религии не разрешали арабским женщинам молиться в мечети вместе с мужчинами, тем не менее они пользовались куда большей свободой, чем их сестры в соседних государствах.

Дронго уселся за столик рядом с Хабибом. Он сразу узнал всех троих террористов, показанных ему на фотографиях. Двое сидели вместе, один сидел в стороне. Но Салеха Фахри среди них не было. Похоже, Красавчик запаздывал.

По лестнице кто-то спускался. Дронго поднял глаза и вздрогнул. Он узнал бы это неприятное лицо в любом случае. Красавчик — Салех Фахри. Последний прошел к свободному столу, сел, положив свои мощные руки перед собой, осмотрелся. От Дронго не укрылось, как он кивнул одному из террористов. Подскочивший официант начал раскладывать на столике приборы. Вокруг было довольно грязно и неопрятно, но, похоже, никого это не смущало.

Красавчик ел медленно, тщательно пережевывая пищу, отчего шевелились даже кожа на лбу и маленькие короткие уши. Он не смотрел больше по сторонам, уткнувшись глазами в свою тарелку. Дронго попробовал кофе, который ему принесли, и поморщился. Это был просто грязноватый напиток, лишь отдаленно напоминающий кофе.

Троица боевиков поглядывала на своего главаря с почтением. Дронго ждал, делая вид, что поглощен завтраком. Первыми вышли двое террористов, завтракавших за одним столиком. Следом поднялся сам Красавчик. Он кивнул официанту, осмотрел зал своими маленькими поросячьими глазками и, тяжело отдуваясь, направился к лестнице. За ним ушел четвертый боевик. Только после этого Дронго вместе с Хабибом тоже поднялись наверх. Они вернулись к машине. Там уже сидел старик.

— Мне нужно знать, где они были в эти дни, — тихо сказал Дронго. — Вы наверняка следили за каждым. Мне нужны их маршруты, места их пребывания.

— Когда?

— Сегодня. И не предпринимайте никаких акций, пока я не закончу. Иначе вы сами все испортите.

— Это трудно, — вздохнул старик, — группа ликвидации мне не подчиняется.

— Должна быть причина, — убежденно сказал Дронго, — мы должны понять, почему Ахмед Мурсал привез свой непонятный груз в Дамаск, почему он и его люди все время находятся в городе. Их не волнует даже угроза разоблачения. Что еще более важное заставляет их находиться здесь? Мне нужно знать ответы на эти вопросы, чтобы найти Мула. Постарайтесь остановить группу ликвидации. Придержите их. Хотя бы еще на сутки.

— Это очень сложно, — повторил старик, — но я попытаюсь. Их маршруты будут у меня через два часа. Куда их тебе привезти?

— Туда, где я буду, — улыбнулся Дронго.

— А где ты хочешь быть?

— Здесь. Я собираюсь поселиться в этом отеле, конечно, если мне дадут немного денег. Все свои деньги я оставил в «Шератоне», а кредитную карточку здесь наверняка не принимают.

— Хорошо, — согласился старик, — вы поселитесь вместе с Хабибом в одной комнате. А я приеду через два часа. И постараюсь остановить акцию возмездия до того момента, пока ты наконец не дашь мне сигнал.

Москва. 13 апреля 1997 года

Способ, предложенный генералом Светлицким для обнаружения микрочастиц древесины, был и сложным и простым одновременно. Требовалась не просто работа группы сотрудников технического отдела. Для столь масштабных исследований привлекли сотрудников закрытого научно-исследовательского института, занимавшегося сходными проблемами. Более сорока человек занимались розыском микрочастиц на одежде носильщиков, на их тележках, в грузовом отсеке самолета. Пришлось получить специальное разрешение на исследование внутри грузовой кабины самолета, который вылетал в тот день по маршруту Москва — Баку.

Неожиданно повезло с тележкой. Выяснилось, что тележка, на которой перевозили ящики на тот рейс, через несколько дней сломалась и была отбуксирована в грузовой терминал для ремонта. Свежие частицы древесины могли остаться на этой тележке. На спектральные анализы нужно было около недели, и Мовсаев решил попробовать разыскать двух парней, помогавших турку перевозить грузы. Их примерные фотопортреты были уже розданы в управления и отделы милиции, в том числе и на транспорте. Это была попытка наугад найти двоих в многомиллионном городе. Могла ли она быть успешной?

Из Баку пришел ответ, подтверждавший худшие опасения. Прошедший через депутатскую комнату Сабиров действительно не знал своего напарника, о котором его попросил родственник. Судя по сообщениям из Баку, попросивший, в свою очередь, родственника сосед был убит, а сотрудники Министерства национальной безопасности Азербайджана сумели найти убийцу в рекордно короткие сроки, о чем с понятной гордостью и сообщали. Подтвердились и факты провоза багажа турецким гражданином Натигом Куром в Баку, который затем бесследно исчез.

Мовсаев торопил сотрудников института и технического отдела, требуя ускорить расследование. Но он понимал, что существуют объективные обстоятельства, которые не зависят от его желания. Он снова приехал в аэропорт, чтобы проверить все на месте. Когда они подъезжали к аэропорту, автомобиль свернул к основным зданиям, не доезжая до шлагбаума.

— А почему не туда? — спросил Мовсаев у своего водителя.

— Там проезжают только автомобили, пассажиры которых заранее подали заявку на депутатскую комнату, — объяснил водитель.

— Значит, там регистрируют все приехавшие автомобили? — Мовсаев посмотрел на Никитина.

Тот невесело пожал плечами.

— Это наше упущение, — сказал он, — но они могли приехать и на обычном такси.

— Ящики бы не поместились в обычное такси, — мрачно заметил Мовсаев, — наши люди должны были знать это обстоятельство. Давай к шлагбауму, — обратился он к водителю, — сами проверим.

Через минуту он уже стоял у будки охранников, предъявляя свое удостоверение. Вместе с Никитиным они выписывали номера всех машин, побывавших здесь утром девятнадцатого марта. Потом Мовсаев позвонил в отдел.

— Вы проверяли машины, приехавшие утром на специальную стоянку? — сдерживая гнев, спросил он у одного из своих сотрудников.

— Конечно, — ответил тот, — проверили все автомобили.

— А почему мне не сообщили?

— Там все машины были легковые, — резонно заметил офицер, — на них ящики нельзя было привезти. А все государственные машины мы проверили.

— До свидания, — Мовсаев отключился. — Они проверили, — сказал он Никитину. — Они проверили все машины, но в тот день утром на стоянке были только легковые.

— Значит, грузовая подъехала с другой стороны, — развеселился Никитин, — наши ребята не так уж плохо работают.

— Чему мы радуемся, — хмуро спросил Мовсаев, — лучше бы они работали гораздо хуже. Так у нас был хоть какой-то шанс, а теперь и его нет.

Они прошли в кабинет, встретив там уже знакомого Тавроцкого.

— Александр Васильевич, — обратился к нему Мовсаев, — у вас не бывает скрытой съемки привокзальных площадей?

— Нет, — удивился Тавроцкий, — в нашем секторе не бывает. Внутри мы иногда контролируем ситуацию, но снаружи... Мы же не можем контролировать всю территорию. Для этого есть милиция.

— Понятно, — кивнул полковник, — спасибо за лекцию. Значит, вы думаете, что нет никакой возможности разыскать автомобиль, на котором привезли ящики?

— Прошло столько дней, — Тавроцкий задумался, — нет, машину мы вряд ли найдем. Когда это было? Девятнадцатого марта? Нет, ничего придумать нельзя. Мы можем опросить всех еще раз, но все равно никто ничего не вспомнит.

— Ящики привезли наверняка в микроавтобусе, — напомнил Мовсаев, — может, кто-то обратил внимание на эту машину?

— Мы трижды опрашивали всех, кто дежурил в то утро в аэропорту. Здесь бывает несколько тысяч машин, в том числе и несколько сот микроавтобусов. Вы думаете, кто-то мог запомнить ваш микроавтобус?

— Навряд ли, — согласился Мовсаев, — похоже, вы правы, здесь мы действительно ничего не найдем.

Он кивнул Никитину и вместе с ним вышел из комнаты. Когда они оказались на автостоянке, Мовсаев повел взглядом по машинам.

— Должен же быть какой-то выход, — задумчиво промолвил он. — Откуда взялся этот чертов микроавтобус?

— Может, нам проверить Домодедово? — предложил Никитин.

— Нет, — возразил Мовсаев, — если бы ящики были в Домодедово, он бы улетел прямо оттуда, не стал бы везти их через весь город, рискуя напороться на ГАИ.

— Вы думаете, не стал бы их перевозить? — Они посмотрели друг на друга.

— Быстро обратно, — крикнул Мовсаев, — мы изначально ошибались.

Они бросились в здание аэропорта. Нашли Тавроцкого.

— Никаких машин не было, — сказал Мовсаев, — проверьте все ваши собственные аэропортовские. Груз наверняка пришел в Шереметьево и прямо отсюда был транспортирован в Баку. Они бы не рискнули провозить груз через весь город. Мы должны проверить и опросить водителей всех микроавтобусов, работавших в аэропорту, а не машины, приехавшие из города. Вы меня понимаете, подполковник? Не автомобили, которые приехали из города, а все ваши машины. Груз наверняка был принят в Шереметьеве и только затем перегружен на бакинский рейс. Мы неправильно построили поиск. Найдите машину, которая помогла довезти ящики до зала официальных делегаций.

— Я все понял! — Тавроцкий выбежал из кабинета. Никитин поспешил за ним. Мовсаев поднял трубку стоявшего на столе телефона. Набрал номер.

— Это полковник Мовсаев, — представился он, — соедините меня с генералом.

Через несколько секунд Светлицкий поднял трубку.

— Товарищ генерал, — взволнованно сказал Мовсаев. В их ведомствах слово «господин» все никак не приживалось. — Мы неправильно вели поиск. Считали, что груз могли привезти в Шереметьево, поэтому проверяли все машины, которые сюда приезжали. На самом деле груз не вывозился в город. Террористы не рискнули бы везти его по городу. По всей вероятности, они использовали местный рейс, чтобы получить груз на месте и сразу отправить. Нам следует искать грузы, прибывшие в Шереметьево-один восемнадцатого или семнадцатого марта.

— Да, — помолчав, согласился Светлицкий, — это очевидно. Мы должны были догадаться с самого начала. Как только у вас будут какие-то результаты, сразу сообщите мне.

— Обязательно, — Мовсаев положил трубку.

Он перевел дыхание, снова поднял трубку, позвонил в отдел, приказав оперативникам немедленно выехать в аэропорт. В томительном ожидании провел полчаса. Вдруг в кабинет ворвался Никитин.

— Нашли! — счастливо кричал он, изменив обычно сдержанной манере. — Мы нашли автомобиль! Они грузили ящики прямо из терминала, видимо, они прибыли с какого-то внутреннего рейса, где нет таможенного досмотра. Водитель помнит, что оба парня приехали на синем «БМВ».

— Он помнит номер?

— Нет, он помнит только две последние цифры. Это день его рождения, поэтому он запомнил.

— Какие цифры?

— Четырнадцать. И вспомнил, что ребята говорили с легким кавказским акцентом. Они ему хорошо заплатили.

— Где водитель?

— Сейчас он с Тавроцким, поехали в грузовой терминал, чтобы осмотреть все на месте.

— Машина! — спохватился Мовсаев. — Его машина. Там наверняка сохранились все микрочастицы. Мы можем ускорить эти чертовы анализы, если осмотрим его машину. Надеюсь, с ней ничего не случилось?

— Нет, — счастливо улыбался Никитин, — ничего.

— Я позвоню в технический отдел, — поднял трубку Мовсаев, — а вы проследите за этой машиной. Она для нас сейчас важнее всего на свете. С ее помощью мы сможем установить структуру древесины этих ящиков и узнаем, наконец, откуда они прибыли.

— Позвоните в ГАИ, — напомнил Никитин, — пусть ищут «БМВ». Думаю, теперь мы их обязательно найдем.

— Конечно, — улыбнулся Мовсаев, — я позвоню в милицию.

Дамаск. 13 апреля 1997 года

В отеле было грязновато, и Дронго с отвращением сидел на кровати, ожидая, когда наконец принесут данные, о которых он просил. Равнодушный ко всему Хабиб дремал на соседней кровати. В номере не было ни телевизора, ни радио, и поэтому время тянулось медленно. Вопреки обыкновению старик опаздывал. Он появился через три с половиной часа. Он вошел в комнату, закрыл за собой дверь, достал из складок одежды папку, протянул ее Дронго.

Хабиб вскочил с кровати, уступая место для бумаг. Дронго разложил бумаги на несвежем покрывале. Это были крупные карты города. На каждой из них было проставлено число и проложен точный маршрут передвижения каждого из террористов.

— Здорово! — не удержался Дронго. — Я всегда был уверен, что МОССАД работает прекрасно. Но до такой степени! Значит, здесь маршруты всех четверых и разложены по дням.

— Поэтому я немного задержался, — спокойно сказал старик.

Дронго начал внимательно исследовать отметки. Потом поднял голову.

— Я не понимаю, — сказал он, — что это такое? Получается, что после нашего бегства каждый из них хотя бы раз в день подходил к «Шератону». Но для чего?

— С чего ты решил? — спросил старик. Хабиб удивленно смотрел на обоих.

— Вот посмотрите, — показал Дронго, — на вашей карте указаны не только маршруты, но и время. Каждый из террористов ежедневно в двенадцать часов дня и в пять часов вечера оказывался напротив отеля, у его северной стороны, и задерживался там на десять минут. Что они там делали? Неужели ждали, что мы там появимся?

— Не может быть, — возразил старик.

— И тем не менее они живут в Дамаске вот уже сколько дней и дважды в день в определенное время подходят к «Шератону». Вы не знаете, что они там ищут? — Дронго задумчиво потер густую щетину на подбородке.

— Мы не обращали на это внимания, — признался старик, — но этого не может быть. Они разместились в отеле «Диван», из которого потом, второго апреля, переехали сюда, когда еще никто не знал, что ты прилетишь в Сирию и тем более приедешь в Дамаск. Они не могут ходить к этому отелю из-за тебя. Конечно, там должна быть какая-то причина.

— И нам нужно узнать, какая именно, — закончил Дронго, продолжая разглядывать карты. Не удержался, снова сказал: — Но вообще ваша разведка работает потрясающе. У меня такое ощущение, что Дамаск наводнён агентурой МОССАД.

— У каждого свои секреты, — улыбнулся старик.

— Они явно ждут какого-то сигнала из «Шератона», — постучал по картам Дронго, — мне нужны списки всех гостей, живущих в отеле за период с третьего по сегодняшнее число. Их, наверное, будет не так много.

— Тебе не кажется, что ты злоупотребляешь нашим гостеприимством? — спросил старик. — Я уже несколько раз делал то, о чём ты меня просил. И ты все время хочешь новых сведений. Может, пора закончить твое расследование?

— Остается последний штрих, — попросил Дронго, — и тогда наконец я буду знать, что они делают в вашем городе так долго.

— Нет, — возразил старик, — уже поздно. Вечером состоится акция возмездия. Ты должен уходить из города.

— Мне нужны эти данные, — настаивал Дронго, — о них можно узнать, позвонив портье. Просто здесь нет телефона, а я не говорю по-арабски.

— Ты должен понять, что у нас нет времени, — настаивал старик, — мы сделали все, что могли. Тебе нужно уходить.

— Я не уйду, пока не узнаю, кто проживает в «Шератоне» все эти дни. Сообщите эти сведения, и я наконец выйду из этого отеля.

— В последний раз, — с неохотой согласился старик. — Постараюсь узнать все как можно быстрее. Но только будь готов покинуть город через полчаса.

Забрав все карты, старик вышел из комнаты, а Дронго снова сел на кровать, ожидая последнего известия. «Тринадцатое апреля, — подумал он. — Для кого тринадцать будет несчастливым числом?» Хабиб сидел на соседней кровати, испуганно глядя на своего напарника.

Старик не соврал. На этот раз он пришел ровно через полчаса, войдя в комнату, протянул ему записку. На ней были три фамилии.

— Только эти три человека проживают здесь с третьего апреля, — пояснил старик, — рядом написано, откуда они прилетели и чем занимаются.

Дронго быстро прочел три фамилии. Рамон Фернандо с Филиппин, импресарио, Малик-аль-Азизи, инженер из Пакистана, и бизнесмен Дуайт Паттерсон из Барбадоса.

— Все, — сказал старик, — теперь мы должны уходить, через два часа здесь будут совсем другие люди.

— Чем занимаются эти трое? — спросил Дронго.

— Там написано.

— Нет, где они на самом деле работают и чем занимаются? Это очень важно знать.

— Мы уходим, — нетерпеливо сказал старик, — мы должны уйти.

— Уходите без меня, — сказал Дронго, — я остаюсь.

— Ты меня обманул? — старик спросил это без гнева.

— Ты сказал, что в тот день, когда дьявол призовет своих слуг к последней битве, истинный Бог призовет своих сторонников, — напомнил Дронго, — считай, что сегодня будет генеральная репетиция перед основной схваткой. Я обязан остаться. Если вы дадите мне еще один пистолет, я буду вам благодарен.

— Ты упрям, — задумчиво сказал старик, — и я

думаю, что ты знаешь, что делаешь. Хабиб останется с тобой. У него есть запасной пистолет, который может тебе понадобиться. Но ровно через два часа здесь будет очень опасно. Постарайтесь уйти до этого времени. — Он повернулся и пошел к выходу. Уже открыв дверь, произнес: — Я рад, что познакомился с таким человеком, как ты. Прощай.

Он вышел, мягко закрыв дверь. Хабиб поднял рубашку, доставая пистолеты. Один он протянул Дронго. Тот молча взял, проверил обойму. Кивнул.

— Нам нужно найти комнату Салеха Фахри, — сказал Дронго, — ты знаешь, в какой комнате он живет?

— На третьем этаже, — кивнул Хабиб, — в пятом номере, который выходит на крышу соседнего здания.

— Тогда пойдем через полтора часа, — кивнул Дронго, — но будь осторожен, они могут быть вооружены.

— Хорошо, — равнодушно сказал Хабиб.

Время тянулось медленно. Эти полтора часа были самыми долгими в его жизни. Наконец Дронго поднялся и махнул рукой Хабибу.

— Пошли.

И в этот момент внизу прогремел страшный взрыв.

— Опоздали! — крикнул Дронго. Он бросился к дверям, за ним Хабиб. В коридоре было дымно. Кто-то кричал, слышались частые одиночные выстрелы, бежали люди. Хабиб втащил Дронго в комнату.

— Мы должны уходить, — прошептал он. — Вас могут убить.

Дронго толкнул его в грудь.

— Мне нужно на третий этаж, — прошептал он и снова бросился в коридор, оставив замешкавшегося Хабиба одного. Он метнулся к лестнице, не обращая внимания на выстрелы и крики. Вбежал наверх, ринулся по коридору. И наконец нашел пятый номер. Он толкнул дверь, ворвался в номер. Окно было открыто, очевидно, обитатель номера успел сбежать по крыше.

«Чертов старик, — зло подумал Дронго, — наверное, он специально назвал мне срок в два часа, чтобы я не успел ничего сделать. Хотя с другой стороны, может, он элементарно ошибся. Ведь ему назвали срок в два часа до его второго посещения. Он мог прийти через полчаса и по привычке назвать срок в два часа».

Дронго повернулся, чтобы выйти из комнаты и увидел бежавших к нему двоих мужчин в маскировочных костюмах. Он с ужасом вспомнил, что на нем по-прежнему арабская одежда.

— Подождите! — крикнул Дронго. И в этот момент в него выстрелил первый из подбегавших боевиков. Дронго почувствовал, как пол покачнулся, и, уже ничего не помня, упал.

Красноярск. 16—19 апреля 1997 года

На розыски загадочного «БМВ» были брошены все силы московской милиции. В картотеке автомобиль нашли довольно быстро, но выяснилось, что он числится в розыске. По всему городу были даны указания постам ГАИ задерживать и проверять автомобили «БМВ» синего цвета, которые могли поменять номер. Но пока самые тщательные розыски ничего не давали.

Зато в лаборатории дела шли гораздо лучше. Удалось найти не просто микрочастицы, а целую щепку от одного из ящиков. Эксперты были в восторге и обещали через несколько дней дать окончательное заключение по составу древесины и ее происхождению. И теперь перед Мовсаевым лежало авторитетное заключение экспертов, которые однозначно утверждали, что состав данной древесины мог относиться к ящикам, которые прибыли из Сибири. Эксперты сделали даже то, о чем не мечтали сотрудники разведки. Они дали конкретное заключение, где именно могла использоваться эта древесина. По микроструктурному анализу, спектральным анализам ученые пришли к выводу, что ящики готовились из древесины, характерной для пород, произрастающих на берегах Енисея на юге Средней Сибири. Мовсаеву не составляло большого труда выяснить, что восемнадцатого марта днем из Красноярска в Москву прилетел самолет, в котором, по всей вероятности, и был привезен груз.

Вечером Мовсаев и Никитин вылетели в далекий сибирский город.

Их встречали представители ФСБ, которых попросили оказать содействие сотрудникам СВР. Мовсаев с неожиданным раздражением подумал, что встречающие их офицеры формально представители другого ведомства. Он работал в разведке уже больше пятнадцати лет и еще помнил времена всесильного ПГУ КГБ СССР. Тогда в каждом районе, в каждом городе и в каждой области были отделы госбезопасности, готовые оказать любую помощь сотрудникам ПГУ. Сейчас некогда всемогущий КГБ был разделен на несколько ведомств, число которых росло с каждым годом. Разведка и контрразведка выделились в самостоятельные организации, потом появилась отдельная служба правительственной связи, самостоятельное пограничное ведомство и еще более самостоятельная служба охраны президента, выполнявшая функции девятого управления КГБ СССР, а заодно и еще много других функций, не свойственных бывшему девятому управлению.

Сотрудники ФСБ уже получили информацию о трудностях своих бывших коллег-разведчиков и готовы были оказать любую помощь прибывшим гостям. К приехавшим офицерам был прикреплен заместитель начальника областного управления ФСБ полковник Колыванов. Это был высокий плечистый сибиряк с красноватым лицом, большими добродушными глазами и крепкими руками с широкими ладонями, как у лесоруба или сплавщика. Впрочем, довольно скоро выяснилось, что в семье Колыванова несколько поколений его предков были охотниками и лесниками.

На следующее утро они уже отправились на перерабатывающий комбинат, чтобы получить первые результаты высланных сюда анализов. Уже через два часа в кабинете директора предприятия были развеяны все сомнения. Ящики вышли именно с этого комбината, и теперь предстояло выяснить, кому и когда отгружалась именно та партия ящиков, в один из которых был упакован груз террористов.

Понадобилось еще два дня, чтобы составить список всех предприятий Красноярской области, в которые были отправлены ящики. Список был довольно внушительный, более двадцати предприятий. Колыванов вместе с приехавшими офицерами стал детально изучать список.

Сразу были отброшены предприятия, не производившие никаких товаров — школа, больница, городское управление коммунального хозяйства. Осторожный Мовсаев решил проверить их в последнюю очередь. Были поставлены под сомнение пищевой комбинат, предприятия легкой промышленности. Когда подвели итог, оказалось, что осталось всего пять организаций, продукция которых могла заинтересовать террористов. Это была воинская часть, мастерская по ремонту оружия, два закрытых завода и химический комбинат.

— Почему заводы закрытые? — уточнил Мовсаев.

— Раньше они назывались «почтовыми ящиками», — пояснил Колыванов, — на одном из них производятся компоненты ядерного оружия, а на втором, кажется, какие-то опорные части для ракет средней дальности.

— Что? — изумленно привстал со стула Мовсаев. — И вы думаете, что террористы получили груз именно с этих предприятий?

— Я не думаю, — возразил Колыванов, — просто я отметил предприятия, которые могут нас интересовать. Но эти два завода вы можете смело исключить из своего списка.

— Почему?

— Это режимные предприятия. Там муха не может вылететь без особого разрешения. Даже несмотря на весь бардак, который встречается на наших предприятиях. Там работают отделы ФСБ, военной контрразведки, существуют целые системы пропусков, дублирующие друг друга. Нет, — решительно заключил Колыванов, — там ничего не может быть. Оттуда террористы не могли получить никаких ящиков. Кроме того, все поступающие туда ящики проходят строгий учет. И еще более строгий учет проходит любой груз, который выходит за ворота заводов.

— И тем не менее террористы получили ящики именно из Красноярска, — настаивал Мовсаев, — значит, их что-то заинтересовало и это что-то они смогли вывезти. Они продумали целую комбинацию ложных ходов, чтобы благополучно доставить эти ящики в Сирию. Поэтому я не могу быть уверенным в том, что эти ящики забивались в детском садике или в управлении коммунального хозяйства. Мы должны выехать на заводы и все проверить на месте.

— Я оформлю вам допуск, — согласился Колыванов, — но напрасно вы настаиваете. Абсолютно убежден, что террористы не могли получить какое-либо оружие с этих заводов.

— Компоненты ядерного оружия, — напомнил Мовсаев, — это может быть пострашнее любого оружия.

— Я не имею права говорить о том, что там производится, — улыбнулся Колыванов, — но уверяю вас, что продукция именно этого завода террористам вряд ли понадобится. Впрочем, мы можем оформить вам допуск и вы сможете убедиться в этом на месте.

— Ядерное оружие, — снова повторил Мовсаев, — даже обогащенный уран может стать источником страшной опасности. У террористов есть деньги и возможности. Они могут сделать все, что угодно.

— Нет, — засмеялся Колыванов, — с этого завода не могут. Я подам официальную заявку, но уже сейчас могу вам сказать, что компоненты, о которых я говорил, совершенно неопасны для окружающих.

— Я ничего не понимаю, — удивился Мовсаев. — Как это неопасны?

— Там делают панели для управления. Только металлические ящики, — улыбнувшись, признался Колыванов, — а всю начинку изготавливают совсем в другом месте. Пустыми металлическими ящиками можно, в лучшем случае, проломить голову одному-двум прохожим. Да и то, если они будут сильно пьяны и не смогут увернуться от такой тары.

— Ясно, — Мовсаев тоже улыбнулся. — Но мы все равно поедем на оба завода.

— Я бы рекомендовал скорее обратить внимание на мастерскую, — посоветовал собеседник. — Там как раз хранение оружия налажено не совсем должным образом. И, конечно, на воинскую часть, откуда можно вывезти сколько угодно оружия.

— Вы думаете, террористы прилетели сюда, чтобы тащить через всю страну обычное стрелковое оружие, которое можно купить где угодно на Ближнем Востоке? — спросил Мовсаев. — Нет. Они прилетели за чем-то особенным. Пошли на такой шаг именно потому, что в этих ящиках лежало что-то такое, что им было чрезвычайно необходимо. Причем это наверняка не оружие. Это должна быть внешне нейтральная продукция, которая может спокойно пройти в случае необходимости таможенный досмотр. И которая может превратиться в оружие в руках террористов.

— Интересная задача, — кивнул Колыванов. — В таком случае, может, это действительно были наши панели. Хотя для чего они террористам, ума не приложу.

— Во всяком случае, это были не автоматы. Что это за химический комбинат, который указан в вашем списке?

— Обычный комбинат, — махнул рукой Колыванов, — кажется, там производят химические удобрения для сельхозпродукции. Ничего особенного, но предприятие в годы Советской власти тоже называлось «почтовым ящиком». На всякий случай. Сейчас это обычный комбинат, хотя и режимный.

— А воинская часть? Какая это часть?

— Кажется, штаб полка или что-то в этом роде. Точно не знаю. Но ничего особенного. Они находятся довольно далеко от города, в Нижнем Ингаше. Туда можно добраться либо на поезде, либо на вертолете. На вертолете лучше, так как от железнодорожной станции нам придется ехать еще около сорока километров. А сейчас у нас дороги просто непроходимые. Прошли сильные дожди.

— В таком случае мы полетим вертолетом, — решил Мовсаев. — Мы должны посетить все пять объектов. Если не найдем там ничего, начнем проверку остальных организаций. И если понадобится, проведем здесь неделю, две, месяц, но проверим каждое предприятие, даже школу и больницу, откуда могли уйти ящики в Москву. Если, конечно, к тому времени мы еще не будем знать, что именно лежало в этих ящиках.

— У вас мало времени?

— Очень. По нашим сведениям, террористы очень опасны. И они готовят грандиозную акцию, о которой мы ничего не знаем.

— Тогда давайте начнем, — подвинул к себе

список хозяин кабинета. — И если понадобится, проверим каждую организацию. Но я по-прежнему настаиваю на том, что с этих заводов ничего не могло пропасть.

Тель-Авив. 16 апреля 1997 года

Он открыл глаза и увидел сидящего рядом отца. И улыбнулся, решив, что остался ночевать у родителей. Только затем он увидел, что отец в белом халате и почувствовал резкий незнакомый запах больничной палаты. Дронго приподнялся на локте.

— Где я? — удивленно спросил он.

— В больнице, — невозмутимо ответил отец.

Сын повел взглядом и увидел стоявший рядом с ним столик и надпись на бутылочке. Он пригляделся, пытаясь прочитать. С изумлением отметил: буквы незнакомые. И тут он вспомнил все.

— Мы в Израиле, — подтвердил отец.

— Это я понял, — откинулся на подушку Дронго. — Но что здесь делаешь ты?

— А я прилетел к сыну, — невозмутимо сказал отец, — кстати, твоя седая борода тебе совершенно не идет. Если ты захочешь встать с постели, то сможешь ее сбрить.

— Встать. — Он посмотрел на себя, опасаясь увидеть забинтованное тело. Но все было внешне в порядке. Он поднял руки, пошевелил ногами.

— Странно, я точно помню, что меня ранили, — пробормотал Дронго.

— Нет, — возразил отец, — тебе просто повезло. Ты был в арабской одежде, у тебя было небритое лицо и в руках ты держал пистолет. Тебя вполне могли застрелить, но в последний момент штурмовик специального отряда МОССАД решил выстрелить из газового пистолета. У них был приказ взять живьем Салеха Фахри, в номере которого ты, очевидно, оказался не случайно. Поэтому тебе и повезло. Если бы ты был в любом другом номере, тебя бы почти наверняка пристрелили. Во всяком случае, остальных трех террористов они пристрелили.

— А Красавчик?

— Он ушел, — ответил отец.

— Откуда ты это все знаешь? — нахмурился сын.

— Здесь два дня вместе со мной дежурит очаровательная особа, которая мне все рассказала. Между прочим, очень симпатичная, правда, она не знает русского языка и мы общались по-немецки.

— Ты знаешь немецкий? — изумился сын.

— Я же был на войне, — улыбнулся отец. — Правда, тогда я был восемнадцатилетним лейтенантом, но язык нас заставляли учить. С тех пор я немного помню.

— И ты сумел понять все, что она тебе сказала?

— Конечно, нет. Но она приходила вместе с Павлом Гурвичем, который мне переводил. Он говорил, что работает в «Сохнут», но, по-моему, он работает в несколько другом ведомстве.

— По-моему, тоже, — засмеялся Дронго. Потом, подумав немного, спросил: — Но ты ведь не летаешь на самолете? Ты уже не летал лет сорок? Как ты сумел сюда приехать?

— Когда у тебя будет сын и когда он будет постоянно пропадать в разъездах, иногда попадая в больницу или в тюрьму, и когда тебе в очередной раз сообщат, что он лежит в больнице, уверяю тебя, что ты бросишь все свои дела и помчишься туда, где будет твой сын.

— Понятно.

— Они выпишут тебя через несколько дней, — продолжал отец, — и мы можем уехать домой.

— Нет, — возразил он, глядя в потолок, — не сможем.

— Я могу узнать почему?

— Я еще не нашел Мула.

— А ты считаешь, что можешь его найти?

— Да. Я так считаю, — он повернулся на бок и посмотрел на отца, — если хочешь, я обязан его найти. И мне кажется, что я смогу это сделать.

— Приятная самоуверенность. А что тебе мешало это сделать за целый месяц?

— Я к нему подбирался.

— Сумел подобраться?

— Кажется, сумел.

— В таком случае ты можешь сказать, где его найти?

— Нет, не могу.

— Тогда я тебя не понимаю.

— Я вошел в игру, — попытался объяснить сын, — я уже изучил его приемы, его манеру игры. Я знаю, как вести эту игру. И хотя пока у меня нет козырей, но я чувствую, что смогу победить.

— В таком случае оставайся, — кивнул отец, — только с одним условием. Во время твоей игры тебе можно подсказывать?

— В каком смысле?

— Я собираюсь остаться рядом с тобой и иногда подсказывать тебе, какой ход может оказаться самым сильным. Твои правила игры разрешают такие подсказки?

Дронго развел руками. В этот момент в палату

вошли Павел Гурвич и Алиса Линхарт. Увидев пришедшего в себя Дронго, гости бросились к нему, принялись пожимать руку. Алиса на радостях даже поцеловала его.

— Тебе два дня кололи снотворное, чтобы немного отдохнул. Врачи считали, что ты получил по-своему сильный психологический шок и тебе нужно было немного отдохнуть, — объяснила она.

— Сначала мне нужно сбрить эту бороду, — потрогал свое лицо Дронго, — а потом я собираюсь выйти из больницы и искать Мула.

— Последний раз его видели в Бейруте, — сообщил Гурвич, — после чего он покинул Ливан. Где он сейчас — мы не знаем. Но по данным нашей агентуры, он собирался в Европу.

— А где Красавчик?

— Мы его упустили.

— Что-нибудь нашли в их номерах?

— Ничего особенного. Наркотики, оружие, обычный набор. Но тебе нельзя сейчас выходить. Врачи считают, нужно отлежаться. Хотя бы недели две-три. Иначе твой организм просто не выдержит. У тебя была в прошлом году сильная ишемия. И остался рубец на сердце.

— Спасибо, что сказал, — отмахнулся Дронго, — мне все равно нужно вставать. Я не люблю долго лежать. Это не для меня.

— Мы его найдем, — пообещал Гурвич. — Мы его обязательно найдем.

— Я не буду лежать, — поднялся Дронго. У него закружилась голова, и он глухо закашлял. — Мне нужно просто немного прийти в себя.

— Скажи ему, — потребовала Алиса, глядя на Гурвича.

— В Баку нашли убийцу Велиева, — сказал Гурвич. — А мы обнаружили в номере Салеха Фахри подробную карту Лазурного берега Франции. И теперь точно знаем, что следующей точкой их маршрута будет Франция. Поэтому ты можешь считать свое расследование завершенным. Мы постараемся найти его именно там.

— А эти трое, которые жили в «Шератоне»? Вы их проверили?

— Конечно, проверили. Но похоже, что твои подозрения на этот раз не оправдались. Эти трое не имеют к террористам никакого отношения. Они просто люди, слишком долго проживающие в «Шератоне».

— Нет, — возразил Дронго, — среди них должен быть кто-то один, который очень интересовал террористов. Я об этом подумал еще тогда, когда двое чистильщиков окон оказались убийцами. Они ведь действительно чистили окна в этом отеле. И, очевидно, следили не только за мной. Там был еще кто-то, кто их очень интересовал. Каждый из террористов дважды в день подходил к отелю, видимо, рассчитывая получить какую-то информацию. Они не уехали из города даже после убийства своих людей, только сменили отель. Поэтому я уверен, что один из троих был очень важен для террористов. Мне нужны развернутые досье по всем троим.

— Хорошо, — согласился Гурвич, — но напрасно ты так нервничаешь. Мы уже все знаем.

— Лазурный берег большой. Где именно будут террористы? Или ты считаешь, что вы сможете прочесать все города южного побережья Франции?.. Нужно знать точно, где и когда они нанесут свой удар.

— Но это не может узнать никто, — пожал плечами Гурвич, — после случившегося в Дамаске Ахмед Мурсал вообще перестал появляться на людях. Мы не знаем, где он и где его люди. Он больше никому не верит.

— Досье на всех троих, — упрямо произнес Дронго. — И мою одежду, — добавил он чуть тише.

Израиль. 20—28 апреля 1997 года

Выйдя из больницы, Дронго поселился в «Хилтоне», находящемся на побережье. В соседнем номере остановился отец. Тель-авивский «Хилтон» был последним в ряду стоявших на побережье отелей, и рядом с ним уже возводилось какое-то здание. Из отеля можно было попасть на пляж, пройдя либо через ресторан первого этажа, либо по коридору. В отеле был также японский ресторан, в котором с удовольствием обедали японские и американские туристы.

Именно сюда, в отель, Гурвич привез три досье на гостивших в Дамаске людей. Дронго читал их внимательно, иногда делая какие-то отметки. Ему было важно понять основные мотивы действий террористов и, поняв причины, побудившие их остаться в Дамаске, просчитать возможные действия Ахмеда Мурсала во Франции.

К этому времени по всему южному побережью Франции уже работали сотрудники МОССАД, пытавшиеся вычислить, где именно и когда нанесет свой основной удар Ахмед Мурсал. Дронго иногда выходил из своего номера, чтобы пообедать вместе с отцом. Тот любил часами сидеть у моря, глядя на его синие волны. Средиземное море в этой части света напоминало Каспийское, а выгнутая полоса тель-авивских пляжей отчасти напоминала бакинскую полосу прежнего бульвара. По вечерам приезжала Алиса Линхарт, которая была в полном восторге от отца Дронго. Ему тоже нравилась молодая женщина, и они втроем отправлялись обедать в какой-нибудь маленький ресторанчик.

Дронго забывал в эти редкие минуты, почему он находится в этой стране. Отец рассказывал смешные, давно забытые истории, и Алиса Линхарт громко смеялась. Они говорили обо всем и ни о чем, пили легкое вино и казались беззаботными туристами. А вечером он возвращался в номер и продолжал сидеть над картами, маршрутами террористов, над личными делами троих гостей, вспоминая слова Али Гадыра Тебризли, генерала Райского, генерала Светлицкого и других. Ему нужно было понять дальнейшие действия террористов, он смутно чувствовал, что находится на пути к разгадке.

Иногда ночью приезжала Алиса, и тогда он откладывал свои бумаги ради общения с женщиной, которая ему нравилась. В один из дней он предложил отцу съездить в Иерусалим. Они вызвали машину, чтобы доехать до города, давшего миру сразу три религии. В дороге водитель, говоривший по-русски, долго расспрашивал их обо всем, рассказывал о своей жизни. Он приехал в Израиль совсем маленьким мальчиком, еще в начале семидесятых. Его семье, проживающей в Бухаре, пришлось пройти через неимоверные испытания, добиваясь права на выезд в страну своих предков. Отец в течение двух лет не работал, над мальчиком издевались в школе. Наконец им разрешили выехать в закрытом вагоне, взяв с собой вещей и ценностей на сумму не больше ста долларов. Через Польшу и Чехословакию они направлялись в Австрию. В Польше антисемиты забросали камнями их вагон. В Австрии они попали в закрытый охраняемый лагерь. И наконец оттуда самолетами добрались до Израиля.

Сейчас Давид, как звали водителя, имел несколько собственных машин и неплохо зарабатывал. Он рассказывал о своей жизни спокойным, ровным голосом, сознавая, что с тех пор прошло почти четверть века, но эта история одной еврейской семьи взволновала Дронго и его отца больше, чем дорога, проходившая по красивым ухоженным полям Израиля. До Иерусалима было не больше двух часов езды. Приехав в город на один день, они остановились в отеле «Кинг Давид», в том самом знаменитом отеле напротив стен старого города, который был много лет назад взорван будущим премьер-министром страны Менахемом Бегином и боевиками его группы.

Разместившись в этом великолепном отеле, Дронго попросил портье вызвать гида, который говорил бы по-русски. Через некоторое время ему сообщили, что в холле отеля его ждет гид-переводчик Светлана Кирштейн, которая готова показать им старый город. Дронго уже однажды бывал в Иерусалиме и поразился энергетической концентрации этого невероятного города. В нем словно чувствовалась духовная мощь трех религий, которые и сделали славу Иерусалиму.

В городе было гораздо больше одетых в черные пальто ортодоксальных иудеев, чем в светском Тель-Авиве. Дети здесь ходили группами и только в сопровождении вооруженных автоматчиков. Чувствовалось напряжение, вызванное недавними взрывами. Девушка-гид любезно рассказывала историю города, показывая римские пласты. Отец был необычно задумчив и почти ни о чем не спрашивал.

Они вышли к Стене Плача, где люди возносили молитвы и вкладывали свои письменные пожелания. Светлана предложила им подойти ближе. Дронго обратил внимание на раздельно молящихся мужчин и женщин. Слева стояли мужчины, с правой стороны было место для женщин. Чтобы пройти к стене, нужно было надеть лежавший в специальной коробке небольшой головной убор, прикрывающий голову.

Отец кивнул, и они вдвоем прошли к стене, предварительно покрыв головы. Отец снял свою неизменную шляпу и надел эту шапочку, делавшую его удивительно похожим на старого еврея. У стены суетились алчные ортодоксы. Каждый просил денег за бумагу, за карандаши, даже за свечи. Дронго с улыбкой раздавал деньги, но когда ему предложили пройти внутрь стены, он отказался, мотивируя это своей занятостью. Написав записку с пожеланием, он прислонил обе руки к Стене Плача и отошел. Отец же долго стоял у стены, очевидно, о чем-то разговаривая сам с собой.

Потом они вышли в мусульманский квартал, и девушка быстро прицепила к своей куртке карточку гида. Полицейские палестинской администрации остановили их, но когда гид объяснила, что это гости, приехавшие посмотреть Иерусалим, пропустили.

Мусульманская мечеть Иерусалима, возвышавшаяся над Стеной Плача, была одним из самых величественных сооружений мусульманского мира. Девушка не стала входить во внутренний дворик. Они прошли дальше и, сняв обувь у дверей мечети, оказались внутри. Один из служителей спросил, умеют ли они молиться, и, получив отрицательный ответ, повел их за собой, чтобы прочитать молитву за них. Рядом находился другой, помоложе. К сожалению, и здесь повторилась история человеческих пороков. После того, как старик прочел молитву, молодой нахал, едва дождавшись их выхода из мечети, стал требовать денег. Дронго отдал деньги, но когда молодой предложил им зайти в соседнее здание и снова заплатить деньги, он с улыбкой отказался.

— Везде просят деньги, — сказал он отцу в ответ на его вопросительный взгляд.

— Люди слабы, — вздохнул тот. — А Бог все равно есть.

— Ты всегда был верующим человеком, — заметил сын. — Но странно, что при этом ты почти полвека был коммунистом.

— Это разные вещи, — печально ответил отец. — Можешь делать все, что хочешь, но никогда не говори, что ты неверующий.

— Хорошо, — сын не стал спорить.

В старом Иерусалиме город был разделен на четыре части. Иудейский квартал, армянский, арабский и христианский, причем в последнем жили арабы, принявшие христианство. Из мусульманского квартала наверх можно было подняться по дороге, по которой нес крест сам Иисус Христос. Каждая его остановка была отмечена специальным символом. Дорога наверх была узкой и проходила между лавками и домами. На каждой остановке они задерживались, словно проделывая тот самый путь Христа на Голгофу. Наконец они вышли к храму.

— Здесь две арабские семьи вот уже тысячу лет владеют ключами храма, — объяснила гид, — а внутри находится Голгофа и место погребения Христа, который потом воскрес. Внутри все строго расписано. Так установили мусульманские владыки, чтобы разные течения христианской религии не спорили друг с другом. Слева от часовни находится место для маронитов, у лестницы есть место для последователей армянской церкви. Внутри построенной в храме часовни обычно находятся греческие и православные священники. С этой стороны католики. Говорят, над храмом Салах-аддин сделал себе комнату, чтобы оттуда наблюдать за всем, что здесь происходит. И наконец путь на Голгофу ведет по лестнице, которая находится сразу у входа с правой стороны. Там есть разлом в горе, по которому текла кровь Христова. Хотя, — добавила она, — протестанты считают, что сама Голгофа находится не здесь, а несколько в другой стороне. Пойдемте в храм.

К большому сожалению отца, рядом с храмом тоже просили деньги. Да и внутри священнослужители с охотой принимали любую валюту. Но когда они поднялись наверх и увидели Голгофу, на которой был распят Христос, когда, встав на колени, дотронулись до скалы, по которой текла кровь распятого Бога, даже агностик Дронго почувствовал то необычное волнение, которое охватывало каждого, бывающего в этом храме.

— Спасибо тебе, — сказал отец, когда они вышли из храма. — Я не думал, что когда-нибудь попаду в эти места.

— Я только не понимаю, чего не могут поделить в этом городе мусульмане и иудеи, — обратился Дронго к девушке. — Насколько я понял, находясь в Израиле, две религии почти не отличаются друг от друга. В обеих религиях запрещено употребление спиртного и есть запрет на свинину. У обеих концессий очень строгие правила в отношении мужчин и женщин. Молятся они раздельно. Правоверные иудеи обязаны не брить бороды и виски. У правоверных мусульман также не разрешается брить бороду. У обеих религий есть обряд обрезания мальчиков, достигших половой зрелости. В обеих религиях есть сходные правила при рождении, свадьбе, даже во время похорон, когда используют белые саваны. Я уже не говорю о том, что иногда в нашей печати проскальзывают дикие фразы вроде «арабских антисемитов», тогда как арабы и есть семитский народ, как, впрочем, и евреи. Так в чем дело?

— У нас в стране говорят, что мы с арабами даже не соседи, а двоюродные братья. А близкие родственники обычно часто ругаются, — улыбнулась девушка.

Когда они вернулись в отель, отец прошел в свой номер, ничего больше не сказав. Вечером за ужином он предложил сыну:

— Давай подумаем вместе над твоими проблемами. Мне кажется, ты несколько увлекся этим террористом и не можешь увидеть перспективу.

— В каком смысле?

— Постарайся посмотреть на проблему со стороны. По-моему, ты забыл о его визите в Баку. Ведь его сообщник летал за грузом в Москву. По-моему, тебе нужно связаться с Москвой и попытаться узнать, нет ли у них каких-нибудь новых данных по розыску этого багажа. А заодно проверь, кто из тех троих, что так долго жили в «Шератоне», мог оказаться причастным к этим грузам.

— Я не совсем понимаю, что ты мне предлагаешь.

— Перестань думать о террористе, — пояснил отец. — Думай о других вещах, забудь на время о нем. И тогда ты сумеешь лучше понять мотивы его действий.

В этот вечер Дронго позвонил Светлицкому в Москву и узнал от него о срочной командировке Мовсаева в Красноярск, откуда прибыли грузы с ящиками. Мовсаев и Никитин проверяли все организации, откуда могли прибыть грузы. По просьбе Дронго Светлицкий дал ему телефон Мовсаева в Красноярске. На следующее утро, когда в Красноярске был уже день, Дронго позвонил в этот сибирский город, чтобы найти полковника Арвара Мовсаева. Ему пришлось звонить трижды, так как Мовсаев в этот день проверял воинскую часть, указанную в списке. Только к полудню, когда в Красноярске был уже вечер, Дронго нашел полковника.

— Здравствуйте, — прокричал он, отделенный тысячами километров, — кажется, мы одинаково завязли в этой проблеме.

— Мы точно установили, что ящики прибыли из Красноярска, — также прокричал в ответ Мовсаев. Связь была отвратительной, почти ничего не было слышно. — Сейчас мы проверяем все организации. Но здесь целый список. Двадцать два предприятия. Из них два закрытых завода, бывших «почтовых ящика». Мы проверяли их целую неделю, но там все чисто. Оттуда ничего не могло уйти. Остаются остальные двадцать организаций, которые мы сейчас проверяем.

— Проверьте, нет ли там химического комбината, театра и завода по изготовлению пластмассы, — прокричал в ответ Дронго.

— Что? — полковнику показалось, что он ослышался. — При чем тут театр?

— Мне нужно знать, нет ли там этих трех организаций?

— При чем тут театр? — полковник обиделся, он решил, что над ним просто смеются.

— У меня есть некоторые подозрения, — крикнул Дронго, и в этот момент связь прервалась.

«Этот эксперт сумасшедший», — решил для себя полковник, когда раздался второй звонок и Дронго снова попросил посмотреть список.

— Вы считаете, что они вывозили из Красноярска театральное оборудование? — разозлился Мовсаев.

— Нет. Просто у меня трое подозреваемых. Один работает импресарио, другой владелец завода консервов, третий представитель химического комбината. Мне нужно, чтобы вы прочитали весь список. Или посмотрите в него, нет ли там подобных предприятий.

— Есть, — зло крикнул Мовсаев, — я могу даже не смотреть. Там есть химический комбинат по производству удобрений.

В трубке наступило молчание.

— Вы меня слышите? — забеспокоился полковник.

— Все, — услышал он крик Дронго, — можете прекращать свое расследование. Ящики ушли с комбината.

— Откуда вы знаете?

— Я знаю точно. Ящики ушли с комбината.

— Это обычный комбинат по производству удобрений, а не химического оружия, — прокричал Мовсаев.

— Я точно знаю, что ящики вывезли оттуда, —

услышал он в ответ, — спасибо вам за помощь. Можете лично все проверить.

Дронго положил трубку и вытер лицо тыльной стороной ладони. Он обязан был догадаться об этом раньше. Химикаты. Террористы вывезли из Москвы переправленный из Красноярска груз. Внешне это должны были быть безобидные химикаты, которые при должной обработке могут превратиться в настоящее химическое оружие. И именно поэтому террористы так долго не уезжали из Дамаска. Именно поэтому в отеле «Шератон» жил пакистанский инженер Малик-аль-Азизи, который был представителем химического комбината в Карачи. Очевидно, они ждали результатов каких-то опытов, которые им должен был передать этот самый пакистанец. Или нечто в этом роде. «Они вывезли ящики, чтобы спланировать химическую атаку, — понял и ужаснулся Дронго. — Ахмед Мурсал готовит химическую атаку на южном побережье Франции». Он поднял трубку и набрал тель-авивский номер Павла Гурвича.

— Павел, — сказал Дронго глухим голосом, — я теперь все знаю. Он готовит химическую атаку. Я все знаю, Павел.

Париж. 3 мая 1997 года

Следующие дни были наполнены лихорадочными переговорами между Тель-Авивом и Москвой. Проверка, проведенная в Красноярске, подтвердила хищение как раз тех компонентов ядохимикатов, которые можно было употребить для изготовления особо сильного вещества, способного сначала разъедать глаза и кожу, а затем вызывать медленную мучительную смерть. Для этого подобный состав нужно было переработать с учетом добавления необходимых ингредиентов для производства газа.

Заодно выяснилось, что исчезнувший из Дамаска пакистанский инженер Малик-аль-Азизи учился в Лондоне и занимался как раз разработкой именно этих проблем. Вся версия Дронго блестяще подтвердилась. Теперь можно было восстановить общую картину.

Ахмед Мурсал прилетел в Баку, уже зная о том, что его партнер Натиг Кур вылетит в Москву, откуда он должен был привезти ящики с необходимыми террористам компонентами для производства нужного им оружия. Внешне привезенный товар не содержал ничего необычного. Это были обычные ядохимикаты, которые могли использоваться в сельском хозяйстве против грызунов. Решив обмануть своего жадного партнера и подставить его, они успели поменять ящики и вывезти настоящий груз в Сирию, где специальная группа террористов ждала указаний Малика-аль-Азизи. После того как с помощью Дронго удалось обнаружить и ликвидировать первую группу террористов, они перебазировались в другое место, где им нужно было от двух до трех недель, чтобы довести до нужной кондиции полученные ядохимикаты. Очевидно, террористы ждали сигнала Малика-аль-Азизи. Проверкой было установлено, что он вел частные переговоры с Лондоном, Карачи и Бейрутом.

Можно было не сомневаться, что террорист не откажется от своего плана провести массовую химическую атаку на южном побережье Франции. Теперь всех волновал только один вопрос: когда и где террористы нанесут удар? Дронго прилетел в

Париж вместе с отцом и Алисой Линхарт. После выстрела в него из пистолета с нервно-паралитическим газом он все еще чувствовал себя очень плохо. Кроме того, сказывалась и общая усталость последних дней. Отец настоял на том, чтобы быть рядом с сыном. Дронго не возражал. Он действительно чувствовал, как силы покидают его. Во время перелета Тель-Авив — Париж он сидел в кресле, закрыв глаза, словно медитировал, и никто не решался его тревожить.

Отец, очевидно, понимал состояние сына. Они не говорили на эту тему, но иногда Дронго хватался за сердце, незаметно глотал очередную таблетку, а отец отворачивался, делая вид, что не замечает этих ухищрений. Приехав в Париж, они остановились в отеле «Ле Гранд Интерконтиненталь», который был расположен рядом с оперой Гранье и считался одним из лучших отелей города. Они сняли три номера, хотя Дронго не делал секрета из своих отношений с молодой женщиной. Но старая сила привычки, по которой он всегда жил один, заставила его и на этот раз снять отдельные номера.

И хотя Алиса Линхарт имела конкретное задание по обеспечению охраны Дронго, тем не менее она явно пренебрегала своими обязанностями, с удовольствием проводя время с каждым из мужчин. Если со старшим она любила поболтать и посмеяться, то с младшим встречалась ночью и тоже замечала его немного потухший взгляд и некоторое равнодушие, сквозившее во всех его словах и движениях. Дронго словно устал от жизни. В первый вечер в Париже, когда она пришла к нему в номер, он даже не пошевелился. И тогда она, обиженная подобным отношением, больно толкнула его в бок.

Он повернул голову и сказал:

— Извини. Кажется, сегодня я не в форме.

— Ты не хочешь, чтобы я приходила? — прямо спросила женщина.

— Нет, — ответил он, — как ты можешь такое подумать. Просто я очень устал. У меня какая-то усталость, не физическая, а совсем другая. Говорят, поэты в моем возрасте умирают. «Свой путь земной дойдя до половины, я очутился в сумрачном раю», — процитировал он Данте. — Кажется, я завершаю первую часть своего пути и у меня просто кризис переходного периода.

— Что с тобой происходит? — спросила она. — Может, я могу тебе чем-то помочь?

— Это не то, о чем ты думаешь. Просто, когда в меня стреляли и я чудом остался жив, я понял, что в другом коридоре и в другое время какой-нибудь другой боевик или террорист уже не станет стрелять в меня газом, а по-серьезному пристрелит на месте.

— Ты боишься?

— Нет. Просто думаю, как глупо сложилась моя жизнь. В этот город много лет назад я впервые приехал для выполнения самостоятельного задания. Знаешь, какое оно было?

Женщина слушала молча, глядя ему в глаза.

— Меня решили проверить, так сказать, устроить своего рода розыгрыш. Меня попросили в течение двух часов достать в незнакомом городе огромную сумму денег. И это при том, что я не говорю по-французски. Правда, мне дали провожатого, но от этого суть дела не менялась.

— Над тобой тогда посмеялись?

— Нет. Я нашел деньги за два часа. Огромную сумму. Ты бы видела лица тех, кто отправлял меня на задание.

— Каким образом ты достал деньги? — улыбнулась она. — Ты ограбил банк?

— Нет. Я выбрал ювелирный магазин, узнал фамилию комиссара полиции этого района и, позвонив хозяину магазина, сообщил о том, что магазин скоро будет ограблен, но комиссар Барианни просит не волноваться и не вызывать полицию. Магазин все равно окружен, и когда преступники выйдут, они будут схвачены с поличным. Видела бы ты, с каким удовольствием хозяин магазина отдавал мне ценности и деньги, предвкушая, как меня арестуют на улице.

Она прыснула от смеха. Подвинулась к нему ближе.

— Тогда я был совсем другой, — закончил Дронго, — тогда все было иначе. Тогда мне еще нравились эти игры.

— А сейчас не нравятся?

— Не нравятся. Раньше я занимался джентльменами, сейчас занимаюсь подонками. Раньше я верил, что представляю великую страну. Сейчас от нее остались осколки. Раньше мне было интересно, сейчас противно.

— Твой отец выглядит моложе тебя, — вдруг сказала она, — ты знаешь, мне кажется, что в следующий раз я пойду к нему в номер.

— Я не страдаю эдиповыми комплексами, — засмеялся Дронго, — а он действительно сумел каким-то образом сохранить молодость в душе. До сих пор с удовольствием ухаживает за молодыми девушками. И я боюсь, что твоя неудачная шутка насчет его номера не совсем шутка. Просто он не отбивает женщину у сына, а то я давно сидел бы один в номере.

Она обняла его за шею. Прижала к себе.

— Тебе нужно заканчивать с этим делом, — прошептала она, — давай прекращай свои расследования. Мир обойдется без Дронго. Ты просто сильно устал.

— Только не сейчас, — возразил он, — сначала я найду Мула.

— А потом свалишься. Я ведь вижу, как ты все время держишься за сердце. Может, тебе лучше уехать?

— Не сейчас, — возразил он.

В дверь постучали.

Она сразу вскочила, потянулась за своей сумочкой, где у нее лежало оружие. Он встал, поправил рубашку, подошел к двери.

— Кто? — спросил он.

— Это я, — услышал он голос отца и сразу открыл дверь.

Отец вошел, даже не удивился, обнаружив в комнате Алису, словно ожидал увидеть ее именно здесь.

— Почему ты сидишь в номере? — спросил он сына. — Только половина девятого вечера. Мы могли бы пройтись по городу.

— Я столько раз бывал в этом городе, — устало ответил сын, усаживаясь в кресло и пододвигая другое кресло для отца. Алиса села на стоявший у стола стул. Отец опустился в кресло.

— Ты становишься меланхоликом, — покачал он головой, — а по-моему, все не так плохо. Ты сумел распутать такой клубок, смог просчитать все действия террористов. По-моему, уже это неплохо.

— Плохо, — сказал Дронго, — мы до сих пор не знаем, где они нанесут свой удар.

— А я знаю, — спокойно сказал отец.

Они говорили по-русски, и Алиса не понимала, о чем идет речь, но видела, как подскочил сын, уставившись на отца.

— Ты знаешь? — запинаясь, спросил он.

— Южное побережье Франции, — улыбнулся отец, — если бы ты не лежал отшельником, а прошелся по городу или иногда включал телевизор на французские каналы, то узнал бы, о чем сегодня говорит вся Франция и пишут все французские газеты.

— Ты ведь не знаешь французского, — напомнил сын.

— А для этого не обязательно знать язык, — отец встал, подошел к телевизору, включил его, тут же переключил на один из французских каналов. По телевизору показывали известных актеров Голливуда.

— Не понимаю, о чем ты.

— Через несколько дней начинается грандиозный пятидесятый юбилейный фестиваль в Каннах, — объяснил отец, — а ведь это, кажется, на южном побережье Франции.

— Откуда... — Дронго вскочил, ошеломленно глядя на отца.

— Я всю жизнь занимался преступниками и знаю их психологию, — объяснил отец, — в любом террористе всегда есть что-то от истерической женщины. Если бандит просто хочет получить свои деньги и сбежать с места преступления, то террорист хочет рекламы. Ему важно, чтобы его акт был не просто устрашающим, но еще и показательным. В террористы обычно идут истеричные фанатики. А судя по твоим рассказам, Ахмед Мурсал именно такой тип. Ему важно устроить грандиозный террористический акт, о котором будут помнить и говорить. А что может быть лучше, чем хорошо спланированный и осуществленный террористический акт, проведенный во время такого грандиозного события, как юбилейный кинофестиваль в Каннах? Об этом будет говорить весь мир. Поэтому я думаю, что он готовит свою акцию именно там.

Дронго бросился к телефону. Потом вспомнил про Алису и, посмотрев на нее, быстро сказал по-английски:

— Отец считает, что Мул готовит террористический акт в Каннах, во время кинофестиваля, который должен начаться через несколько дней.

— Какого кинофестиваля? — не поняла женщина.

— Мы слишком заняты своими проблемами, — ответил Дронго, — и слишком часто не обращаем внимания на то, что творится вокруг нас. А он сегодня вышел в город и обратил внимание на многочисленные афиши и праздничную атмосферу на всех телеканалах Франции. Звони быстрее. Нужно всех предупредить. Даже если он ошибается, то и тогда это самая лучшая версия, какую только можно было придумать. Одно дело травить обычных туристов на пляже или в отеле, другое — отличиться во время этого фестиваля. Ты представляешь, какой будет скандал? Представляешь, как об этом будут писать газеты?

Он вдруг вспомнил слова Светлицкого о контракте, разговор с Али Гадыром Тебризли в Иране о подписании контракта между российскими, французскими и иранскими компаниями.

— И я точно знаю, — добавил в заключение Дронго, — что он сознательно идет на этот скандал.

Париж. 4 мая 1997 года

Он приехал на Монпарнас в это кафе задолго до назначенной встречи. И полчаса старательно делал вид, что не замечает сидевшую за соседним столиком Алису. Двое незнакомцев, расположившихся поближе ко входу, проявили некоторый интерес к Дронго, но Алиса спокойно сидела за своим кофе, и он решил не дергаться.

Нужный ему человек пришел в половине четвертого, когда на улице начал накрапывать дождь. Он отряхнул капли дождя со своей куртки и весело поздоровался с барменом, который сразу подал ему горячий кофе. Дронго узнал нужного ему человека и, поднявшись, подошел к стойке, сел рядом с ним.

— Еще один кофе, — попросил он по-английски. И подождав, пока бармен поставит перед ним чашечку кофе, тихо спросил: — Как ваши дела, Эррера?

Мужчина дернулся и оглянулся.

— Спокойнее, — посоветовал Дронго, — не нужно резких движений.

— Кто вы такой? — нервно спросил Эррера.

— Друг. Пока еще друг. И не нужно смотреть по сторонам. Никто не собирается стрелять вам в спину.

— Я вас не знаю, — сквозь зубы выдавил Эррера.

Его тонкие изогнутые накрашенные губы дрожали. Подведенные глаза затравленно смотрели на Дронго.

— Зато я вас знаю, Арман Эррера, — усмехнулся Дронго, — и хочу с вами поговорить. Возьмите свою чашечку и пойдемте за мой столик. Только без глупостей, иначе потом сами пожалеете.

Он взял свою чашку кофе и пошел к столу. Эррера подчинился. Сев за столик, он еще раз оглянулся и спросил:

— Что вам от меня нужно?

— У меня к вам деловое предложение, — сказал Дронго.

— Я не бизнесмен.

— Неизвестно. Думаю, на мое предложение вы можете согласиться. Я предлагаю вам двадцать пять тысяч долларов за пару ваших фраз.

— Сколько?

— Двадцать пять тысяч долларов. Или примерно сто пятьдесят тысяч франков.

— Хорошие деньги, — нагло заявил Эррера. Он уже пришел в себя и понял, что ему нечего опасаться.

— И вы получите их немедленно.

— Что я должен делать?

— Сказать, где находится Мул.

— Что?

— Мне нужна информация, за которую я готов заплатить. Скажите, где Мул, и сразу получите сто пятьдесят тысяч франков.

— Вы думаете, меня можно купить? — Он презрительно скривил губы.

— Абсолютно уверен. Во-первых, вы альфонс и живете за счет своих друзей. Во-вторых, Мул вам тоже платит, но гораздо меньше. И наконец, в-третьих, об этом просто никто не узнает.

— Идите вы... — грубо выругался Эррера.

По-английски он говорил с большим акцентом.

— Убедили, — кивнул Дронго, — я лучше заплачу их одному из ваших друзей, который окажется гораздо благоразумнее вас. Но обещаю вам, что Мул узнает о том, что именно вы его предали.

Эррера затравленно оглянулся.

— Почему вы мне угрожаете?

— Потому что вы сами ввязались в эту игру. Дайте мне его адрес, и я уйду, оставив вам деньги.

— У меня должны быть гарантии, — колебался Эррера.

— Посмотрите мне в глаза. Я же не идиот, чтобы выдавать вас, если вы мне поможете.

— На кого вы работаете? На МОССАД? Или на ЦРУ? А может, на арабов?

— Я сказал, что это не так важно. Мне нужен адрес Мула.

— Я не знаю, где он сейчас.

— Но где он может быть, вы знаете?

— Да, — нерешительно сказал Эррера, — примерно знаю.

— В таком случае — адрес. Мне нужен адрес.

— А мои деньги?

— За вашей спиной сидит молодая женщина, — сказал Дронго, — если вы чуть повернете голову, сможете увидеть портфель, который лежит у ее ног. Она просто передаст его вам, и мы уйдем. Про нашу сделку никто не узнает.

— Хорошо, — согласился Эррера.

— Но предупреждаю вас, — Дронго вдруг улыбнулся, — если вы попытаетесь нас обмануть, то я вам не завидую. В таком случае вы не сможете даже сбежать. Мы вас все равно найдем.

— Я знаю, — быстро сказал Эррера, — давайте ваши деньги.

— Адрес. И не врите, я ведь знаю примерное место его нахождения. Если хотите, могу даже вам сообщить.

— Не надо, — Эррера облизнул губы. Он иногда баловался кокаином и теперь чувствовал неприятную сухость во рту.

— Они будут на вилле «Помм де Пимм», — прошептал он, — она находится в порту Гримо на дороге между Сен-Тропе и Сен-Максимом. Там уже месяц живет наш человек. Мул должен приехать именно туда. Можете все сами проверить.

— Хорошо, — кивнул Дронго, — деньги ваши. Когда я выйду, она их вам передаст. Будьте осторожны, не старайтесь их сразу тратить, иначе у вас будут крупные неприятности.

Он поднялся и вышел из кафе. Через минуту следом вышла Алиса. Еще через минуту удалились двое сотрудников, обеспечивающих безопасность встречи.

— Вилла «Помм де Пимм», — повторил Дронго, когда Алиса села за руль автомобиля.

— «Лесной орех», — перевела женщина и сразу спросила: — Где она находится?

— Между Сен-Тропе и Сен-Максимом. В порту Гримо.

— Значит, он не соврал, — удовлетворенно заметила женщина.

— Пусть ваши люди там все проверят, — попросил Дронго, — до открытия фестиваля осталось всего четыре дня.

— Мы его найдем. — Она тронула машину, поворачивая за угол.

— Есть еще одно обстоятельство, которое меня очень тревожит, — вдруг сказал Дронго.

— Ты о чем? — обернулась она к нему.

— Я проверил в Дамаске и точно убедился: среди моего окружения кто-то на него работал. Боюсь, что этот человек все еще работает на Мула.

— Ты становишься подозрительным. Может, это я или твой отец?

— Надеюсь, что нет, — улыбнулся Дронго, — насчет тебя у меня еще могут быть сомнения. Но вот отцу я всегда доверял.

Она засмеялась, увеличивая скорость. Шел сильный дождь.

Ницца. 5 мая 1997 года

Все газеты и журналы сообщали о предстоящем Каннском фестивале. Планировался приезд на открытие звездной пары Деми Мур и Брюса Уиллиса. Фестиваль должен был открыться показом самого дорогого европейского кинофильма — фантастической картины Люка Бессона «Пятый элемент». Все каналы телевидения рассказывали об истории Каннских фестивалей. Официально сообщалось, что иранские кинематографисты не примут в нем участия. По непонятным причинам картина известного иранского режиссера Аббаса Кияростами была запрещена к показу в Каннах, и Тегеран решил отказаться от участия в юбилейных торжествах. Председатель жюри фестиваля актриса Изабель Аджани выразила свое сожаление по этому поводу.

Дронго со своей маленькой группой приехал в Ниццу пятого мая на поезде. Это был специальный экспресс, курсирующий между Парижем и

Лазурным берегом. Они приехали сюда небольшой командой и разместились в Ницце, так как все отели в Каннах давно были заняты. Предварительные заказы делались еще в январе, весь кинематографический мир съехался на этот фестиваль.

Уже четвертого мая вечером вилла была взята под наблюдение специальным отрядом МОССАД, прибывшим во Францию. Две яхты израильских спецслужб подошли к берегу, готовые в случае необходимости высадить дополнительные силы. Пятого мая утром в Ниццу специальным рейсом прилетела группа сотрудников Службы внешней разведки России под руководством самого генерала Светлицкого. В Каннах им, конечно, места не нашлось, и большей части группы пришлось размещаться в маленьких гостиницах Антиба и Ниццы.

Задействовала своих сотрудников и французская полиция. Во время фестиваля было решено сосредоточить в самом городке и вокруг него около четырех тысяч сотрудников полиции, вызвав для этих целей мобильные части из других районов Франции. Французская Сюртэ откомандировала на Лазурный берег несколько десятков своих сотрудников, часть из которых совместно с израильтянами следила за виллой «Помм де Пимм».

Дронго, уже полюбивший за время своего прошлого приезда в Ниццу знаменитый «Негреско», остановился именно в этом отеле. Дирекция, узнавшая о его приезде, приготовила для него традиционный набор фруктов и цветов с пожеланиями счастливого отдыха. Когда отец впервые вошел в «Негреско», он поразился роскоши этого отеля. Даже потрясающий воображение «Ле Гранд» был не столь совершенным, как этот отель.

— И ты всегда живешь в подобных гостиницах? — уточнил он.

— Кажется, да. Это единственное, на чем я никогда не экономлю.

— Интересно. Сюда нужно привезти твою маму. Она всегда любила роскошную обстановку.

— Летом вы можете приехать вдвоем, — предложил Дронго.

— До лета еще нужно дожить, — резонно заметил отец, отправляясь в ванную комнату.

Вечером пятого мая Дронго выехал в Антиб, где его уже ждали. В этом городке ночью состоялось совещание представителей французских, российских и израильских спецслужб. Председательствовал на нем генерал Морис Дасте. Это был невысокий сухой француз с несколько вытянутой головой, зализанными назад волосами и большими, прижатыми к черепу ушами. У него были печальные, немного опущенные в уголках глаза, делавшие его похожим на какую-то птицу. За столом сидели высшие офицеры полиции, французской разведки, контрразведки, генералы Светлицкий и Райский, полковник Мовсаев, Павел Гурвич и еще человек десять незнакомых Дронго людей.

— Нам удалось узнать, что на вилле все время проживает некий Майкл Уэйвелл, опустившийся ветеран Иностранного легиона, типичный ловец удачи. По нашим данным, он недавно перенес в Африке вирусный гепатит и сейчас успешно губит свою печень постоянными попойками с приглашением на виллу разного рода девиц сомнительного поведения. На вилле часто остается его подружка Диана Сенье. Кроме того, там живет консьерж Эрик Бонфу со своей семьей. Мы взяли виллу под плотную опеку, и вряд ли кто-нибудь сможет приехать или уехать без нашего ведома. Но пока никто из посторонних, способных нас заинтересовать, не появлялся.

— Им нужно было время, — напомнил Светлицкий, — они могли не успеть переработать полученное сырье.

— Открытие состоится через два дня, — сухо заметил Дасте, — и мы не можем рисковать, ожидая, когда появятся террористы. Если Уэйвелл попытается покинуть свою виллу седьмого числа, постараемся выяснить, куда он поехал. В момент открытия нами предусмотрены беспрецедентные меры безопасности. Вокруг города будут стянуты воинские части, в самом городе будут работать наши агенты. Не забывайте, господа, что в Канны в воскресенье ожидается визит самого президента Франции. Мы не имеем права рисковать.

— Может, их арестовать? — предложил кто-то из присутствующих.

— Нет, — сразу ответил Дасте, — пока будем только следить. Судя по всему, Уэйвелл не тот человек, который может быть полезен в решающий момент совершения террористического акта. Значит, он нас интересует только как связной. Поэтому наша задача — следить за ним и организовать особенно плотное наблюдение седьмого и одиннадцатого числа.

— Может, поменять ему девочку? — предложил полицейский офицер. — У нас есть кандидатура.

— Мы можем не успеть, — возразил Дасте, — а появление на вилле постороннего лица может спугнуть настоящих террористов. Нет. Пусть все идет как есть. Но у меня есть очень неприятная новость. — Он не стал делать эффектной театральной паузы, а просто продолжал говорить: — В последнюю минуту Иран подал заявку на участие их страны в Каннском фестивале. Заявленный фильм Аббаса Кияростами будет представлен во время конкурсной программы. А это значит, что завтра приедет более двух десятков гостей из Ирана.

Пока он говорил эти слова, Райский, Гурвич и еще двое израильских офицеров демонстративно повернулись к Дронго, словно спрашивая его, как именно он может расценить подобное известие.

— Значит, иранцы все-таки приедут на фестиваль? — уточнил Райский.

— Приедут, — подтвердил генерал Дасте.

— В таком случае вы можете арестовать их завтра прямо в аэропорту. Половина из прибывших будут профессиональными террористами, — гневно заявил Райский, — с самого начала это была грязная игра иранских спецслужб.

— Нет, — громко возразил Дронго, решив, что пора вмешаться, — нет, — убежденно сказал он. — Я целый месяц охочусь на Мула. Ему не помогают иранцы, я в этом убежден.

— Оставьте свои убеждения при себе, — разозлился Райский, — как могли узнать террористы о вашем пребывании в «Шератоне», если вы заранее не заказывали себе место в отеле?! Как об этом узнал Мул?

— Иранцы ничего не знали, — возразил Дронго, — я намеренно позвонил только вам, в Москву и в Баку.

— Надеюсь, вы не считаете, что мы помогаем террористам? — с иронией спросил Светлицкий.

— Господа, господа, — заволновался генерал Дасте, — мы несколько отвлеклись от темы. Конечно, приезд иранцев для нас несколько неприятная неожиданность, но мы были к ней готовы. Вся иранская делегация будет взята под жесткий контроль наших сотрудников. Ни один из гостей не будет иметь свободы действия. Я думаю, мы можем гарантировать себя с этой стороны. — Он помолчал немного, затем сказал: — У нас появились некоторые проблемы только с гостями из России.

— Что вы хотите сказать? — спросил Светлицкий. — Наши люди размещены в Антибе и в Ницце.

— Я говорю не про ваших сотрудников, — возразил Дасте, — я говорю о ваших миллионерах. Несколько человек приехали в Канны и попытались устроиться на виллах и в апартаментах, зарезервированных для наших именитых гостей. Естественно, им отказали. Вы знаете, что они делают? Они раздают пачками деньги, подкупая сотрудников, и те просто вынуждены ломать заранее утвержденные графики, отдавая лучшие апартаменты приехавшим русским нуворишам. Один из таких типов даже занял апартаменты, предназначенные для Мадонны. Меня уверяли, что он заплатил при этом фантастическую взятку в десять тысяч долларов.

Дронго и сидевшие в зале российские офицеры не могли сдержать улыбки. Многие израильтяне тоже улыбались. Они понимали серьезность проблемы. Но Дасте не понимал подобных методов.

— Мы начали строгую проверку, — бесцветным голосом продолжал он, — и если найдем таких миллионеров, то будем их беспощадно выселять. Система охраны города разработана с учетом пожеланий наших гостей, и нельзя ломать ни одно звено без учета нашего мнения. Иначе на балконе, где должны находиться телохранители Майкла

Джексона, будут разгуливать бандиты из русской мафии.

— Там не все бандиты, — вставил генерал Светлицкий.

— Тем лучше, — сказал Дасте, — значит, они нас поймут. Я прошу вас, господа, учитывать важность момента. Сейчас к нашему фестивалю прикованы взоры людей всего мира. Все желают удачи и хотят, чтобы он прошел как можно спокойнее. Если мы будем координировать наши действия, то, думаю, мы сумеем вместе противостоять любым возможным угрозам террористов. Спасибо, господа.

Все зашевелились, задвигались. К Дронго подошел Гурвич.

— Ох, уж эти «новые русские»! — сказал он со смехом. — Французы еще не подозревают, какого джинна впустили в свою страну. Это похуже голливудских ковбоев и иранских гостей.

Париж. 6 мая 1997 года

Когда послышался звонок в дверь, он даже не пошевелился. «Опять Кэтрин пришла так рано», — подумал, взглянув на часы. Арман Эррера был чрезвычайно чистоплотным человеком, почти до сумасшествия, через день приходила женщина, чтобы навести порядок в его холостяцком жилище. Впрочем, слово «холостяцкое» не совсем подходило обитателю этого дома, так как он никогда не скрывал своей особой сексуальной ориентации, предпочитая молодых мальчиков любой женщине. Правда, мальчиков он предпочитал сам, а раньше его выбирали пресыщенные старики, которые платили за удовольствие неплохие деньги.

Когда раздался второй звонок, он взглянул на часы и грациозной походкой двинулся к дверям. Почему ему не дают отдохнуть даже в субботу? Вообще нужно уволить эту старую дуру и нанять вместо нее молодого мальчика, который будет убирать квартиру и с которым можно будет весело проводить время... От предвкушения удовольствия он зажмурился. Потом подошел к двери и, не глядя в глазок, открыл.

От сильного толчка он полетел на пол. Еще ничего не понимая, он уже испугался. В комнату вошел дурно пахнущий человек с пистолетом в руке. Сперва Эррера видел только его ноги и грязные туфли, потом уже пистолет с глушителем и, подняв глаза еще выше, испуганно замер. Перед ним стоял садист Салех Фахри — Красавчик.

— Здравствуй, — сказал тот, — не ждал меня?

— Н-нет, не ждал. — Он хотел встать, но почему-то ноги отказывались его слушать.

Страшный гость захлопнул ногой дверь и присел рядом с ним на корточки.

— Ты рассказал, где должен быть наш друг. — Он не спрашивал — он утверждал.

— Нет, — пронзительно выкрикнул Эррера, — нет, конечно, нет! Я ничего не говорил! Я никому и ничего не говорил!

— Молчи, — взмахнул пистолетом гость, — ты всегда был предателем.

— Нет! — взмолился Эррера. — Не надо! Я ничего не говорил. Я все объясню. Все расскажу.

Гость прислонил пистолет к его сердцу.

— Не надо, — плакал Эррера. — Я все объясню.

Убийца нажал курок, и тело несчастного выгнулось. Убийца выпрямился, чтобы не испачкаться, и еще дважды выстрелил. Потом, подумав немного, сделал выстрел между ног жертвы, словно намекая на его мужскую несостоятельность. И вышел из квартиры, захлопнув за собой дверь.

Эрреру нашла его домработница, пришедшая через три часа. Он лежал на полу с раскрытыми от ужаса и боли глазами. Несчастная женщина стала кричать... Через час об убийстве знали в парижском комиссариате полиции. Еще через час об этом сообщили генералу Дасте в Антиб. Затем эта информация дошла до израильтян. И ровно через четыре часа после убийства Дронго позвонил генерал Райский.

— У меня неприятная новость, — сказал он. — Нам нужно срочно встретиться.

— Я приеду, — согласился Дронго.

— Не нужно, — возразил генерал, — у вашего отеля стоит автомобиль с моими сотрудниками. Просто выйдите из отеля, и вас заберут.

Все произошло так, как говорил генерал, и через полчаса они уже прогуливались по набережной.

— В Париже убит Арман Эррера, — сообщил генерал.

— Этого не может быть, — спокойно произнес Дронго, затем посмотрел на собеседника. — О том, что я с ним встречаюсь, знали только мой отец и Алиса. Кого я должен подозревать?

— Во всяком случае, не своего отца. У вас с Алисой интимные отношения?

— Я должен отчитываться?

— Речь идет не о вашей сексуальной активности, — зло ответил Райский, — меня интересует характер ваших отношений. Вы были близки?

— Да.

— Я так и думал. Женщины рядом с вами теряют голову.

— Но не становятся предателями.

— Этого я не знаю. Во всяком случае, с этого момента вы не будете ей доверять. А я сегодня отзову ее, поручив вашу охрану Гурвичу.

— Это жестоко, генерал.

— Мы на войне, — сурово произнес Райский, — а она офицер.

— Вы дадите мне возможность с ней попрощаться?

— Конечно, нет. Пока вы доедете до своего отеля, ее уже не будет в Ницце. Она улетит в Израиль и останется там до окончательного выяснения ситуации.

— Она не могла этого сделать, — возразил Дронго.

— Кто-то предал вас в «Шератоне». Кто-то рассказал о вашем визите в Тегеран. И наконец, теперь убили Эрреру, с которым вы встречались. Я не верю в подобные совпадения. А вы?

— Я тоже не верю, но это не она.

— До свидания, Дронго. Думаю, теперь мы можем снять наблюдение с виллы, террористы там все равно не появятся.

— А если это убийство было случайным и убийца не имеет никакого отношения к террористам?

— Тогда я буду считать, что нам повезло. — Райский повернулся и зашагал к своему автомобилю. Дронго невесело направился следом.

Канны. 7 мая 1997 года

Нужно хотя бы один раз в жизни попасть на Каннский кинофестиваль, чтобы почувствовать эту невероятную атмосферу праздника, суеты, тщеславия и радостного оживления, какая царит во время каждого действа. Во время юбилейного все это многократно умножается в десять раз, а на этот раз добавился еще и неистовый ветер с дождем, который обрушился на побережье с самого утра. Старожилы не помнили такой холодной погоды. Впору было достать пальто и другую тяжелую зимнюю одежду.

Во время открытия кинофестиваля выстроившиеся к основному зданию звездные пары основательно продрогли. Можно было сказать, что в этот вечер главным террористом стала жестокая непогода, обрушившаяся на головы и плечи беззащитных звезд.

Несмотря на это, жандармы, одетые в традиционно парадную форму, простояли всю церемонию открытия под проливным дождем, а полицейские и сотрудники службы безопасности методично и пунктуально проверяли каждого пришедшего на праздник. И, несмотря на пронизывающий ветер и сильный дождь, праздник все-таки состоялся.

Дронго подъехал на автомобиле задолго до начала церемонии и видел, как каждый гость проходил несколько постов охраны, прежде чем попадал во Дворец кинофестивалей. Красная широкая дорожка, ведущая на парадную лестницу, казалось, продолжалась до неба. На фасаде Дворца кино висела огромная картина, продолжавшая эту красную дорожку, по которой поднимались к небу мужчины в смокингах и женщины в нарядных вечерних платьях. Мощные прожекторы обрушивали водопады света. Несмотря на ужасную погоду, тысячи людей толпились вокруг в ожидании своих любимцев.

Особенно неистовствовала толпа, когда у лестницы появились одетая в красно-черное платье великолепная Деми Мур и обаятельный Брюс Уиллис в традиционном смокинге. Толпа радостно загудела, приветствуя своих любимцев. Отовсюду раздавались крики восторга.

Сам фестиваль был несколько омрачен отсутствием двух звезд французского кинематографа — Алена Делона и Жан-Поля Бельмондо, которых устроители юбилейного торжества не пригласили на эту «ярмарку тщеславия», посчитав, что можно обойтись и без стареющих французских звезд. Но скандал только прибавил популярности начавшемуся фестивалю.

В толпе выделялись полицейские, переодетые сотрудники спецслужб, которые смотрели не столько на звезд, сколько на собравшуюся здесь публику. Вообще Канны — это небольшой городок на побережье, в котором находилось сразу несколько шикарных отелей, среди них выделялись «Мартинес», «Мажестик», «Нога Хилтон», «Интерконтиненталь». По всему побережью были расположены магазины самых известных косметических и ювелирных фирм, бутики самых популярных домов моды. Сам городок имел три улицы, тянувшиеся параллельно бульвару. У каждого отеля был свой собственный пляж с ресторанами и барами.

В день открытия фестиваля генерал Дасте перенес свой штаб в каннский «Нога Хилтон», по-своему отель-символ самого города. Построенный по оригинальному дизайну, этот отель имел огромный гараж под землей и купальный бассейн на крыше для особо привередливых гостей. Внутри было замкнутое пространство атриума и длинные балконы, обращенные по кругу друг к другу.

С самого утра к вилле «Помм де Пимм» были подтянуты дополнительные силы сотрудников французской контрразведки. На соседней вилле жили агенты МОССАД. Но и здесь все прошло благополучно. Уэйвелл устроил очередную грандиозную попойку, явно не собираясь никуда выезжать, а его подружка отличилась тем, что решила искупаться в бассейне нагишом, к большой радости наблюдавших за этим сотрудников спецслужб.

В самом дворце, где начался фестиваль, шел фильм Люка Бессона с таким множеством технических наворотов и трюков, что, казалось, эта картина была создана специально к сюрреалистической ситуации открытия самого Каннского фестиваля, когда ураганный ветер заставлял мужчин мужественно держаться под ливневым дождем и превращал наряды женщин в жалкие мокрые тряпки. Костюмы для фильма придумывал сам Поль Готье, английский супермодный дизайнер, возглавивший к этому времени один из самых известных домов моды Франции.

Показ действительно интересного фильма был обречен на успех, публика встретила картину бурей аплодисментов и приветственными криками. К радости зрителей, в зале присутствовали режиссер и главные актеры фильма, среди которых выделялась очаровательная Мила Йовович.

В фойе среди гостей были видны озабоченные лица офицеров российской, французской и израильской спецслужб. В левой части здания, выходившей на побережье, в небольшом кабинете собрались три генерала — Дасте, Светлицкий и Райский. Настроение у всех было безрадостное, нервы на пределе, все уже знали о случившемся в Париже. Дронго сидел в зале, с интересом осматриваясь.

Вернувшись вчера в отель, он, как и предсказывал генерал Райский, уже не застал Алису Линхарт в «Негреско». Она успела оставить для него только короткую записку с пожеланием удачи. И это было все, что осталось у него от встречи с этой сильной женщиной. Он показал записку отцу, и у того испортилось настроение на весь день. Вечером он признался сыну, что боится неожиданных разрывов и уходов близких людей.

— Когда тебе много лет, начинаешь опасаться всего, — признался отец, — особенно меня волнуют вот такие ситуации, когда навсегда теряешь близких тебе людей. Она была потрясающей женщиной, и очень жаль, что теперь ее не будет рядом с тобой.

Во время открытия фестиваля Дронго удалось каким-то чудом достать второе приглашение, и теперь отец сидел рядом с ним, удивляясь этой неистовой атмосфере праздника, который мог состояться только в Каннах. Смокинг, взятый для него напрокат в Ницце, очень шел ему. Отец был примерно одного роста с сыном, оба были очень высокие. При таком росте смокинг молодил пожилого человека.

— По-моему, все эти люди сошли с ума, — предположил отец, поправляя бабочку, — так убиваться из-за кино! Просто им нравятся иллюзии, их уже давно не интересует реальная жизнь.

Церемония открытия состоялась, и сотни агентов в этот вечер внимательно наблюдали за каждым движением приглашенных в зал людей. Когда поздно ночью фильм окончился и люди начали выходить из дворца, к Дронго подошел озабоченный Гурвич.

— Может, мы ошиблись, — великодушно сказал он, употребив слово «мы», — может, террористы и не думают о фестивале?

— Тогда это будет самая лучшая ошибка в моей жизни, — признался Дронго, — но боюсь, что самое трудное нас еще ждет впереди.

Мимо шли возбужденно обменивающиеся впечатлениями зрители. Дронго протиснулся к генералу Светлицкому. Тот стоял в смокинге с таким видом, словно у него сильно болели зубы. Увидев подходившего Дронго, он кивнул ему в знак приветствия.

— Чем вы недовольны? — спросил Дронго.

— Вы знаете, кто приехал с иранской делегацией? — спросил Светлицкий и, не дожидаясь ответа, сказал: — Сам Али Гадыр Тебризли.

— Значит, он любит кино, — заметил Дронго.

— Это значит, что вы все-таки ошибались, — возразил Светлицкий, — боюсь, что мы все недооценили коварство иранской разведки.

— Вы же сами говорили, что контракт столь же выгоден Ирану, насколько он выгоден Франции и России, — напомнил Дронго, — зачем же иранцам рубить сук, на котором они сидят. Может, наоборот, они хотят застраховать себя от возможных неприятностей. Такая мысль не приходила вам в голову?

Светлицкий недовольно посмотрел на собеседника и, опять поморщившись, произнес:

— Вы все время блефуете, Дронго. Однажды вы сорветесь по-крупному. Нельзя считать, что вы умнее всех. Одна голова, какая бы она ни была гениальная, это все-таки одна голова. А наша пословица гласит, что в таких случаях лучше две головы.

— Именно поэтому я привез на фестиваль своего отца, — улыбнулся Дронго и, повернувшись, пошел к выходу. Светлицкий остался на месте, так и не поняв, что хотел этим сказать Дронго.

В этот день на виллу «Помм де Пимм» прибыли сразу двое новых гостей. Они приехали на микроавтобусе и сразу загнали автомобиль в гараж. Незнакомцы прошли в дом, вызвали Уэйвелла в сад и долго беседовали с ним, прогуливаясь по дорожкам, проложенным между бассейном и искусственным озером. Несмотря на усилия сотрудников спецслужб, удалось записать лишь фрагменты разговора, из которого стало ясно, что оба гостя готовят Уэйвелла к основным событиям, которые должны состояться только в день закрытия фестиваля, а именно — в следующее воскресенье, восемнадцатого мая.

Этот разговор особенно обрадовал генерала Дасте. На следующий день в Канны должен был прилететь президент Франции, и к его прибытию в городе были введены беспрецедентные меры безопасности. Все машины получили новые пропуска, все автомобили останавливались задолго до дворца, и даже очень именитым пассажирам приходилось преодолевать последнюю часть пути пешком.

Визит этих гостей вселил уверенность и в остальных руководителей спецслужб, уже решивших поставить крест на самой идее использовать виллу в качестве приманки для террористов. Их появление свидетельствовало либо о просчете террористов, либо о правильном расчете сотрудников спецслужб. Их руководителям хотелось больше верить во второй вариант, что они с удовольствием и делали.

Одиннадцатого мая на Лазурный берег прилетел сам президент Франции. Артистическая натура Жака Ширака требовала такой грандиозной сцены, как Каннский юбилейный фестиваль. Справа от дворца стоял памятник де Голлю, а слева, у побережья, памятник Жоржу Помпиду, не просто бывшим президентам республики, а своего рода духовным предшественникам Жака Ширака на этом посту. И хотя непрезентабельный памятник де Голлю был расположен напротив американской закусочной «Макдоналдс», а у памятника Жоржу Помпиду продавали жареные сосиски, так называемые «хот-доги», тем не менее важны были символы, и Ширак в полной мере насладился своим особым статусом почетного гостя.

А мужчины, прибывшие на виллу, разместились в одной из спальных комнат и довольно быстро приспособились к рваному ритму жизни Уэйвелла. Уже на следующий день один из них переехал в другую спальню, а на вилле появились еще две длинноногие девицы, также предпочитающие купаться в бассейне в костюмах Евы.

Напряжение росло с каждым днем. Мул нигде не показывался. Двенадцатого мая все события переместились в аэропорт Ниццы, откуда большинство почетных гостей фестиваля уезжало на один день в Париж, чтобы отпраздновать юбилейные мероприятия в столице Франции, в одном из самых знаменитых ресторанов города, расположенном на Елисейских Полях, — ресторане «Фуке». Перед входом в ресторан были выбиты имена самых известных актеров, режиссеров и эстрадных звезд Франции, когда-либо посетивших это заведение. Вокруг ресторана были натянуты белые палатки, чтобы скрыть от глаз посторонних праздничный ужин звезд мирового кино. Вместе со звездами в город прибыло около трех сотен их телохранителей, вокруг ресторана дежурили мобильные полицейские части, готовые вмешаться в случае необходимости. Но главные события по-прежнему происходили в Каннах, где шел конкурсный показ фильмов.

В сюите генерала Дасте, снятом в «Нога Хилтоне», ежедневно проводились совещания руководителей спецслужб. Генерал Дасте поочередно встречался с руководителями израильской и российской разведок и даже принял в своем номере Али Гадыра Тебризли, который после разговора с ним решил приехать в Ниццу для встречи с Дронго. Вернее, он позвонил Дронго, и тот пригласил его на обед в ресторан «Шантеклер», находившийся в самом «Негреско» и считавшийся одним из самых изысканных на Английской набережной в Ницце.

Вечером двенадцатого мая в ресторане встретились Дронго и иранский гость. Меню здесь было на русском языке. К девяносто седьмому году вновь хлынувшие в Ниццу, как и сто лет назад, богатые русские заставили руководство самого известного отеля срочно переключить антенны своих телевизионных каналов на Москву, ввести обязательное изучение русского языка для служащих и перевести всю документацию на русский язык, в том числе и меню ресторана «Шантеклер».

Али Гадыр, полностью доверяя вкусам Дронго, предоставил ему выбор блюд. Метрдотель предложил на выбор несколько бутылок вина, и они решили остановиться на красном бордо семьдесят восьмого года.

— Мы слышали о том, что вы были ранены в Дамаске, — осторожно сказал гость, внимательно глядя на своего собеседника.

— Это было скорее недоразумение, — улыбнулся Дронго. Ему нравилась подобная восточная деликатность, когда гость как бы оставлял право выбора ответа на вопрос самому Дронго. Вопрос формулировался таким образом, что всегда можно было отказаться от самого события вообще, а не трактовать его в той или иной плоскости.

— Я вас предупреждал, — напомнил Али Гадыр Тебризли, — человек, с которым вы решили бороться, очень опасен.

— И он до сих пор на свободе.

— Я думаю, он где-то здесь, рядом, — спокойно произнес Али Гадыр, поднимая бокал. — Ваше здоровье.

— Почему вы так думаете?

— Вы же видите, что здесь творится, — усмехнулся Али Гадыр. — Всеобщее помешательство. Сегодня кино стало формой индустрии. Сейчас весь мир пишет о событиях в Каннах. И мы считаем, что Мул обязательно использует такой шанс.

Он поставил свой бокал на стол.

— У вас есть новая информация? — недипломатично спросил Дронго.

— Нас начали мучить сомнения, — улыбнулся Али Гадыр, — слишком уж уверенно уходит Мул от такого грозного соперника, как МОССАД. Если бы кто-то в мире сказал мне, что можно прятаться одновременно от нас, от русских и от МОССАД, я уже не говорю про французов, суметь каждый раз уходить из сетей такого проницательного человека, как вы, и делать все это без посторонней помощи, я бы никогда этому не поверил. Силе должна противостоять сила. Очень большая сила, Дронго. И эта сила сейчас на стороне Мула.

— Вы считаете, что ему кто-то помогает?

— Почти убежден в этом. Иначе он бы не сумел столько времени уходить от наших сотрудников. Я говорю даже не про деньги, они у него есть. Я говорю об организации его группы и действиях его людей. За ним кто-то стоит. В этом нет никаких сомнений. И это не иранская разведка.

— У МОССАД схожее мнение. Но они считают, что ваша разведка и есть та самая организация, которая помогает Мулу.

— Мы сами ищем его по всему побережью.

— Ваш отказ участвовать в кинофестивале только подтвердил это негативное мнение, — прямо заявил Дронго.

— Поэтому мы и прилетели, — объяснил Али Гадыр. — В Тегеране не очень любят подобные мероприятия, как этот фестиваль. И фильм, который снял Аббас Кияростами, был встречен не очень благожелательно руководством нашей страны. Но если бы я со своими людьми просто так прилетел во Францию, то израильтяне сразу бы решили, что мы оказываем помощь Ахмеду Мурсалу. Поэтому под моим давлением было принято решение разрешить нашему режиссеру представлять на фестивале свой фильм. Хотя я убежден, что этому режиссеру и этому фильму вообще не дадут никакого приза. Мы слишком непонятная страна для Запада. Это все равно, как если бы «Гран-при» вручался главному убийце, скажем, Мулу. В глазах израильтян, европейцев, американцев мы естественные союзники маньяка и садиста Ахмеда Мурсала. И ничто не может разрушить этот имидж.

Официант принес очередные блюда. Вокруг стола крутились сразу несколько человек.

— Я думаю, вы ошибаетесь, — возразил Дронго. — Просто вы сами часто замыкаетесь в собственной среде, отторгаясь от всего мира. Ваш отказ от участия в фестивале был неправильно истолкован. В конце концов, Кияростами очень известный в мире режиссер. Нужно было с самого начала настаивать на его участии в фестивале.

— У нас свои проблемы, — пояснил Али Гадыр. — В нашем обществе по-прежнему существуют две полярные точки зрения. Либералы считают, что мы должны принимать мир таким, каков он есть, и приспосабливаться к окружающей действительности, постепенно модернизируя собственную страну. Радикалы, напротив, стоят на консервативных позициях, убежденные в том, что мир должен приспосабливаться к существованию такой страны, как Иран. И пока существуют эти две точки зрения, мы разрываемся на части между нашими либералами и радикалами.

— Это скорее проблема Ирана, а не всего остального мира.

— Нет, — быстро возразил Али Гадыр, — если в мире будут считать, что это только проблема Ирана, то, боюсь, мы никогда не решим наши проблемы. Мы должны идти навстречу друг другу.

— По-моему, шах уже пытался идти навстречу западным ценностям, — напомнил Дронго, — вы помните, чем все это кончилось? А ведь в конце семидесятых Иран был вполне западной страной, по меркам самого Запада.

— Именно поэтому и произошла революция, — возразил Али Гадыр, — у каждого народа свои традиции, своя культура и свое наследие. Нас нельзя было насильно подводить к голливудским стандартам. Кстати, среди тех, кто первоначально был против участия в этом фестивале, был и я.

— Я могу узнать почему? — Вилка Дронго замерла на полпути.

— Можете. Хотя бы потому, что на этом фестивале «Гран-при» получает такой фильм, как «Криминальное чтиво» Квентина Тарантино. Согласитесь, эти стандарты совсем не для восточного человека и тем более не для нашей морали.

— Здесь побеждали разные фильмы.

— Дело в концепции. Для западной цивилизации мы слишком закрытое общество. Боюсь, что существует проблема обеих сторон. Мы не хотим в это общество. А они не хотят пускать нас. Эта проблема имеет две стены, построенные с каждой стороны. И никто не собирается рушить собственные укрепления.

— Я понимаю, — задумчиво кивнул Дронго, поднимая бокал. — За ваше здоровье.

Его гость не пил спиртного. Он скорее символически к нему прикасался. Заметив это, Дронго тоже не стал пить, делая лишь символические глотки.

— Боюсь, что мир пока не готов принимать наши ценности, — вновь сказал Али Гадыр.

— Вы собираетесь остаться до конца фестиваля?

— Да, до его закрытия. Я надеюсь, что здесь ничего не случится, хотя, зная ненависть Мула, мне трудно за это поручиться.

— Вы знаете, что он готовит?

— Нет. Он интересует меня как убийца хаджи Карима. В Тегеране ему вынесен смертный приговор. И если мы точно узнаем, где он находится, приговор будет приведен в исполнение.

— А если он успеет раньше вас?

— Это главная причина, по которой я нахожусь здесь. Если он решится на какой-то террористический акт и, к несчастью, сумеет его осуществить во Франции, особенно во время этого фестиваля, то боюсь, что все наши контракты будут сорваны. Ни французы, ни даже русские не захотят иметь ничего общего со страной, которая поддерживает такого террориста.

— Но вы его не поддерживаете.

— Это ваше личное мнение, — улыбнулся Али Гадыр. — Кстати, вы видели новый фильм Аббаса Кияростами, представленный на фестивале?

— Нет, не видел.

— В таком случае посмотрите. Это удивительно добрый и мягкий фильм. Вам наверняка понравится. Правда, я не убежден, что он понравится членам жюри, но это уже дело вкуса.

— Я его обязательно посмотрю, — заверил своего гостя Дронго. — Думаю, что вы все-таки не правы. Существуют мировые ценности, иерархия духовных приоритетов, которые незыблемы при любой религии и при любом строе. Это я понял недавно в Иерусалиме, когда прошел по святым местам всех трех религий. Постулаты повсюду одинаковы. Не убей, не укради, не прелюбодействуй. Может, эти ценности и должны лежать в основе всех человеческих отношений. Как вы считаете?

Ницца. 16 мая 1997 года

Утром они прогуливались по набережной. После непривычных холодов начала месяца уже через несколько дней по всему побережью установилась мягкая солнечная погода, и туристы высыпали на побережье, заполнив пляжи на Английском бульваре. От «Негреско» они шли вдвоем, неспешно обсуждая события последних дней.

— Завтра наконец закрывается фестиваль, — сказал отец. — Знаешь, я тебе очень благодарен. За три недели я побывал в стольких удивительных местах! Увидел Иерусалим, Ниццу, Канны. Впечатлений хватит на оставшуюся жизнь.

Он был, как обычно, в костюме и шляпе. Только на этот раз купленная в бутике в самом отеле шляпа была светлой. Отец шел медленно, улыбаясь проходившим мимо молодым женщинам. Многие из них останавливались на мгновение, чтобы тоже улыбнуться этому пожилому господину с таким удивительно мягким выражением лица.

— Я никогда так надолго не уезжал из дома, — сказал отец, — твоя мама, наверное, уже беспокоится. Ты знаешь, мы всегда ездили только вместе. Все сорок с лишним лет. Мы ни разу в жизни не отдыхали поодиночке. Наверное, это своеобразный рекорд. Мы были всегда вместе.

Он улыбнулся проходившей мимо черноволосой красавице, очевидно, итальянке, и она улыбнулась ему в ответ.

— Какие красивые женщины в этом городе, — сказал отец. — Я бы поселился здесь на всю оставшуюся жизнь. Только одному, без друзей и близких, довольно скучно, даже в окружении очень красивых женщин и в таком городе, как Ницца.

— Ты все время говоришь об оставшейся жизни, — заметил сын, — кажется, недавно ты мне говорил, что настоящая жизнь начинается после семидесяти.

— Это я только говорил, — хитро улыбнулся отец.

— И тем не менее у тебя какой-то пессимистический взгляд. У тебя сегодня нет настроения?

— Просто я очень скучаю по твоей маме, — признался отец. — Мне трудно измениться после стольких лет, проведенных вместе. Поэтому я хочу уехать даже отсюда как можно быстрее. Мне кажется, что и тебе следует отсюда уезжать сразу после завершения фестиваля. Если Мул не нанесет свой удар, значит, мы ошиблись. Думаю, нам не стоит более оставаться в этом городе, подвергая тебя ненужному риску. Да и Алиса уехала. Она красивая женщина. И хотя я совсем не знаю английского, тем не менее по ее глазам я видел, как она к тебе относится.

— Она улетела в Израиль.

— Ясно, — вздохнул отец, останавливаясь, — давай повернем обратно. Видимо, они считают, что так будет лучше.

— Они все еще не могут установить, каким образом Мул узнавал о моих передвижениях.

— А если он и сейчас узнает, где ты находишься? — тихо спросил отец.

— Что?

— Мне кажется логичным предположить, что если ему удалось отследить твой путь на Ближнем Востоке и в Иране, то он наверняка сможет найти тебя и во Франции.

— Что ты хочешь сказать?

— Ты все время пытаешься его вычислить, тогда как один раз нужно сыграть на опережение, — предложил отец.

Дронго молча смотрел на него.

— По-моему, в дзюдо есть принцип обращения собственного падения в свою силу, — продолжал отец, — проверь собственные сомнения. Сделай так, чтобы он узнал о тебе. Но не для того, чтобы снова подставить себя под пули убийц, как в Дамаске. Сделай так, чтобы он выдал своего человека. Чтобы ты точно сумел вычислить, кто и почему тебя предавал. Я не думаю, что это была Алиса Линхарт. Может, я ошибаюсь, но мне кажется, ее убрали отсюда так быстро именно из-за этих подозрений.

— Да, — сдержанно кивнул Дронго, — они считают, что она могла стать невольным источником информации.

— Нет, — быстро возразил отец, — это кто-то другой из твоего близкого окружения. Во всяком случае, один из тех, кто сейчас находится где-то рядом с тобой. Обрати свое поражение в свою победу, — продолжал отец, — просчитай вариант так, чтобы тебя не могли обойти. Нужно выявить человека, который сотрудничает с Мулом, независимо от того, сумеете ли вы остановить террориста или нет. И мне кажется, что такой неуправляемый тип вряд ли пользуется поддержкой официальных структур. С другой стороны, без конкретной помощи он бы не смог все время уходить от тебя.

— Может быть, — сказал сын, — я же тебе рассказывал о своем разговоре с Али Гадыром Тебризли.

— Он был прав. Мулу кто-то помогает. А что касается иранцев, они в положении жены Цезаря, которая должна быть выше всяких подозрений. Просто слишком многие европейцы относятся к ним предубежденно.

— И с этим ничего нельзя сделать.

— Почему ничего? — возразил отец. — Ты видел

их фестивальный фильм? Пока ты бегаешь в поисках террориста, я иногда смотрю фильмы. Хороший душевный фильм без мордобоя, погони, крови. Жаль, что такие фильмы сейчас не модны. Он многое проясняет в характере самих иранцев.

— Я его посмотрю, — пообещал сын.

— И последнее, — отец остановился, снял шляпу, достал платок, вытер лоб и вдруг тихо попросил: — Будь осторожнее. Ты ввязался в такую игру, где нет никаких правил. А бой без правил — это всегда очень неприятное зрелище. Надеюсь, что ты об этом помнишь.

— Завтра объявят итоги фестиваля, — задумчиво произнес Дронго, — а послезавтра будет официальное закрытие и награждение победителей.

— Значит, осталось два главных дня, — кивнул отец, надевая шляпу, — а почему закрытие будет только послезавтра?

— Не знаю. Так написано в программе фестиваля. Он закончится вечером восемнадцатого мая показом фильма Клинта Иствуда «Абсолютная власть».

— Интересное название. Этот Иствуд, наверное, уже старик. Я его помню по ковбойским вестернам.

— Да, ему лет семьдесят.

— Интересно будет посмотреть этот фильм, — сказал отец. — Вообще этот кинофестиваль довольно яркий триумф тщеславных устремлений людей удивить мир. Если, конечно, не считать нескольких фильмов, среди которых был и тот, иранский.

— Удивить мир, — повторил Дронго. Он вдруг замер и посмотрел на часы. Потом быстро спросил: — Ты сможешь дойти до отеля?

— Конечно. Он же совсем рядом, — показал рукой отец.

— До свидания. — Сын повернулся и поспешил к остановке такси. Отец долго стоял и смотрел ему вслед.

Канны. 16 мая 1997 года

Он приехал в Канны на такси и сразу поспешил в отель «Нога Хилтон» к генералу Дасте. Ему повезло, генерал был на месте, и Дронго потребовал, чтобы его срочно пустили в кабинет. Секретарь доложил генералу, и тот согласился принять эксперта. Дронго буквально вбежал в комнату.

— Мне кажется, генерал, мы несколько ошибаемся с виллой, — сказал он с порога, — боюсь, что там ничего не случится, приехавшие гости будут только отвлекать наше внимание.

— Тогда скажите, за кем нам следить? — неприязненно сказал генерал, в упор глядя на своего гостя. Он вообще не любил штатских и тем более людей с неопределенным статусом, как например у этого международного эксперта.

— Я не знаю. Но я думаю, что на вилле ничего больше не произойдет, — пояснил Дронго, — они следят за мной и за вами и, боюсь, имеют своего человека среди людей, которые вас окружают.

— Я верю своим людям, — гордо поднял голову генерал, — у нас нет предателей.

— Не обязательно, чтобы это были ваши сотрудники. Скорее всего это как раз не ваши. Осведомитель Мула может прятаться среди израильских или российских агентов.

— Это их проблемы, — твердо сказал генерал. — Какие у вас еще есть вопросы?

«Самодовольный индюк», — разозлился Дронго, но, сдержавшись, попросил:

— У меня есть еще одна просьба.

— Какая?

— Мне нужно встретиться с председателем жюри.

— Это имеет отношение к нашим проблемам? — удивился генерал. — Вам не кажется, что вы немного превышаете свои полномочия, злоупотребляя моим доверием? Если вы хотите получить автограф у мисс Аджани, то можете сделать это и без моего посредничества.

— Поймите, генерал, — повысил голос Дронго, — речь идет о более серьезных вещах, чем автограф известной актрисы.

— Не кричите, — одернул его генерал, — вы у меня в гостях. Хорошо. Думаю, смогу попросить уделить вам пять минут. Надеюсь, речь идет действительно о более важных проблемах, чем просто свидание с красивой женщиной.

Он поднял трубку телефона. Но даже для генерала Дасте найти Изабель Аджани оказалось очень трудно. В эти дни у нее была расписана каждая минута. Удалось согласовать время встречи только после восьми вечера. Генералу понадобилось двадцать минут, чтобы добиться этого. Положив трубку, он сердито взглянул на стоявшего перед ним Дронго.

— Надеюсь, теперь вы довольны?

— Большое спасибо! — Дронго уже хотел уйти, но генерал окликнул его:

— Подождите, разве вы не хотите объяснить мне, что происходит?

— Потом, — улыбнулся Дронго, — это не только мой секрет. Поверьте, генерал, что я не буду злоупотреблять вашим доверием.

И он вышел из комнаты генерала. Тот посмотрел на закрывшуюся дверь и недовольно прошептал:

— Невоспитанный хам.

Дронго с трудом дотерпел до восьми часов вечера, когда в отеле «Карлтон» ему была назначена встреча с председателем жюри. Она была уже в отеле, отвечала на вопросы журналистов, когда он приехал в «Карлтон». До назначенного времени она закончила общение с журналистами и поднялась в сюит.

Когда он вошел в комнату, она ждала его, сидя за столом. Улыбнувшись гостю, пригласила его сесть.

— У вас только пять минут, — сухо сказал секретарь, усаживаясь за соседний столик.

Дронго оглянулся на него.

— Нет, — решительно сказал он, — мне нужно поговорить с вами наедине.

Актриса улыбнулась и кивнула секретарю, разрешая выйти. Тот поднялся и, что-то ворча, вышел из номера.

— Зачем вы хотели меня видеть? — спросила актриса.

— Я хотел попросить вас об одной услуге, — быстро сказал Дронго.

— Об услуге? — удивилась актриса. — Мне говорили, что вы представитель генерала Дасте. Я думала, речь идет о безопасности фестиваля.

— В данном случае речь идет больше чем о безопасности, — признался Дронго. — У меня мало времени, поэтому буду краток. Завтра вы будете подводить итоги. Я не знаю, кому вы хотите дать

«Гран-при» и, наверное, уже решили дать, но я прошу вас, если есть такая возможность, присудить приз иранской картине Аббаса Кияростами.

— Вы сумасшедший, — гневно поднялась актриса, — выйдите отсюда. Мне не положено обсуждать подобные вопросы.

— Подождите, — поднялся и Дронго, — выслушайте меня, и я уйду. Сейчас здесь, на фестивале, готовится террористический акт. Его готовит очень опасный террорист, которого мы не можем найти. Но в Канны прибыл целый отряд сотрудников МОССАД, которые считают, что террористы находятся среди иранской делегации. А те, в свою очередь, считают, что террористам кто-то помогает. Израильтяне убеждены, что фильм Кияростами всего лишь предлог для приезда делегации Ирана, среди которой террористы.

— Я не понимаю, о чем вы говорите.

— Если «Гран-при» получит иранский фильм, это будет самым лучшим доказательством его художественных достоинств, — объяснил Дронго. — В таком случае никто не посмеет ставить под сомнение приезд иранской делегации.

— Я не могу обсуждать такие вопросы с посторонними.

— Поймите же вы наконец, — нервно сказал Дронго, — речь идет о гораздо более важных вещах, чем ваш фестиваль. Это уже не игра, не кино, а жизнь. Завтра может произойти террористический акт, от которого погибнут тысячи людей. Последствия его могут быть ужасны сразу для нескольких стран, для мирного процесса на Ближнем Востоке. Великий русский писатель Достоевский говорил, что нельзя строить счастье человечества даже на слезинке одного ребенка. Неужели вы не хотите понять меня?

— Это шантаж, — с отвращением сказала актриса, — вы пытаетесь меня запугать.

— Я пытаюсь вам объяснить, — сказал Дронго, — вы же мусульманка по отцу. Я знаю вашу биографию. Он был алжирцем турецкого происхождения. Представляю, как вам было трудно в детстве. Неужели вы не понимаете, что будет означать для всего мира и для вас присуждение иранскому фильму главного приза? Это же так очевидно.

Воспоминания о детстве, очевидно, смутили актрису. Она села.

— Я не понимаю ваших мотивов, — тихо сказала она.

— У меня нет никаких личных мотивов, — также тихо произнес он, — я думал, что вы меня поймете.

— Мы не имеем права присуждать премии, руководствуясь личными симпатиями, — пояснила она, — для этого есть международное жюри. Я не имею права даже обсуждать с вами тот или иной фильм. Могу высказывать свое мнение только во время обсуждения фильма в комнате для жюри.

— Да, конечно, — кивнул Дронго, — извините, что вас побеспокоил. Мне казалось важным сообщить вам некоторые обстоятельства, о которых вы не знаете. Если вдруг мы упустим террористов и они сумеют провести террористический акт, то весь мир будет считать, что это сделали иранцы. Вы понимаете, как важно их поддержать?

— Я не имею права вам поверить, — вдруг мягко улыбнулась она. — Думаю, вы должны понимать и мою истину.

— Простите, — кивнул Дронго, — я только отнял у вас время.

Он повернулся и вышел, не сказав больше ни слова. После его ухода в комнате долго стояла тишина.

Канны. 18 мая 1997 года

Весь день семнадцатого мая Дронго провел в других местах. Он не завтракал в отеле, не обедал и не ужинал. Только поздно вечером вернулся, постучал в номер отца, устало вошел к нему и сообщил:

— Жюри будет объявлять победителей только завтра. Они не пришли сегодня ни к каким выводам.

— Это хорошо или плохо?

— Пока не знаю, — признался сын, устало усаживаясь в кресло. Потом попросил: — Может, ты завтра отсюда переедешь?

— Это так опасно?

— Это может быть опасно, — честно признался сын.

— Тогда тем более я останусь здесь, — ответил отец.

— Если с тобой что-нибудь случится, я себе этого не прощу.

— Когда у тебя будет свой собственный сын, ты все поймешь, — возразил отец, — мне уже много лет, меня нельзя испугать. Если суждено умереть в Ницце, значит, я здесь умру. Но я отсюда никуда не уеду. Завтра мы будем вместе.

Сын понял: он не сможет переубедить своего отца.

— Хорошо, — улыбнулся он, — тогда мы остаемся вдвоем.

— Ты все предусмотрел?

— Кажется, все. Только одна просьба. Сегодня ты будешь ночевать в другом номере. Договорились?

— Мне нужно тебе уступить, — кивнул отец, — иначе ты все равно меня обманешь и вообще переедешь из отеля. Я знаю все твои уловки. В какой номер мне нужно переходить?..

Ночь прошла спокойно. Утром наблюдатели заметили на вилле «Помм де Пимм» необычайное оживление. Для девушек было вызвано такси, и они уехали. Гости вывели из гаража свой микроавтобус, тоже намереваясь куда-то отправиться.

На фестивале объявили, что сегодня вечером состоится торжественное закрытие и объявление имен победителей.

Отец спустился позавтракать и обнаружил в ресторане Павла Гурвича.

— Он прислал со мной билеты на сегодняшнее закрытие фестиваля, — пояснил Гурвич.

Отец понял, что сын все-таки перехитрил его, и согласно кивнул. Может, он действительно лучше знает, что делает.

Майкл Уэйвелл понял, что его прекрасной жизни на вилле приходит конец. Он в растерянности бродил по дому.

Дронго спустился завтракать в тот момент, когда машина с отцом и Гурвичем выехала в Канны на церемонию закрытия. На часах было уже половина двенадцатого. Через час он вернулся в свой номер, а автомобиль с выехавшими из Ниццы в это время доехал до набережной Круазет.

В половине второго постояльцы виллы наконец закончили готовить свой автомобиль и стали укладывать чемоданы.

В два часа дня Дронго заказал в свой номер воду и легкие закуски.

В половине третьего отец и Гурвич сели за столик в ресторане отеля «Нога Хилтон». Старший мужчина ничего не ел. Он понимал, что в этот день происходит нечто важное. Он ни о чем не спрашивал Гурвича, чтобы тот ему не соврал. Он понимал и другое: что ничего не сможет сделать, и от этого страдал еще больше.

В три часа во Дворец кино вошел посетитель с журналистской карточкой. Когда он входил, металлоискатель показал наличие металла. Посетитель улыбнулся и расстегнул рубашку, демонстрируя массивную золотую цепь с крестом. Он снял цепь, положил ее рядом с полицейским и повторно прошел через раму металлоискателя. На этот раз все было в порядке. Посетитель надел цепь и пошел внутрь здания. Он прошел в левую его часть, поднялся на лифте, проследовал коридором и, открыв дверь для служащих, оказался в другом коридоре. Здесь он подошел к панели системы кондиционирования и, оглянувшись, бросил в стык между панелями небольшую коробочку, устроив короткое замыкание.

В три часа, плотно пообедав, гости сели в автомобиль и выехали с виллы «Помм де Пимм», предложив Уэйвеллу место в своем микроавтобусе. Генерал Дасте, лично прибывший в Сен-Тропе, руководил операцией, с удовольствием вспоминая гневное лицо Дронго.

— Он еще пытался нас поучать, — усмехнулся Дасте. — Теперь я докажу всем, чего стоит наша служба. Они не верили в эту виллу, теперь они во всем убедятся сами. Представляю, какие репортажи будут в газетах, когда мы их обезвредим.

В половине четвертого к зданию дворца, где происходила церемония закрытия, подъехал авто-фургон с одетыми в фирменную одежду сотрудни-ками фирмы кондиционеров.

— Вчера плохо работала система кондициони-рования воздуха, — объяснили они дежурным по-лицейским, — мы должны все проверить. — Они предъявили документы, составленные по всей форме, но бдительный сержант решил все прове-рить тщательнее. Он позвонил на фирму и там под-твердили вызов автобуса с тремя сотрудниками. Сержант позвонил в штаб фестиваля, там тоже подтвердили факт вызова. Система кондициони-рования действительно плохо работала. Сержант внимательно проверил все карточки приехавших и только после этого пропустил их в здание.

Микроавтобус, выехавший с виллы, взял курс на Сен-Максим, проехав который, он направился не в сторону Канн, а в противоположную, на Тулон. Когда Дасте доложили об этом, он распорядился снять часть сотрудников из Антиба и Канн и пере-бросить их в Тулон и Марсель.

— Эта дурацкая гипотеза о террористах на фес-тивале не стоила и гроша, — радостно заявил он своему заместителю, — террорист обманул их всех, кроме меня. На самом деле он готовит свою акцию где-то на тулонских или марсельских заводах, а может, даже в порту.

Сотрудники фирмы кондиционеров прошли в коридор, сняли панель, чтобы начать работу, когда за их спиной возник неизвестный.

— Здесь нельзя ходить, — повернулся к нему один из ремонтников. Тот улыбнулся и резким дви-жением набросил на шею несчастного металличес-кую струну. Второй только поднял голову, а первый уже хрипел. Убийца свалил ударом ноги и этого и, достав вторую струну, так же быстро и сноровисто задушил его. Затем снял обе струны, расстегнул свою рубашку, снял с себя золотую цепь и намотал на нее обе струны. После чего быстро сорвал с груди убитых карточки и забрал их документы. Подтащил тела к вентиляционной шахте, открыл ее, заглянул внутрь. На перекрытиях были металлические решетки. Убийца столкнул оба тела в шахту, и они упали, застряв где-то на полпути, на решетках. Убийца закрыл люк.

Спустившись вниз, он кивнул полицейским и вышел из здания. В машине фирмы кондиционеров сидел третий сотрудник. Убийца показал на этот автомобиль двум сообщникам, стоявшим у здания. Через несколько секунд они были у машины. Дуло глушителя уперлось в бок водителю.

— Тихо, — посоветовал главный убийца. Это был Ахмед Мурсал. — Сиди тихо, и тебя не тронут, — сказал он по-французски.

Все трое террористов забрались в автобус, и водитель мягко отъехал от здания дворца.

В половине пятого к зданию начали подъезжать автомобили. Выстроились жандармы, появились фотографы, корреспонденты, толпа росла с каждой минутой.

Микроавтобус с тремя пассажирами миновал Тулон и двигался на Марсель. За ним следили более пятидесяти человек, готовые моментально вмешаться и пресечь любую акцию террористов. Генерал Дасте лично руководил операцией, чувствуя, что его шансы растут с каждой минутой.

В это время Дронго услышал стук в дверь своего номера. Он взглянул на часы и достал пистолет. Когда раздался второй стук, он встал за шкафом, чтобы встретить незнакомца. На дверях висела табличка «не беспокоить», которая ясно указывала на присутствие в номере гостя.

Кто-то, стоявший за дверью, начал медленно открывать замок. Дронго спокойно ждал. Убийца открыл наконец дверь и вошел в номер. Дронго поднял пистолет...

Отъехавший от центра автобус с водителем фирмы кондиционеров завернул в тихую улочку, и сразу раздалось три глухих щелчка. Водитель сполз на пол.

— Быстрее, — приказал Ахмед Мурсал. — Мы должны вернуться, пока не сменился тот пост полиции, через который они проходили. Приготовьте ящики.

Гурвич вместе со своим спутником вошел в здание дворца, поднявшись по лестнице.

— Ваш сын приедет прямо сюда, — успокоил он отца Дронго. Тот молча следовал за Гурвичем, бледный от волнения, но по-прежнему ничего не спрашивал...

Микроавтобус с тремя неизвестными достиг окраин Марселя...

Дронго увидел тень человека, возникшую на пороге. И в этот момент кто-то еще появился у двери. Убийца обернулся, и Дронго толкнул его в спину. На пороге стоял полковник Мовсаев с пистолетом в руках. Убийца с трудом удержался на ногах, но по-прежнему сжимал в руках оружие и ошеломленно смотрел на Дронго.

— Здравствуй, Красавчик, — сказал по-арабски из-за его спины полковник Мовсаев.

Салех Фахри взревел, поворачиваясь к нему лицом. Он успел выстрелить только один раз. Пуля пробила стену в нескольких сантиметрах от виска полковника. Дронго и Мовсаев выстрелили одновременно, пробив тело убийцы с двух сторон. Тот пошатнулся, выронил пистолет, упал на пол.

Мовсаев быстро вошел в комнату.

— Вы были правы, — сказал он. — Но как такое могло случиться? Никогда бы не поверил, если бы сам не убедился. Это просто невероятно.

— Я сам в такое не верил, — признался Дронго. — Уже в Тегеране я понял, что у Мула есть осведомитель. Потом в Дамаске я намеренно вызвал огонь на себя, отсекая иранцев, чтобы проверить свои подозрения. Но когда в Париже убили Армана Эрреру, о котором знали только в МОССАД, я понял, что утечка информации идет именно оттуда. Поэтому сообщил вчера Райскому о том, что нападение состоится ночью восемнадцатого мая, что я буду весь день в своем номере, чтобы подготовиться к ночным событиям.

— Вы подозреваете генерала в связях с Мулом?

— Конечно, нет. И тем более не своего друга Гурвича. Хотя мне пришлось рискнуть, отпустив отца с ним в Канны. Кто-то в МОССАД информирует Мула и его людей.

— Просто невозможно поверить, — пробормотал Мовсаев, глядя на убитого. — Это просто невозможно.

— И тем не менее моя уловка удалась. Спасибо за помощь, полковник. А теперь нам нужно срочно ехать в Канны. Я боюсь, что Мул нанесет свой основной удар именно там.

— А что делать с этим?

— Пускай пока полежит здесь, — махнул на него рукой Дронго. — Давайте быстрее, полковник, я волнуюсь за отца. Он сейчас там.

Они выбежали из номера и поспешили вниз,

на стоянку такси, чтобы успеть попасть к началу церемонии закрытия фестиваля.

Автомобили все подъезжали к зданию дворца. Из них выходили роскошно одетые женщины и мужчины в смокингах. Это была почти обязательная форма для мужчин, хотя некоторые умудрялись придумывать какие-то экстравагантности, надевая темные рубашки или неклассические варианты смокинга. Почти перед самым открытием приехала Изабель Аджани, увидев которую, толпа заволновалась еще больше. Повсюду раздавались приветственные крики, поздравления. Актриса подняла руку и помахала своим поклонникам, счастливо улыбаясь...

Отец наклонился к Гурвичу и тихо спросил:

— Когда он приедет?

— Он должен скоро быть здесь, — ответил Гурвич.

По лестнице, застеленной красным ковролином, поднимались последние пары, спешившие в зал...

Микроавтобус въехал в Марсель, и наблюдавшие за ним поняли, что окончание рейса террористов совсем близко. Генерал Дасте приказал вызвать штурмовую группу в Марсель для завершающего удара. Два вертолета вылетели из Канн в Марсель...

Истинные террористы, переодевшись в форму сотрудников фирмы, подъехали к дворцу, предварительно далеко оставив свою машину. Подняв ящик, двое подручных следовали за Ахмедом Мурсалом. Они вышли на тот самый пост, через который полтора часа назад прошла первая смена сотрудников.

— Куда несете ящик? — лениво спросил один из полицейских.

— Мы должны починить систему кондиционирования, — улыбнулся Ахмед Мурсал. Теперь у него не было ни усов, ни бороды — он был чисто выбрит, а на глазах были маленькие очки.

— Нужно позвонить в штаб фестиваля, — возразил один из полицейских.

Ахмед Мурсал оглянулся. Они оставили все свое оружие в автобусе, где находились еще двое их пособников.

— Пропусти их, — крикнул сержант, — там система барахлит. Я уже звонил. Только пусть пройдут спецконтроль как полагается.

Полицейский кивнул, пропуская людей в здание. Ахмед Мурсал был уже без золотой цепи. На нем ничего не звенело, инструменты он положил перед проверяющими. Двое его подручных пытались пронести ящик в обход металлодетектора, но бдительный полицейский приказал поставить ящик для осмотра. Они повиновались, и ящик пошел на рентгеновский просмотр и на проверку наличия металла. Но металла в ящике не было. Там лежали пачки с каким-то порошком.

— Что у вас за порошок? — спросил полицейский.

— Для чистки системы кондиционирования, — объяснил Ахмед Мурсал.

Его подручные уже поднимали ящик, направляясь к лифту.

Дронго и Мовсаев торопили водителя такси, лихорадочно глядя на часы...

Начали объявлять итоги фестиваля. Вручались премии за лучшую мужскую и лучшую женскую роли...

Микроавтобус подъехал к супермаркету и остановился. Двое бывших гостей Уэйвелла вышли из машины, оставив его одного....

Террористы вошли в лифт, поднялись на нужный им этаж. В коридоре было тихо. Они прошли дальше и начали открывать ящик у панели кондиционирования, чтобы загрузить ядохимикаты в систему подачи воздуха в зал...

Дронго и Мовсаев подъехали к зданию дворца. Там их ждал Никитин.

— Террористы наверняка внутри! — крикнул Дронго. — Давайте быстрее.

Он рванулся внутрь, но полицейские не пускали незнакомцев, не имеющих пропуска, к тому же плохо говоривших или вообще не говоривших на французском...

В микроавтобус внесли несколько ящиков, и Уэйвелл почувствовал себя гораздо увереннее, словно понял причину своего добровольного заточения на вилле...

— Загружайте, — сказал Ахмед Мурсал своим подручным...

Дронго все еще пытался пробиться в здание. В отчаянии он попросил связаться с генералом Дасте. Полицейский отказался. Но рядом оказался сотрудник службы безопасности. Он все же вызвал по рации генерала Дасте.

— В чем дело? — недовольно спросил генерал. — Что у вас происходит?

— Здесь неизвестные типы требуют разрешить им пройти в зал. Они все вооружены, — доложил сотрудник генерала.

— Гоните их в шею, — громко посоветовал Дасте.

Но Дронго, не разобравший, что они говорят, выхватил рацию и закричал:

— Вас обманывают, генерал. Ваш микроавтобус — это подставка, обман! Вы меня слышите? Вас обманывают!

Генерал вдруг вспомнил, что террористы сидят в автобусе уже четвертый час. Он побледнел, усилием воли сохраняя спокойствие. А если его действительно обманывают? Нужно было решать.

— У меня в номере, в «Негреско», лежит убитый террорист. Его сообщники в здании! — кричал Дронго. — Проверьте мой номер в Ницце, чтобы убедиться! Не будьте таким идиотом, генерал!

— Проверьте, — приказал генерал своему сотруднику. Тот быстро связался с отелем в Ницце...

— Заканчивайте, — посмотрел на часы Ахмед Мурсал...

Изабель Аджани получила слово и теперь должна была объявить фильм, получивший «Гран-при» пятидесятого юбилейного Каннского фестиваля...

— Мы проверили, — доложил сотрудник, — в «Негреско» действительно обнаружен труп...

— Остановите машину, — приказал генерал. — Пропустите этих людей в здание и помогите им в задержании преступников!

Он вдруг понял, что именно его сегодня провели, что именно он сегодня попался на дешевую уловку.

— Вертолеты со спецназом в Канны, — распорядился он. — Немедленно!

Дронго и Мовсаев ворвались в здание с группой полицейских...

Ахмед Мурсал удовлетворенно кивнул и включил систему подачи воздуха. «Через полчаса в здании не будет ни одного живого человека», — улыбаясь, подумал он...

— «Гран-при» Каннского фестиваля получает фильм... — Актриса сделала паузу, оглядела зал и выдохнула: — Фильм иранского режиссера Аббаса Кияростами...

Зал взорвался аплодисментами, приветственными криками. Али Гадыр Тебризли рассеянно оглянулся. Он не верил свои ушам. Он просто не мог поверить в такое. Отовсюду лезли люди, поздравляя иранскую делегацию...

Дронго побежал к лифту. Мовсаев бежал за ним. Створки лифта открылись, и они увидели в кабине Ахмеда Мурсала и его террористов. Дронго поднял пистолет. Мовсаев поднял свой. Полицейские подняли автоматы. Один из террористов бросил в кого-то свой инструмент. И тогда загремели выстрелы. Ахмед Мурсал в последний момент прикрылся одним из своих людей. Оба его пособника были убиты. Вдруг створки кабины лифта закрылись, и она пошла наверх.

— Быстрее! — закричал полицейским Дронго.

В зале из-за шума и криков ничего не было слышно...

Дронго бежал по лестнице, чувствуя, что задыхается. В конце коридора мелькнула фигура Ахмеда Мурсала. Тот пытался вылезти на крышу.

— Стой! — закричал Дронго. — Стой!

С другой стороны уже бежали полицейские. Террорист оглянулся, увидев спешивших к нему людей. Он узнал Дронго и бросился на него, рассчитав, что это главный виновник неудачи. Дронго выстрелил один раз, второй, третий, лишь легко ранив террориста. Он не мог стрелять в упор в безоружного человека. Добежавший до него террорист вцепился ему в горло, и они, пробив стекло, вывалились на крышу соседнего здания. Дронго бил, вкладывая в свои удары всю энергию, накопившуюся в нем за эти дни, но в ответ получал страшные удары. Наконец, собравшись с силами, он нанес такой удар, что террорист оторвался от него и полетел вниз, успев в последний момент ухватиться за его ногу.

— Руку, — крикнул Дронго. — Давай руку!

— Будь ты проклят, — с ненавистью сказал террорист и оттолкнул его руку, попытавшись в последний раз ударить того, кто сумел его остановить. И в следующий миг с диким криком полетел вниз.

Дронго стал осторожно спускаться. В коридоре уже стояли люди. Он вошел в лифт и спустился вниз, в разорванной одежде и окровавленный.

— Система кондиционирования, — прохрипел он, — проверьте систему. Спасайте людей.

От усталости он едва держался на ногах. К нему подошел Райский.

— Что случилось?

— У вас в МОССАД был предатель, — прохрипел Дронго. — Он информировал Мула о всех моих передвижениях. Работал на Мула.

— Нет, — сказал Райский, — у нас не было информаторов Мула. Мы все проверили сами. Нам помогла Алиса, которую мы отправили в Израиль. Именно она просчитала все возможные варианты. В отделе информации у нас сидел информатор американского ЦРУ Гринберг, о котором мы все давно знали. Видимо, кто-то из американцев решил немного помочь Мулу.

— Но почему?

— Нефтяной контракт, — пояснил Райский, — они хотели сорвать нефтяной контракт между Ираном, Францией и Турцией. Их не устраивал этот контракт.

— И вы знали о Гринберге? — прошептал Дронго. — Может, это вас не устраивал такой контракт?

— Может быть, — печально согласился Райский, — может быть. Но вы можете быть удовлетворены. Иранцы получили «Гран-при». Теперь ясно, что они не помогали Мулу.

— А вы? — изумленно спросил Дронго. — А как же вы?

Райский отошел от него. Гурвич подскочил к Дронго, обнял его.

— Молодец!

— Ты знал про Гринберга?

— Ничего не знал, — растерялся Павел. — А почему ты спрашиваешь?

— Ничего, — махнул рукой Дронго. — Ничего.

В Марселе остановили микроавтобус. Двое террористов спокойно вскрывали ящики, показывая полицейским апельсины. Увидев апельсины, Майкл Уэйвелл окончательно потерял голову. Он толкнул одного из полицейских и попытался бежать, но автоматная очередь была последним звуком, который он услышал в этой жизни.

К Дронго подошел Али Гадыр Тебризли. Ни слова не говоря, протянул руку. Дронго пожал ее, растерянно улыбнувшись. Гурвич с улыбкой смотрел на руководителя иранской разведки.

— Я вас поздравляю, — сказал вдруг он.

Али Гадыр обернулся. В глазах у него было изумление.

— Вы? — сказал он. — Вы поздравляете?

Он явно смутился. Потом быстро кивнул:

— Спасибо, спасибо, — и отошел от них, словно устыдившись своей благодарности.

Повсюду раздавались веселые крики. На площади уже были задержаны сидевшие в автобусе фирмы оставшиеся двое террористов. Многие гости в зале так и не поняли, что произошло. Администрация фестиваля объявила, что последний фильм на фестивале — «Абсолютная власть» Клинта Иствуда — будет показан с трехчасовым опозданием во времени и начнется после одиннадцати вечера.

Дронго спускался по лестнице, когда почувствовал на своем плече чью-то руку. Он обернулся. Это был отец.

— Я должен тобой гордиться? — строго спросил тот.

— Папа, — прошептал Дронго, — ты меня извини. Я тебя сегодня обманул.

— Надеюсь, в последний раз, — покачал головой отец, — ты же уже не маленький.

— Нет, — улыбнулся разбитым ртом Дронго, — я такой маленький, папа, я еще совсем глупый.

И, опираясь на руку отца, он начал спускаться вниз. Отец посмотрел на сына и покачал головой:

— Кажется, я даже не заметил, когда ты стал взрослым. Пошли. — И он положил руку ему на плечо, как когда-то делал в детстве.

Они пошли по шумной площади, затерявшись в толпе. Павел долго смотрел им вслед.

— Он гений, — услышал он за своей спиной глухой голос генерала и обернулся.

Райский стоял рядом со Светлицким.

— И хороший сын, — добавил Светлицкий, соглашаясь со своим израильским коллегой.

Литературно-художественное издание

Абдуллаев Чингиз Акифович
«ГРАН-ПРИ» ДЛЯ УБИЙЦЫ

Книга опубликована в авторской редакции
Художественный редактор *А. Сауков*
Художник *С. Цылов*
Технические редакторы
Н. Носова, В. Фирстов
Корректор *Г. Гагарина*

Налоговая льгота — общероссийский классификатор
продукции ОК-005-93, том 2; 953000 — книги, брошюры.

Подписано в печать с готовых диапозитивов 21.03.2000.
Формат 84х108 $^1/_{32}$. Гарнитура «Таймс».
Печать офсетная. Усл. печ. л. 22,7. Уч.-изд. л. 17,0.
Тираж 5000 экз. Заказ 4532.

ООО «Издательство «ЭКСМО-МАРКЕТ»
Изд. лиц. № 071591 от 10.02.98
ЗАО «Издательство «ЭКСМО-Пресс»
Изд. лиц. № 065377 от 22.08.97
125190, Москва, Ленинградский проспект, д. 80, корп. 16, подъезд 3.
Интернет/Home page — www.eksmo.ru
Электронная почта (E-mail) — info@ eksmo.ru

Книга — почтой:
Книжный клуб «ЭКСМО»
101000, Москва, а/я 333. E-mail: bookclub@ eksmo.ru

Оптовая торговля:
109472, Москва, ул. Академика Скрябина, д. 21, этаж 2
Тел./факс: (095) 378-84-74, 378-82-61, 745-89-16
E-mail: eksmo_sl@msk.sitek.net

Мелкооптовая торговля:
Магазин «Академкнига»
117192, Москва, Мичуринский пр-т, д. 12/1
Тел./факс: (095) 932-74-71

Всегда в ассортименте новинки издательства «ЭКСМО-Пресс»:
ТД «Библио-Глобус», ТД «Москва», ТД «Молодая гвардия»,
«Московский дом книги», «Дом книги на ВДНХ»

ТОО «Дом книги в Медведково». Тел.: 476-16-90
Москва, Заревый пр-д, д. 12 (рядом с м. «Медведково»)

ООО «Фирма «Книинком». Тел.: 177-19-86
Москва, Волгоградский пр-т, д. 78/1 (рядом с м. «Кузьминки»)

ГУП ОЦ МДК «Дом книги в Коптево». Тел.: 450-08-84
Москва, ул. Зои и Александра Космодемьянских, д. 31/1

АООТ «Тверской полиграфический комбинат»
170024, г. Тверь, пр-т Ленина, 5.

Книжный клуб "ЭКСМО" - прекрасный выбор!

Приглашаем Вас вступить в Книжный клуб "ЭКСМО"! У Вас есть уникальный шанс стать членом нашего Клуба одним из первых! Именно в этом случае Вы получите дополнительные льготы и привилегии!

Став членом нашего Клуба, Вы четыре раза в год будете БЕСПЛАТНО получать иллюстрированный клубный каталог.

Мы предлагаем Вам сделать свою жизнь содержательнее и интереснее!

С помощью каталога у Вас появятся новые возможности! В уютной домашней обстановке Вы выберете нужные Вам книги и сделаете заказ. Книги будут высланы Вам наложенным платежом, то есть БЕЗ ПРЕДВАРИТЕЛЬНОЙ ОПЛАТЫ. Каждый член Вашей семьи найдет в клубном каталоге себе книгу по душе!

Мы гарантируем Вам:

- Книги на любой вкус, самые разнообразные жанры и направления в литературе!
- Самые доступные цены на книги: издательская цена + почтовые расходы!
- Уникальную возможность первыми получать новинки и супербестселлеры и не зависеть от недостатков работы ближайших книжных магазинов!
- Только качественную продукцию!
- Возможность получать книги с автографами писателей!
- Участвовать и побеждать в клубных конкурсах, лотереях и викторинах!

Ваши обязательства в качестве члена Клуба:

1. Не прерывать своего членства в Клубе без предварительного письменного уведомления.
2. Заказывать из каждого ежеквартального каталога Клуба не менее одной книги в установленные Клубом сроки, в случае отсутствия Вашего заказа Клуб имеет право выслать Вам автоматически книгу – "Выбор Клуба"
3. Своевременно выкупать заказанные книги, а в случае отсутствия заказа – книгу "Выбор Клуба".

Примите наше предложение стать членом Книжного клуба "ЭКСМО" и пришлите нам свое заявление о вступлении в Клуб в произвольной форме.

По адресу: 101000, Москва, Главпочтамт, а/я 333, "Книжный клуб "ЭКСМО"

В заявлении обязательно укажите полностью свои фамилию, имя, отчество, почтовый индекс и точный почтовый адрес. Пишите разборчиво, желательно печатными буквами.

Отправьте нам свое заявление сразу же, торопитесь! Первый клубный каталог уже сдан в печать!

«ВНЕ ЗАКОНА»
СОВРЕМЕННЫЙ РОССИЙСКИЙ ДЕТЕКТИВ

«Вне закона» – это криминальные романы, сюжет которых исключает привычное столкновение преступного мира с правоохранительными органами. Здесь все непредсказуемо, ибо герой, борющийся с уголовниками, как правило, сам является объектом преследования и защищает тот самый закон, что поставил его вне закона. Борьбу с преступностью, на стороне которой сила, деньги, власть, такой человек возводит в ранг собственной жизни. И сделает свой выбор раз и навсегда…

В ЭТОЙ СЕРИИ ВЫХОДЯТ КНИГИ ТАКИХ АВТОРОВ, КАК:

Ф.Волков, С.Зверев, Ч.Абдуллаев, Д.Петров, И.Солнцев, М.Зайцев.

Все книги объемом 500-600 стр., твердый, целлофанированный переплет, шитый блок.

«РУССКИЕ РАЗБОРКИ»

Каждый преступник знает: не так страшна тюрьма, как приговор своих. Железный кулак криминала, как известно, бьет без промаха. И главное здесь – ударить первым.

О жестоких схватках преступных группировок, операциях по уничтожению соперников и изощренных способах ускользнуть от правосудия – в захватывающих криминальных романах новой серии «Русские разборки».

И.В.Винниченко «Красотка из ГРУ»
П.В.Васильев «Бешеные псы»
А.В.Медведев «Крутые долго не живут»
В.В.Морозов «Цезарь: крещение кровью»
В.В.Морозов «Цезарь-2»

Все книги объемом 450-500 стр., твердый, целлофанированный переплет, шитый блок.

«ЧЕРНАЯ КОШКА»

СОВРЕМЕННЫЕ РОССИЙСКИЕ ДЕТЕКТИВЫ

«ДЕТЕКТИВ ГЛАЗАМИ ЖЕНЩИНЫ»

Собрание сочинений Т.Поляковой

Что общего между любовью и… преступлением? А то, что по жизни они идут рука об руку. Сексуальные и умные, страстные и прагматичные героини романов Т.Поляковой не боятся крови и мертвецов, милиции и бандитов. Они шутя играют со смертью, они готовы преступить самую последнюю черту и не блефуют только в настоящей любви. Потому что спрятаться от самой себя невозможно!

Т.Полякова «Невинные дамские шалости»
Т.Полякова «Ее маленькая тайна»
Т.Полякова «Мой любимый киллер»
Т.Полякова «Капкан для спонсора»

Собрание сочинений П.Дашковой

Если от чтения у вас перехватывает дыхание, если вам трудно отложить книгу, не дочитав ее до конца, если, прочитав роман, вы мысленно возвращаетесь к нему снова и снова… Значит, все в порядке — в ваших руках побывал детектив Полины Дашковой. Ведь каждая ее книга — новое откровение для поклонников детективного жанра!

П.Дашкова «Место под солнцем»
П.Дашкова «Образ врага»
П.Дашкова «Золотой песок»

Собрание сочинений А.Марининой

Что ни говори, а книги Александры Марининой запали в душу читателей. Их любят молодые и старые, женщины и мужчины, утонченные эстеты и просто поклонники остросюжетного жанра. Александра Маринина – это детективное чудо, происходящее у нас на глазах. Ее популярности могут позавидовать и эстрадные звезды, и знаменитые актеры, и телеведущие. Ибо сегодня Маринину знают все.
Ее книги разыскивают, расхватывают, их «проглатывают». Но главное, их всегда ждут.

А.Маринина «Я умер вчера»
А.Маринина «Мужские игры»
А.Маринина «Светлый лик смерти»

Все книги объемом 500-600 стр., целлофанированная обложка, шитый блок.

«КРИМИНАЛ»

С.Романов «Мошенничество в России. Как уберечься от аферистов»

Многим из нас приходилось становиться жертвой мошенников. Что поделаешь? Доверчивых людей легко обвести вокруг пальца. И это с успехом проделывают аферисты всех мастей — от уличных попрошаек до строителей «финансовых пирамид».

О способах и видах мошенничества, а также о доступных методах борьбы с этим явлением пойдет речь в этой книге.

А.Максимов «Российская преступность. Кто есть кто»

Книга российского журналиста А.Максимова — первая попытка подведения итогов Великой криминальной революции. Крупнейшие московские и подмосковные преступные группировки 1995—1997 годов. Проникновение мафии в Государственную Думу. Институт современного киллерства. Оборотни в погонах. Пройден ли порог терпимости общества, которое захлестнул криминальный беспредел?

В.Карышев «А.Солоник – киллер мафии»
В.Карышев «А.Солоник — киллер на экспорт»

Одни называют А.Солоника преступником и убийцей (хотя суда над ним не было), другие – Робин Гудом, выжигающим «криминальные язвы» общества. Но так или иначе Солоник – личность, способная на Поступок. Три его побега из мест заключения, включая последний из «Матросской тишины», сделали его легендой преступного мира. Автор этой книги – адвокат и доверенное лицо Солоника, владеющий уникальной информацией, полученной «из первых рук», рук своего «героя».

С.Дышев «Россия уголовная»
С.Дышев «Россия бандитская»
В.Карышев «Солнцевская братва»
В.Карышев «Сильвестр»
В.Карышев «Воровской общак Паши Цируля»
А.Барбакару «Одесса-мама – каталы, кидалы и шулера»

500-700 стр., целлофанированный переплет, шитый блок.

«МАСТЕРА ЗАРУБЕЖНОГО ДЕТЕКТИВА»

Серию составляют сборники лучших произведений самых знаменитых мастеров детектива: Эда Макбейна, Грегори Макдональда и Рекса Стаута. В их книгах есть все, что ценит взыскательный читатель: крутой сюжет, тонкий юмор и безграничная фантазия. Перечисление всех призов и регалий, полученных этими мэтрами за их писательскую карьеру, заняло бы целую страницу.

Р.Стаут «Не рой другому яму»
Г.Макдональд «Флинн в пролете»
Э.Макбейн «Златовласка»
Дж.Гришем «Золотой дождь»

Все книги объемом 400-500 стр., твердый, целлофанированный переплет, шитый блок.

Собрание сочинений Дика ФРЭНСИСА

Английский писатель Дик Фрэнсис уже на протяжении добрых 40 лет восхищает весь мир своими книгами. До сегодняшнего дня на русском языке опубликовано всего лишь 15 романов Фрэнсиса, создавших ему огромную популярность в России. А ведь на самом деле их уже 37, и каждый – настоящая жемчужина! Читайте и наслаждайтесь!

Д.Фрэнсис «На полголовы впереди»
Д.Фрэнсис «Мышеловка»
Д.Фрэнсис «Дорога скорби»

Все книги объемом 400-500 стр., твердый, целлофанированный переплет, шитый блок.